ESSAIS DE MÉMOIRE

Du même auteur

Aux mêmes éditions

Histoire des populations françaises et de leurs attitudes
devant la vie depuis le XVIIIe siècle
coll. « Points Histoire », 1971

L'Enfant et la Vie familiale sous l'Ancien Régime
coll. « L'Univers historique », 1973
coll. « Points Histoire » (abrégé), 1975

Essais sur l'histoire de la mort en Occident
du Moyen Age à nos jours
relié, 1975
coll. « Points Histoire », 1977

L'Homme devant la mort
coll. « L'Univers historique », 1977
coll. « Points Histoire », 2 vol., 1985

Un historien du dimanche
(avec la collaboration de Michel Winock)
1980

Images de l'homme devant la mort
Album relié, 1983

Le Temps de l'histoire
coll. « L'Univers historique », 1986

Sous la direction de Philippe Ariès et de Georges Duby

Histoire de la vie privée
coll. « L'Univers historique »
5 volumes reliés, 1985-1987

PHILIPPE ARIÈS

ESSAIS DE
MÉMOIRE

1943-1983

Avant-propos de Roger Chartier

PUBLIÉ AVEC LE CONCOURS
DU CENTRE NATIONAL DES LETTRES

ÉDITIONS DU SEUIL
27, rue Jacob, Paris VIᵉ

CE LIVRE EST PUBLIÉ DANS LA COLLECTION
L'UNIVERS HISTORIQUE

ISBN 2-02-011493-3

© Éditions du Seuil, juin 1993

Avant-propos

Philippe Ariès a bâti son œuvre autour de quatre livres, publiés respectivement en 1948 (*Histoire des populations françaises et de leurs attitudes devant la vie depuis le XVIIIᵉ siècle*), 1954 (*Le Temps de l'Histoire*), 1960 (*L'Enfant et la Vie familiale sous l'Ancien Régime*) et 1977 (*L'Homme devant la mort*). Beaucoup de ses articles, conférences et communications sont directement liés à ces ouvrages essentiels, soit qu'ils aient préparé le livre à venir ; soit que, après la publication de celui-ci, ils en aient prolongé les analyses. Le cas de *L'Homme devant la mort* est exemplaire de cette manière de travailler. Longuement porté, le livre a été précédé par une série d'essais qui en ont testé les hypothèses majeures, inventé la périodisation, dessiné l'armature. La préhistoire de *L'Homme devant la mort* s'est ainsi étirée sur une quinzaine d'années, jalonnée par une douzaine d'articles et par une mise au point provisoire, les quatre conférences données à l'université John Hopkins à Baltimore au printemps de 1973 — publiées en anglais l'année suivante et en français en 1975. Une fois le livre paru, Philippe Ariès n'en avait pas pour autant fini avec le sujet : diverses sollicitations l'ont conduit à lui consacrer encore une demi-douzaine d'articles, de communications, de comptes rendus, puis, cinq ans après son ouvrage, à rassembler dans les *Images de l'homme devant la mort* le dossier iconographique qui avait constitué l'une de ses sources fondamentales et qui permettait de suggérer une chronologie de l'envahissement du monde des vivants par les morts quelque peu différente de celle proposée en 1977.

Parmi les ouvrages d'Ariès, aucun n'a habité aussi durablement ses pensées que *L'Homme devant la mort*, mais tous ont été accompagnés, en amont ou en aval, par un ensemble de textes qui les ont annoncés ou complétés. *L'Enfant et la Vie familiale sous l'Ancien Régime*, publié en 1960, trouve ses origines et matériaux dans les articles consacrés, depuis 1949, aux pratiques contraceptives et aux différences entre la famille moderne et celle de l'Ancien Régime. Le succès tardif mais éclatant du livre a incité Ariès à lui donner de nombreux prolongements : sur les rôles parentaux, les âges de la vie, les formes éducatives, le mariage occidental. L'*Histoire des populations françaises* de 1948 puise l'inspiration de sa première partie dans l'essai publié cinq ans auparavant, intitulé *Les Traditions sociales dans les pays de France*, et suscite, dès son achèvement, les recherches sur les origines de la contraception et la vie familiale ancienne. Sans antécédent ni suite immédiate, *Le Temps de l'Histoire* paraît échapper à l'enchaînement qui mène de l'article au livre, puis du livre à l'article. L'exception n'en est pas tout à fait une si l'on se souvient que les différents chapitres qui composent l'ouvrage, paru en 1954, ont été rédigés entre 1947 et 1951, comme autant d'essais qui auraient fort bien pu être publiés séparément.

Évoquant la construction de *L'Homme devant la mort*, Ariès indique qu'elle agence les modèles successifs comme le sont les tuiles d'un toit, placées les unes sur les autres mais ne se recouvrant que partiellement [1]. Le principe vaut, me semble-t-il, pour son œuvre elle-même, organisée à partir d'une série de superpositions entre ses différents objets : l'évolution de la population française, l'histoire de la famille et du sentiment de l'enfance, les attitudes devant la mort. De là l'étroite relation qui associe, pour chaque thème, livre et articles ; de là, également, le surgissement des questions nouvelles à partir des acquis précédents. Il en est ainsi du cheminement commencé avec le livre de 1948 : « Après en avoir terminé avec l'*Histoire des populations* et *Le Temps de l'Histoire*, l'idée m'était venue d'une histoire du costume. [...] Le glissement d'une histoire avortée du costume à une histoire de l'enfant est dû aussi à l'intérêt que je portais depuis longtemps aux changements contemporains des modèles familiaux. J'avais déjà posé le problème dans l'*Histoire des populations*. Aussi R. Prigent m'avait-il demandé une contribution à un recueil collectif de l'INED consacré à la *Famille hier et aujourd'hui*. La question m'intéressait. En regardant autour de moi autant que dans la documentation (celle-ci plutôt littéraire ou cinématographique), j'ai pu faire le point de la situation des années cinquante, en la replaçant dans une longue durée. Je constatai que l'idéologie et la rhétorique des milieux catholiques et conservateurs donnaient le déclin de la famille depuis la Révolution française comme une certitude : l'affaiblissement de l'autorité paternelle, la limitation de la liberté des testateurs, le morcellement du patrimoine, le droit de divorcer et de se remarier, autant de causes de déclin. Et pourtant, dans les faits de la vie quotidienne, je voyais non pas déclin, mais force et consolidation de cette famille. Les relations entre les époux et entre les parents et les enfants trahissaient un sentiment dont on pouvait se demander si, à ce degré d'intensité et d'exclusivité, il n'était pas nouveau. Dès le temps de l'*Histoire des populations*, j'étais porté à croire que l'Ancien Régime ne l'avait pas connu sous cette forme. Mais peut-être avait-il commencé plus tôt que je ne croyais. La question était posée [2].»

De la même façon, l'idée d'une recherche sur les attitudes devant la mort, et les articles qui la scandent jusqu'au livre de 1977, s'enracinent directement dans l'ouvrage de 1960 : « Je sortais d'une longue étude sur le sentiment de famille, où je m'étais aperçu que ce sentiment qu'on disait très ancien et plutôt menacé par la modernité était en réalité récent et lié à une étape décisive de cette modernité. Je me demandai donc s'il ne fallait pas généraliser, si nous n'avions pas gardé encore, au XIXᵉ siècle et au début du XXᵉ siècle, l'habitude d'attribuer des origines lointaines à des phénomènes collectifs et mentaux en réalité très nouveaux, ce qui reviendrait à reconnaître à cette époque de progrès scientifique la capacité de créer des mythes. J'ai eu alors l'idée d'étudier les coutumes funéraires contemporaines pour voir si leur histoire confirmait mon hypothèse [3].»

Le présent recueil, pourtant, s'écarte de la logique de continuité et d'enchaînement qui a, pour l'essentiel, porté l'œuvre de Philippe Ariès. Il est deux raisons à ce parti. D'une part, les dossiers qui éclairent la genèse ou les prolongements des livres majeurs sont aisément accessibles : les *Essais sur l'histoire de la mort en Occident du Moyen Age à nos jours* rassemblent les textes préparatoires au grand œuvre de 1977 ; la préface à la nouvelle édition de *L'Enfant et la Vie familiale sous l'Ancien Régime*, qui date de 1973, résume les réflexions suggérées par les critiques adressées au livre après sa publication en 1960 ; enfin, la réédition posthume du *Temps de l'Histoire* réunit les documents qui en précisent la composition et la réception. D'autre part, notre intention est d'aller à la rencontre d'un Ariès plus intime et plus inattendu, fidèle à ce qu'il déclarait un jour de juillet 1981 à Saint-Maximin : « Si je fais de l'Histoire, ce n'est pas du tout parce qu'au premier chef je m'intéresse à l'histoire de la mort, de l'enfant ou de la famille, c'est pour essayer de me comprendre moi-même dans la situation d'aujourd'hui. Autrement dit, mon travail vise à atteindre une explication de la modernité. J'ai le sentiment, qui reste très fort, que nous traversons actuellement (ou bien que nous avons traversé, peu importe la chronologie) une période de transformation radicale. Pour saisir cela je suis obligé de remonter en arrière et de revenir ensuite à ce qui se passe aujourd'hui, pour alors me comprendre dans le temps d'aujourd'hui[4]. »

« Me comprendre dans le temps d'aujourd'hui » : le propos, pris au pied de la lettre, a guidé la composition de la première partie de ce recueil, « Regards en arrière ». On y trouvera quatre textes, (dont trois inédits), rédigés par Philippe Ariès dans les dernières années de sa vie, entre son élection à l'École des hautes études en sciences sociales en 1978 et son séjour, douloureusement abrégé du fait de la maladie de sa femme, au Wissenschaftskolleg de Berlin en 1983. Ariès y fait retour sur les héritages et les expériences qui ont construit sa vie d'historien. Les occasions de ces retours sur le passé sont diverses : l'inauguration de la direction d'études « Les attitudes devant la vie et la mort » à l'EHESS ; une relecture du *Temps de l'Histoire* aux fins d'une réédition (avortée) du livre ; une réflexion sur la notion de ressemblance à l'occasion d'un séminaire consacré à l'analogie ; le commentaire de photographies de

Saint-Pierre de la Martinique, patrie de la famille d'Ariès, prises avant la terrible catastrophe de mai 1902. Dans la distance de la mémoire, ces quatre textes rappellent les moments et les lieux essentiels de son existence : le choc de la Seconde Guerre mondiale, vécue comme un drame personnel (avec la mort de son frère Jacques, tué au combat en avril 1945) et comme l'écroulement d'un monde ; les années de Sorbonne dans le Paris de la décennie trente, partagées entre le militantisme intellectuel à l'Action française et la découverte de l'Histoire nouvelle, celle de Bloch, de Febvre et des *Annales* ; l'enfance et l'adolescence bordelaises, nourries par le légendaire familial accroché à l'île perdue — la Martinique.

A travers ces textes, Ariès rappelle les deux certitudes qui ont porté toute son œuvre. La première assigne à l'Histoire un objet qui ne lui était familier ni dans la tradition maurrassienne, ni dans l'enseignement universitaire : à savoir les sentiments involontaires, les habitudes inexprimées, les conduites secrètes. Loin du récitatif de l'histoire politique, loin des pensées claires et des idéologies proclamées, cette Histoire est celle de l'«inconscient collectif», ou plutôt du «non-conscient collectif»[5], défini comme le système de représentations, commun à toute une société, qui spontanément accorde le geste de chacun au code partagé et qui délimite ce qu'il est possible de penser, de dire et de faire. Il s'agit donc de découvrir dans les productions culturelles, en particulier celles de la culture savante, qui sont les plus facilement accessibles, le «fonds banal de représentation commune», «l'expression inconsciente d'une sensibilité collective» qui s'y trouvent inscrits[6]. Les sensibilités ainsi révélées ne sont ni déterminées par les conditions socio-économiques, ni façonnées par les idéologies ; elles doivent se comprendre à la croisée du biologique et du mental, à l'intersection des données physiques et des investissements psychiques. Entre l'inconscient collectif et la conscience, entre les spectacles du visible et les pulsions invisibles, il n'est pas de traduction immédiate et adéquate. Comprendre leur articulation suppose de porter attention aux médiations, toujours opaques et indirectes. D'où, dans le premier séminaire de l'EHESS, la proposition d'une recherche consacrée au secret, modalité privilégiée de la «conscience opaque».

La seconde certitude forgée très tôt par Philippe Ariès s'énonce

11

dans son refus d'une Histoire vouée à la quête des ressemblances, des constantes, des continuités. En rupture, là encore, avec l'Histoire telle que l'écrivait et l'aimait le milieu monarchiste qui était le sien, il propose une autre manière de voir, sensible avant tout aux différences et aux changements en profondeur. L'histoire des attitudes mentales n'obéit pas aux déterminations d'une évolution linéaire. Elle est rythmée par les fortes discontinuités qui font passer d'un système d'attitudes à un autre. C'est cette conception qui a porté tous les livres d'Ariès, attachés à démasquer les fausses ruptures et à établir les véritables coupures. Ainsi, la construction de *L'Homme devant la mort* est organisée autour de trois moments décisifs : le contraste majeur, situé à hauteur des XVe et XVIe siècles, qui oppose une mort traditionnelle, proche, familière, maîtrisée, à la mort mise à distance, minorée, « ensauvagée » de la modernité, et deux inflexions de moindre importance — aux XIIe et XIIIe siècles la découverte de la conscience de soi, donc de la mort de soi, et à l'âge romantique la douleur devant l'insupportable déchirement qu'est la mort de l'autre. Cette chronologie, paradoxale puisqu'elle efface les grandes flambées de la mort, tradionnellement reconnues par la démographie historique, l'histoire de l'art ou celle des mentalités, traduit bien la démarche d'Ariès, qui rapproche ce qu'un regard superficiel sépare et qui repère les césures profondes, inaperçues par les contemporains.

La deuxième partie de ce recueil, « Racines », est constituée pour l'essentiel par un gros texte, presque un livre, publié en 1943. Dans Paris occupé, après avoir échoué à l'oral de l'agrégation d'histoire, Philippe Ariès est devenu directeur du service de documentation d'un institut de recherche sur les fruits tropicaux créé par le gouvernement de Vichy. La tâche lui laisse du temps libre puisque, dit-il, « comme nous étions coupés de l'Afrique et que nous ne recevions plus de fruits tropicaux, nous n'avions personne à informer[7] ». Il s'attache donc à écrire un « essai historique » qui n'exige pas de longues recherches d'archives et qui permette d'approfondir la question qui le préoccupe : comprendre les formes élémentaires de la vie sociale, en deçà du seuil de l'organisation institutionnelle. Il est plusieurs sources à un tel intérêt. La première est la recherche qu'il a faite pour son diplôme d'études supérieures, soutenu à la Sorbonne en 1936, consacré à une communauté d'officiers au XVIᵉ siècle : les commissaires-examinateurs au Châtelet de Paris. Elle lui a donné le goût pour l'étude des petites sociétés et, en même temps, l'a porté à étudier des communautés moins immédiatement et moins visiblement structurées. La lecture des historiens des *Annales* qui exploraient les communautés rurales, comme celle des sociologues héritiers de Durkheim, ne pouvaient que conforter cette préoccupation. A l'appui de son projet, Ariès cite des travaux récents de Bloch, Dion et Boutruche et, surtout, il utilise comme référence fondamentale le concept de « morphologie sociale » tel que l'avait défini Maurice Halbwachs. C'est dans la région qu'il localisera la forme élémentaire de la société parce qu'elle est « le plus petit lieu géométrique des hommes qui se reconnaissent entre eux une relation autre que consanguine » ou, autrement dit, « le premier groupe conscient formé par des hommes au-delà des liens consanguins » [8].

Le thème était, certes, en consonance avec l'époque, tant avec l'exaltation de la terre et des provinces par l'idéologie de Vichy qu'avec les conditions concrètes de la vie quotidienne, qui obligeaient au repli sur l'existence locale. Mais pour Ariès il ne s'agit aucunement de célébrer un régionalisme folklorique et fossilisé : « Trop souvent le régionalisme s'est exprimé comme le regret ou la recherche, la résurrection d'un archaïsme stérile, une fantaisie de touristes et de dilettantes [9]. » Son projet est tout autre : d'une part, rendre compte des échelles et des formes très diverses de la « société élémentaire » dans les différentes parties de la France (le village dans le Nord-Est, le bourg urbain en Provence, la maison dans l'Ouest, etc.) ; d'autre part, percevoir la perpétuation des particularismes, non pas dans le refus du changement, mais dans le processus de modernisation lui-même. De là, par exemple, cette déclaration provocante : « Si, parmi toutes les régions de France, il fallait choisir la plus représentative d'une vie locale, très décentralisée, très imprégnée de terroir, d'usages bien spécifiques, je ne voterais pas pour la Bretagne, province si chère aux régionalistes, mais j'élirais ce Nord qui a moins retenu leur attention, justement parce qu'il vit trop et que les régionalistes ont tendance à se pencher sur le passé qui s'efface, en dédaignant le passé qui continue vigoureusement [10].»

Près de quarante ans plus tard, Ariès rappelle ainsi les conditions de publication des *Traditions sociales dans les pays de France* : «Chaque mot de ce titre traduit l'une de mes préoccupations : traditions, le traditionalisme; sociales, les représentations collectives; pays, l'en-deçà de la région, la plus petite communauté après la famille et avant les organisations plus publiques. C'était mon premier livre, la première fois que j'exprimais librement une pensée personnelle. On comprend qu'il me tienne à cœur. Il fut publié chez un éditeur éphémère, aujourd'hui oublié, comme il y en eut plusieurs alors, qui disparurent aussi vite qu'ils arrivèrent. Ayant eu la chance de remporter le prix Goncourt avec *Les Grandes Vacances* de Francis Ambrière, il profita de son succès pour lancer une série de cahiers sur le modèle des "Cahiers verts"; mon livre a été, je crois bien, le premier de cette collection. Le jour de la parution, nous découvrîmes une superbe francisque sur la couverture! En juillet 1943, c'était annoncer un peu trop haut les couleurs. Nous avons obtenu un nouveau brochage avec une couverture plus neutre où la francisque avait disparu [11].»

Le livre d'Ariès constitue, en effet, le premier volume des «Cahiers de la restauration nationale», publiés par les Éditions de la Nouvelle France. Vendu au prix de quinze francs, il inaugure une collection d'essais dont la direction est assurée par Raymond Morin et le secrétariat général par François Léger. Un avertissement précise les intentions de la série : «Venus de points parfois très différents de l'horizon, ses collaborateurs sont tous d'accord sur un certain nombre de principes philosophiques et politiques dont ils ne s'écarteront pas. Ils ne conçoivent pas la restauration du pays sans une restauration intellectuelle et mentale dont ils s'efforceront de définir les différents aspects. Ils ne conçoivent pas la restauration du pays sans le culte systématique de la fierté nationale, sans le culte systématique de tout ce qui, au cours des âges ou aujourd'hui même, a illustré ou honore encore notre pays.» La page de titre (sans la francisque) du premier cahier annonce le texte d'Ariès et une série de chroniques, signées par François

Léger, Jacques Vier, G. Verdeil, Raoul Girardet et André Teslenko — soit par deux des plus proches amis d'Ariès dans les années de Sorbonne et d'Action française. Léger avait été président du cercle d'études politiques des étudiants de l'AF et Girardet avait, comme lui, contribué à *L'Étudiant français*, le journal des étudiants du mouvement.

Les Éditions de la Nouvelle France avaient été fondées en 1941 à l'initiative de Jean Crès, qui avait dû cesser les activités de sa propre maison en 1938. Fusionnant en mai 1942 avec une autre société, qui comprenait une imprimerie (rachetée à son propriétaire à la suite des lois d'aryanisation) et un atelier d'art graphique, la maison publie surtout des romans et des livres de demi-luxe — même si l'on rencontre parmi les nouveautés de 1943 un ouvrage intitulé *Vers le régime corporatif*, dû à M.-H. Lenormand. Si elle lance les «Cahiers de la restauration nationale», auxquels Ariès participera encore en 1944 et 1945, ce n'est pas, comme il le croit, à cause du prix de Francis Ambrière. Le livre, en effet, n'a été publié qu'en 1945 et c'est l'année suivante qu'il a reçu le Goncourt. Malgré ce succès, les Éditions de la Nouvelle France seront mises en faillite en 1950 [12].

Relu aujourd'hui, l'essai d'Ariès frappe, d'abord, par sa liberté de ton et d'analyse, que ce soit par rapport à sa famille politique ou par rapport à l'idéologie du temps. L'auteur le premier cité, et longuement, est Maurice Halbwachs et, plus loin, apparaît le nom de Marc Bloch. Or tous deux, en cette année 1943, figurent sur la liste *Jüdische Autoren in französischer Sprache* («Écrivains juifs de langue française»), publiée dans la troisième édition de la liste Otto, intitulée *Unerwünschte Literatur in Frankreich* («Ouvrages littéraires non désirables en France»), qui précise : «Tous les livres d'auteurs juifs, ainsi que les livres auxquels des juifs ont collaboré, sont à retirer de la vente, à l'exception d'ouvrages d'un contenu scientifique au sujet desquels des mesures particulières sont réservées [13].» C'est cette même exigence d'aryanisation qui a fait disparaître le nom de Marc Bloch des *Annales*, transformées en 1942, sous la seule direction de Lucien Febvre, en *Mélanges d'histoire sociale*, auxquels Bloch contribue désormais sous le pseudonyme de Marc Fougères [14]. Dans la liste des écrivains juifs interdits figure un autre auteur qu'Ariès rencontrera grâce à son ouvrage de 1943 et qui aura beaucoup d'importance pour lui : Daniel Halévy. Il s'en souvient ainsi dans *Un historien du dimanche* : « Grâce à ce livre, j'ai connu Daniel Halévy et je suis devenu un habitué de sa maison du quai de l'Horloge. Je le lui avais envoyé et il m'a répondu : "Venez me voir, tel jour, à telle heure." J'y suis allé et j'ai repris bien souvent le même chemin, tant qu'il vécut. [...] Daniel Halévy et Gabriel Marcel sont les deux seuls personnages qui ont vraiment exercé une grande influence sur moi [15]. »

Nombre des affirmations des *Traditions sociales dans les pays de France* prennent franchement à rebrousse-poil les thèmes majeurs de la propagande vichyste. Contre la nostalgie d'une ruralité perdue, Ariès affirme le rôle bénéfique de la ville : « La ville est un facteur de civilisation. Il ne faut pas se lasser de le redire, pour lutter contre un relent de romantisme toujours latent dans les grandes civilisations urbaines, la Rome antique ou le Paris moderne. Toute reconstruction régionale se stériliserait si elle voulait éviter à la campagne la bienfaisante influence de la ville. » Contre l'imagerie d'une France fille aînée de l'Église, bonne catholique, un temps égarée, il interroge : « L'aire d'indifférence [...] occupe depuis le XVIIIᵉ siècle, et sans doute avant (si l'on écarte des époques de prosélytisme intense comme la première moitié du XVIIᵉ siècle), une place considérable — si considérable qu'on se demande [...] si vraiment la France a jamais été, en moyenne catholique », et, finalement, conclut : « Au fond, la France n'est pas très chrétienne. Jadis, elle l'était surtout en surface. Les campagnes elles-mêmes pratiquaient peu. Quand les ruraux sont arrivés à la ville, à l'usine, ils étaient déjà aux trois quarts détachés : il n'y eut guère de luttes. » Contre l'exécration de la Révolution, il reconnaît en 1789 le prolongement et l'apogée d'un mouvement décentralisateur engagé par la monarchie : « La Constitution de 1789 [...] décentralise à l'extrême et instaure un véritable gouvernement local par les notables, gouvernement quasi indépendant du pouvoir central : c'est l'idéal rêvé par cette bourgeoisie, si développée au cours du siècle, qui a de fortes attaches provinciales et veut jouer un rôle. » Contre l'exaltation de la littérature régionaliste, en ses thèmes ou en sa langue, il rappelle le lien noué à l'âge classique entre l'universalité de la littérature française et l'expansion de la langue nationale : « Le français devient désormais une grande langue de civilisation, parlée et écrite dans toutes les capitales, bientôt jusqu'à Moscou. Il joue au XVIIIᵉ siècle le rôle tenu au Moyen Age par le latin. On conçoit qu'une littérature européenne s'écarte de sources d'inspiration trop localisées. Elle tend à se faire comprendre des hommes les plus divers par leur naissance. Elle se réduit à un certain type d'humanité, l'homme classique. Elle refait ce que fit la Grèce du Vᵉ siècle [16]. » Le livre est ainsi parsemé de jugements ou de constats qui ne pouvaient qu'irriter les plus chaleureux adeptes de la Révolution nationale. De même, à l'évidence, les allusions, en rien dépréciatives, au protestantisme (l'*Institution de la religion chrétienne* de Calvin est qualifiée de chef-d'œuvre de la langue française) ou aux syndicats ouvriers, qui assurent la continuité de la représentation collective du groupe, tout comme l'État garantit celle de la nation [17].

Ces réflexions, qui bousculent fortement les idées en faveur dans la France de 1943, puisent à une double source. Avec la guerre, Ariès s'est détaché des certitudes de sa jeunesse. Repliée à Lyon, l'Action française ne lui paraît plus constituer le milieu intellectuel vivant, inventif, ouvert qu'il avait connu à Paris. Une visite à Maurras et à la rédaction du journal inaugure cette rupture, sans tapage mais aussi sans repentir : « Dans le train qui me ramena à Paris, je compris que je n'avais plus rien à attendre de ce côté. [...] J'étais émancipé de mes anciens maîtres et bien décidé à n'en pas prendre d'autres. Le cordon ombilical était coupé [18] ! » D'autre part, les lectures d'Ariès dans les années trente et durant l'Occupation l'ont irrémédiablement éloigné des références intellectuelles de sa famille politique. Les livres et les articles mentionnés dans *Les Traditions sociales dans les pays de France* l'attestent clairement : on y rencontre, outre Halbwachs, les géographes inscrits dans la tradition de l'école de Vidal de La Blache (Pierre Deffontaines, Roger Dion, André Meynier), le *Tableau politique de la France de l'Ouest* d'André Siegfried, et Gabriel Le Bras, le pionnier de la sociologie religieuse. Les *Annales* sont l'instrument privilégié de ces découvertes : sept des quinze livres ou articles cités par Ariès ont fait l'objet d'un compte rendu dans la revue, signé soit par Marc Bloch/Fougères (quatre), soit par Lucien Febvre (trois), et un des articles utilisés, celui de Robert Boutruche, y a été publié en 1935.

De là, dans l'essai d'Ariès, un vocabulaire de la description sociale qui fait un large usage de la catégorie de classe (et de ses modulations : « classe nouvelle », « classe dirigeante »), investie du sens que lui donnait la nouvelle histoire sociale. De là, également, la modernité d'une démarche qui s'essaye à la cartographie culturelle — en situant les lieux de naissance et de formation des écrivains français des XVIe, XVIIe et XVIIIe siècles — et à la sociologie religieuse — en contrastant, dans le sillage de Le Bras, les aires d'indifférence, de conformisme saisonnier et de pleine observance. Plusieurs des constats d'Ariès frappent par leur pertinence, validée par nombre d'études postérieures : ainsi la corrélation établie entre régions de la plus grande ferveur chrétienne et régions les plus tardivement christianisées ; ainsi l'adéquation reconnue entre la France littéraire (entendons les régions qui ont donné le plus d'écrivains) et la France des villes et de la domination urbaine.

En relisant ce premier essai publié par Ariès, il faut toutefois se garder de succomber à l'illusion rétrospective. Il porte la marque de son temps. D'abord, dans certaines de ses formulations. On relèvera, par exemple, le vocabulaire utilisé pour décrire les populations immigrées de Lorraine, bien en consonance avec l'imagerie la plus convenue des années trente : « Des masses d'émigrants sans cohésion se sont abattues autour des gisements ou des sources d'énergie. Ceux-ci viendraient-ils à se tarir que ces oiseaux de passage s'envoleraient vers de nouveaux horizons, ils ne sont pas fixés à une terre particulière, mais apparaissent comme des instruments de vastes machines économiques qu'aucune tradition historique ne retient. Le facteur humain est ici secondaire, impersonnel et interchangeable [19]. » Ensuite, dans ses conclusions mêmes. Partant de l'idée selon laquelle la centralisation française est beaucoup plus récente et beaucoup moins achevée qu'on ne le pense, Ariès annonce, sur un mode à la fois prédictif et prescriptif, un futur où le nécessaire progrès économique pourra être compatible avec la permanence des identités régionales, héritées ou construites ; un futur où une nouvelle classe de notables, issue des classes moyennes, devra prendre en charge la direction administrative et intellectuelle de communautés suffisamment restreintes et cohérentes pour toujours reconnaître l'évidence de leur identité propre ; un futur, enfin, où l'État saura respecter les particularismes locaux. Quarante ans plus tard, il reconnaît l'erreur du diagnostic : « Je pensais [...] qu'avec l'électricité, le pétrole, le moteur à explosion nous entrions dans une autre phase du développement industriel où l'énergie cesserait de pousser à la concentration, favoriserait des utilisations dispersées et ferait revivre des formes anciennes de vie locale. On ne pouvait pas se tromper plus complètement [20]. »

De ce texte de 1943 nous avons rapproché un article beaucoup plus récent, publié en 1980. Ariès y réfléchit sur l'apparent paradoxe qui lie étroitement la force du sentiment royaliste, entendu comme une mythologie et une nostalgie diffuses, encore présent dans la société contemporaine, à l'affaiblissement du royalisme politique, militant et organisé. La distinction éclaire bien les deux héritages monarchistes d'Ariès : l'un, idéologique, incarné par l'engagement dans l'Action française ; le second, légendaire, tissé de souvenirs familiaux, d'images mythiques, de regrets pour un monde perdu. Si Ariès s'éloigne pendant la guerre du premier royalisme, politique et dogmatique, il gardera, sa vie durant, un attachement affectif au second. A propos de sa fidélité à Maurras, au moins au Maurras des libertés locales et du fédéralisme décentralisateur, opposé au Maurras nationaliste et autoritaire [21], il confie en cette même année 1980 : « Le royalisme est plus vieux que Maurras. Celui-ci a repris et réorganisé un royalisme encore très vivant et parfois populaire, jusqu'à la dernière guerre. C'est ce royalisme-là que je voudrais rejoindre, à travers Maurras, après Maurras. Je suis très attaché à la Maison de France, à ses personnes, à sa magistrature spirituelle, de nature religieuse ; elle représente pour moi, physiquement, la continuité du passé au présent, comme la papauté rend visible à l'échelle de la Ville et du monde la continuité du Christ à Jean-Paul II [22]. »

« Comprendre le présent » : sous ce titre sont rassemblés — en remontant la chronologie — sept textes, écrits et publiés entre 1954 et 1982, qui entendent tous rendre intelligible un fait social contemporain, évident et obscur à la fois. Leurs objets sont divers. Dans les plus récents, Ariès s'attache à l'accroissement du taux des suicides et, plus encore, du nombre des tentatives de suicide ; à l'intolérance à l'égard des handicapés dans une société qui, pourtant, proclame son souci de les assister et intégrer ; à la diffusion du bricolage dans tous les milieux sociaux ; à la destruction des sociabilités citadines. Dans un article, publié après 1968, il réfléchit sur le phénomène de la jeunesse, identifiée à un groupe social, à une « société imaginaire, jeune indéfiniment ». Dans un autre, rédigé après son *Histoire des populations françaises*, il s'efforce d'expliquer la remontée du taux de natalité enregistrée dans les années quarante et cinquante.

A chaque fois la démarche est identique, qui lie la compréhension du phénomène considéré à son inscription dans une histoire de longue durée qui seule lui donne son sens. Il ne s'agit pas, pour autant, de dessiner des continuités sans rupture mais, tout au contraire, de repérer le moment où des pratiques anciennes s'effacent et où apparaît, dans sa nouveauté et son originalité, le comportement contemporain. La méthode rend étranges des conduites qui, parce qu'elles sont celles du présent, paraissent aller de soi ou, à l'inverse, apprivoise des réalités à première vue surprenantes (et parfois inquiétantes). Du même coup, elle permet de manifester des corrélations inaperçues. Ainsi le lien noué entre la crise de la ville, privée à la mi-XXe siècle de ses lieux de sociabilité traditionnels, la concentration de l'investissement affectif sur la famille et le confinement, domestique et scolaire, de l'enfant. Ainsi le rapport établi, à partir de la même époque-charnière, entre la généralisation à toute la société du modèle bourgeois de la jeunesse (entendue comme une classe d'âge séparée et dépendante, durable et sans fonctions), les rébellions étudiantes et la désocialisation de la mort, qui lève l'interdit pesant sur le suicide. Appuyés sur les études de grande ampleur consacrées à la famille ou à la mort, les diagnostics qu'Ariès porte sur le présent ont une acuité rare. Ils fuient les explications trop faciles parce que trop immédiates. Ils reposent sur l'identification, dans la très longue durée, des muta-tions fondamentales de la société occidentale. Ils donnent des clefs pour comprendre et, comme l'écrit Ariès dans son article sur la jeunesse, « ne pas perdre la tête ».

Dans la dernière partie de ce recueil, « Généalogie du privé », nous avons voulu suivre le cheminement qui a mené Philippe Ariès de l'*Histoire des populations françaises* à *L'Enfant et la vie fami-liale*, puis de ce livre à *l'Histoire de la vie privée*, cette série de cinq volumes codirigée avec Georges Duby, dont, malheureusement, il n'a pu voir l'achèvement. Un premier thème a été retenu : l'his-toire des pratiques contraceptives. Après leur avoir consacré un chapitre dans son livre de 1948 [23], Ariès constitue un dossier de documents et d'hypothèses dans un ensemble de trois articles publiés dans la revue *Population* (en 1949, 1953 et 1954). Dans ces textes, qui sont les premiers à être accueillis dans une revue scientifique, il développe, mais en la nuançant, la thèse de son ouvrage : celle de l'«impensabilité» du contrôle de la sexualité, qui lui avait fait conclure qu'«à part quelques milieux très spécialisés, il semble bien que les pratiques anticonceptionnelles étaient ou ignorées ou inu-tilisées de la plus grande partie de la population, au moins jusqu'au XVIIIᵉ siècle [24]». Les témoignages contemporains, en particulier les lettres de Mme de Sévigné, lui suggèrent que dès la seconde moitié du XVIIᵉ siècle, dans les milieux de notables, les craintes fémini-nes des grossesses répétées pouvaient conduire à l'utilisation de recettes contraceptives. Ce protomalthusianisme est, toutefois, sans comparaison avec la généralisation de la restriction volontaire des naissances, qui, à partir de la fin du XVIIIᵉ siècle, fait reculer (au moins dans certaines régions) le taux de natalité. Pour lui, la clef d'une telle mutation réside dans la transformation de l'affectivité, qui, se centrant sur la famille, entend protéger l'avenir de l'enfant en lui donnant soins, protection et éducation. Ce n'est pas un hasard si c'est la même année, 1960, qu'Ariès publie *L'Enfant et la vie familiale sous l'Ancien Régime*, dont le dernier chapitre analyse cette mutation (« L'enfant devient un élément indispensable de la vie quotidienne, on se préoccupe de son éducation, de son placement, de son avenir [25]»), et qu'il donne, dans un cahier des «Travaux et documents de l'INED», une tentative d'interprétation qui lie l'adoption des techniques contraceptives au sein du mariage avec la «transformation profonde des structures familiales», commandée par la «particularisation de l'intérêt porté à l'enfance» [26]. Faisant un retour rétrospectif en 1978 sur ce problème, il reprend son hypothèse quant au motif de la diffusion de la contraception et, s'appuyant sur les travaux récents (en particulier ceux de Jean-Louis Flandrin), il en suggère le mécanisme, fondé sur le recours dans la vie conjugale à des techniques (au premier chef celle du *coitus interruptus*) jusque-là propres à la sexualité pré- ou extra-conjugale.

De la révolution de l'affectivité, qui porte l'affirmation du privé et l'identifie à la cellule familiale, Ariès repère d'autres expressions. L'une concerne l'écriture intime — celle des Mémoires — qui abandonne la célébration de la gloire du lignage pour se muer en exercice spirituel pour celui qui tient la plume et en leçon de morale pour ses descendants. L'autre indique la dégradation de la notion de service, longtemps centrale dans les éducations nobiliaires, puis repliée sur la relation domestique entre des maîtres employeurs et des serviteurs gagés. Ariès esquisse ainsi, d'article en article, la thématique sur laquelle il voulait bâtir le volume de l'*Histoire de la vie privée* consacré à l'âge moderne, entre XVIe et XVIIIe siècle, et qui devait poser une question essentielle : celle la capture par la famille conjugale des investissements affectifs, longtemps liés soit aux sociabilités conviviales, soit à «l'individualisme de mœurs» [27].

Philippe Ariès avait une manière passionnée et irrespectueuse d'écrire l'Histoire. Longtemps tenu en lisière de l'Université, il a, en toute liberté, sapé les certitudes les plus fortes, bousculé les autorités les mieux établies. Pour lui, l'Histoire n'était pas une discipline académique, aux objets froids, aux connaissances mortes. Si elle a été la passion intellectuelle de sa vie, c'est parce qu'elle permet de comprendre pourquoi les hommes et les femmes d'aujourd'hui sont ce qu'ils sont. Toute son œuvre est portée par la volonté de dater et caractériser les mutations fondamentales qui ont fondé les manières qui sont les nôtres d'être avec les autres, d'aimer et de souffrir, d'apprivoiser ou d'ensauvager la mort. Pour répondre à cette question, Ariès s'est embarqué pour de longs voyages, dans le temps et dans les sources, afin de rencontrer les gestes perdus, les sentiments oubliés, que notre présent ne reconnaît plus. Les essais qui composent ce recueil sont comme autant de haltes, temporaires, insatisfaites, dans cette quête exigeante. Entre le premier livre d'un jeune homme de trente ans et le dernier, dédié à celle qui venait de mourir, le chemin est devenu plus difficile, moins sûr, mais il n'a jamais été perdu. A notre tour de l'emprunter.

Roger CHARTIER

NOTES

1. Philippe Ariès, « Du livre (à paraître) de Michel Vovelle : *La Mort en Occident*», dans *La Mort aujourd'hui*, Marseille, Rivages, «Cahiers de Saint-Maximin», 1982, p. 158-168 (citation p. 161).
2. *Id.*, *Un historien du dimanche*, avec la collaboration de Michel Winock, Paris, Éd. du Seuil, 1980, p. 134-135.
3. *Id.*, *Essais sur l'histoire de la mort en Occident du Moyen Age à nos jours*, Paris, Éd. du Seuil, 1975, p. 8-9.
4. La remarque se trouve dans une intervention faite par Ariès lors d'une table ronde publiée dans *La Mort aujourd'hui*, *op. cit.*, p. 129.
5. Philippe Ariès, «L'histoire des mentalités», dans *La Nouvelle Histoire*, sous la direction de Jacques Le Goff, Paris, Retz-CEPL, 1978, p. 402-423 (citation p. 423).
6. Ces formules se rencontrent dans la préface aux *Essais sur l'histoire de la mort en Occident du Moyen Age à nos jours*, *op. cit.*, p. 13-14.
7. Philippe Ariès, *Un historien du dimanche*, *op. cit.*, p. 83.
8. *Id.*, *Les Traditions sociales dans les pays de France*, Paris, Éd. de la Nouvelle France, «Cahiers de la restauration nationale», 1943, p. 11 et 47.
9. *Ibid.*, p. 80.
10. *Ibid.*, p. 134.
11. *Id.*, *Un historien du dimanche*, *op. cit.*, p. 86.
12. Pascal Fouché, *L'Édition française sous l'Occupation, 1940-1944*, Paris, Bibliothèque de littérature française contemporaine de l'université Paris-VII, 1987, t. 1, p. 249, et t. 2, p. 71.

13. Ce document est publié dans *ibid.*, t. I, p. 320-347.

14. Sur la publication des *Annales* pendant l'Occupation, voir Natalie Zemon Davis, « Rabelais among the censors (1940s, 1540s) », *Representations*, 32, automne 1990, p. 1-32, en particulier p. 5-6.

15. Philippe Ariès, *Un historien du dimanche, op. cit.*, p. 87.

16. *Id.*, *Les Traditions sociales dans les pays de France, op. cit.* Les citations de ce paragraphe se trouvent p. 88, 94, 107, 76-77 et 75.

17. *Ibid.* (citations p. 74 et 158).

18. *Id.*, *Un historien du dimanche, op. cit.*, p. 81.

19. *Id.*, *Les Traditions sociales dans les pays de France, op. cit.*, p. 149.

20. *Id.*, *Un historien du dimanche, op. cit.*, p. 85.

21. Sur Maurras avant l'Action française, voir Victor Nguyen, *Aux origines de l'Action française. Intelligence et politique à l'aube du XXe siècle*, Paris, Fayard, 1991, et sur l'Action française, voir Eugen Weber, *L'Action française*, Paris, Fayard, 1964, rééd. 1985.

22. Philippe Ariès, *Un historien du dimanche, op. cit.*, p. 211.

23. *Id.*, « Les techniques de la vie », *Histoire des populations françaises et de leurs attitudes devant la vie depuis le XVIIIe siècle*, Paris, Self, 1948, rééd. abrégée, Éd. du Seuil, « Points Histoire », 1971, p. 344-372.

24. *Ibid.*, p. 351.

25. *Id.*, *L'Enfant et la vie familiale sous l'Ancien Régime*, Paris, Plon, 1960, rééd. Paris, Éd. du Seuil, 1973, p. 457.

26. *Id.*, « Interprétation pour une histoire des mentalités », dans *La Prévention des naissances dans la famille. Ses origines dans les temps modernes*, Paris, PUF, « Travaux et documents de l'Institut national d'études démographiques », cahier n° 35, 1960, p. 311-327 (citations p. 321 et 322).

27. *Id.*, « Pour une histoire de la vie privée », dans *Histoire de la vie privée*, sous la direction de Philippe Ariès et Georges Duby, t. 3 : *De la Renaissance aux Lumières*, vol. dirigé par Roger Chartier, 1986, p. 7-19.

Avertissement

Les chiffres entre parenthèses indiquent les notes rédigées par Philippe Ariès lui-même (parfois développées ou rectifiées). Les chiffres entre crochets signalent les notes que nous avons ajoutées pour préciser les références sommaires données dans son texte par Philippe Ariès.

I

REGARDS EN ARRIÈRE

1

Le secret*

On me pardonnera de laisser percer ma surprise. Voici que, grâce à quelques bons génies tutélaires, je me retrouve professeur dans une université que j'ai quittée, étudiant, il y a trente-sept ans, trente-sept longues années passées dans un milieu professionnel tout à fait étranger à l'Université.

Ne croyez pas, toutefois, que, pendant ce temps, ou bien j'ai vécu dans ce milieu professionnel, ou bien je me suis enfermé dans la retraite des bibliothèques, archives, musées et autres lieux de travail solitaire.

Pas du tout, je n'étais pas seul. J'ai eu des amis, une compagnie intellectuelle, enfin des maîtres, deux en particulier dont les noms s'imposent quand je regarde en arrière vers mon passé, tant ils ont eu d'influence sur moi, Daniel Halévy et Gabriel Marcel.

Pendant des années, le vendredi soir, je me joignais aux étudiants-disciples philosophes qui se réunissaient dans le cabinet de Gabriel Marcel pour réfléchir avec lui sur des thèmes en général inspirés par l'actualité intellectuelle, politique, ou tout simplement banale et quotidienne.

Daniel Halévy ne recevait que sur invitation, des petits groupes dont la composition était soigneusement préparée. Chez lui, j'ai rencontré André Siegfried, Bachelard, mais aussi beaucoup d'autres, connus et inconnus, qui avaient quelque chose à dire et à m'apprendre. C'est là que j'ai été vraiment formé.

* Ce texte est sans doute celui de la première séance du séminaire de Philippe Ariès à l'École des hautes études en sciences sociales, commencé en novembre 1978.

Il n'y avait pas beaucoup d'historiens dans ces réunions. Aucun chez Gabriel Marcel, où je jouais le rôle de l'historien de service — encore bien maladroit ! Chez Daniel Halévy j'ai bien fait la connaissance de Pierre Grimal, de Louis Chevalier, qui sont devenus mes amis, mais ils étaient des exceptions. Certes, je dois beaucoup à l'œuvre de Marc Bloch, de Lucien Febvre, des fondateurs des *Annales*, mais seulement à leur œuvre. Rien à leurs personnes, ni à celles de leurs diadoques.

J'ai donc été pendant longtemps privé d'historien, comme un enfant est privé de dessert, et j'en ai été réellement frustré. J'ai essayé de compenser cette privation avec les revues qui me tenaient au courant du travail en cours, des débats d'idées. Je suis sans doute l'une des plus anciennes personnes privées abonnées aux *Annales*. Mais j'avais besoin d'une communication plus vivante, plus personnelle.

C'est pourquoi je me suis intéressé à l'édition, qui me donnait l'occasion de rencontrer des auteurs. J'ai dirigé une collection chez Plon, d'abord seul, puis avec Robert Mandrou, dont j'avais fait la connaissance à une émission de radio (un *Lundi de l'Histoire*, je crois bien) après la sortie de mon livre sur l'enfant.

Toutefois, à la fin des années soixante, la rigueur de ma quarantaine s'est peu à peu relâchée. C'est qu'une nouvelle génération d'historiens, plus jeunes, arrivait sur le marché, plus proche de mes préoccupations. J'ai établi avec quelques-uns d'entre eux des camaraderies et même des amitiés tout à fait absentes de mes relations très espacées avec mes aînés et mes contemporains historiens. J'ai été invité plus souvent dans des séminaires et des colloques, dans les universités. Et voici que ces rencontres encore occasionnelles deviennent quelque chose comme une institution. Aujourd'hui, l'historien solitaire est arrivé au point où il retrouve la compagnie qui lui avait si longtemps manqué.

Évidemment, je n'insinue pas que les Grands Électeurs de cette maison m'ont accueilli dans l'intention humanitaire d'atténuer une solitude mal supportée. Je tenais seulement à évoquer mon séjour au Désert pour mieux manifester ma satisfaction d'en sortir.

En réalité, les Grands Électeurs et leur président, en me donnant une place parmi eux, ont voulu, j'imagine, reconnaître un petit bâtard que leur père avait fait quand il était déjà vieux, déjà près d'un tiers de siècle, et sans s'en apercevoir. Ils ont suivi, eux, la voie royale des enfants légitimes. Le petit bâtard a suivi son chemin à lui, un chemin de terre, presque un sentier. Mais le sentier s'est peu à peu élargi et à la fin il a pu paraître que les deux itinéraires étaient, mon Dieu, voisins, qu'ils se rapprochaient. Je remercie ceux qui leur ont permis de se rencontrer aujourd'hui.

Dans un premier point j'exposerai brièvement par quelles circonstances je suis parvenu jusqu'à ce lieu de rencontre. Dans un deuxième point je proposerai quelques réflexions sur l'état actuel de notre problématique, en faisant intervenir la notion de *secret*.

Permettez-moi donc, d'abord, de me présenter.

Mon itinéraire est des plus obscurs, du moins l'était-il jusqu'à ce qu'André Burguière lui ait consacré un article dans *Le Nouvel Obs*[1]. Cet article a soulagé l'embarras de ceux (en particulier des historiens américains) qui ne savaient pas où me classer et se perdaient dans les boucles de nos idéologies.

En fait, mon aventure se résume dans une lutte pour me libérer d'une conception nationale et politique d'un monde d'*en Haut*, pour retrouver la familiarité d'un monde d'*en Bas*, dont j'avais la nostalgie. Ce monde d'en Bas était celui de mes souvenirs d'enfant et d'adolescent, mais il avait été à la fois assimilé, occulté et étouffé par le syncrétisme maurrassien.

Cette conception n'était pas tellement différente de celle de Lavisse, de Monod, de la *Revue historique* et de l'histoire événementielle universitaire, sinon qu'elle était de droite, c'est-à-dire contre-révolutionnaire, tandis que celle de Lavisse se réclamait de la Révolution aménagée.

Si l'amalgame maurrassien du nationalisme jacobin, volontariste, et du traditionalisme contre-révolutionnaire n'avait pas exercé sur moi dès mon enfance une si forte emprise, si j'avais été simplement un bon jeune homme de droite faiblement convaincu, ma vie aurait été changée. J'aurais été un étudiant meilleur et plus efficace, et je ne me serais pas éloigné aussi vite et aussi radicalement des méthodes et des problématiques qui culminaient encore à la fin des années trente. J'aurais changé comme tout le monde, c'est-à-dire *avec modération*. J'aurais suivi la voie moyenne, qui a été celle de beaucoup d'historiens de ma génération. Je serais devenu un historien universitaire et, compte tenu de mes orientations politiques, j'aurais fait de l'histoire administrative, de l'histoire régionale, de l'histoire religieuse, l'une et l'autre m'ont en effet quelque temps attiré. Je me situerais aujourd'hui quelque part pas très loin de Roland Mousnier et de son école. Avec un peu de chance, j'enseignerais à Paris-IV.

Mais mon héritage culturel était beaucoup trop contraignant pour me permettre une aussi honorable évolution. Il m'a fallu beaucoup de temps et de peine pour me dégager, au prix de plusieurs repentirs, tout en restant fidèle à ce que je crois essentiel, à mes racines profondes, à mon attachement aux passés et à leur diversité, à la richesse des cultures préindustrielles, aux vieilles sagesses empiriques.

Pour comprendre mes difficultés, il faut les rapprocher de celles qu'ont rencontrées, pour se libérer eux aussi, les enfants d'un autre dogmatisme, le marxisme. En fait mon dogmatisme à moi était formé de deux éléments bien distincts, dont un seul était dogmatique.

Le premier — appelons-le traditionnel — correspondait à une mythologie ou à un folklore, un répertoire de petites histoires de milieux, de familles, de lieux, parfois d'un objet, qui faisaient le fonds des conversations à la maison, comme des histoires de veillées. C'était ce que Philippe Joutard appelle un *légendaire familial* [2]. Notre légendaire était privé et laissait de côté la grande Histoire politique, sauf dans deux cas. La Révolution française, qui intervenait souvent : la barrette de l'oncle, prêtre victime des noyades de Nantes ; [un] souvenir d'un garde suisse tué en défendant les Tuileries. Le second cas était celui d'une vie locale opposée à la centralisation qu'on disait alors jacobine et révolutionnaire, la nostalgie des autonomies locales et des pouvoirs proches et familiers, dont auraient joui autrefois les notables et leurs clientèles.

Ce folklore a enchanté mon enfance. J'y reconnaîtrais aujourd'hui la part la plus authentique et la plus précieuse de mon héritage. Combien je regrette de ne pas l'avoir fixé plus tôt, tant

que nos anciens vivaient encore, et que ma mémoire était plus fraî-
che ! Il était trop tard pour recueillir cette histoire vivante et merveilleuse quand j'en ai reconnu l'intérêt.

L'autre élément de mon héritage culturel était le positivisme
maurrassien, nationaliste, anti-démocratique, autoritaire, élitique
[*sic*]. A vrai dire, les choses n'étaient pas si simples que mon analyse
trop schématique le laisserait penser. La distinction que je viens
de faire entre les deux éléments de mon héritage, le folklorique et
le dogmatique, est très tardive. Maurras les avait amalgamés au
point qu'on ne pouvait plus les isoler et les distinguer et d'ailleurs,
dans les années trente, le dogmatique l'avait emporté sur le folklorique et avait pris toute la place. Le jour où j'ai perçu la réalité
de cette différence, et même cette opposition, la partie était gagnée,
j'avais conquis ma liberté.

Dès la fin des années trente, quand j'étais encore étudiant à la
Sorbonne, je n'étais plus très à l'aise, je me sentais prisonnier d'une
conception trop politique et étatique du monde, et je cherchais à
m'en évader, à trouver autre chose.

C'est alors que j'ai rencontré avec enthousiasme les œuvres de
Marc Bloch, de Lucien Febvre, de la première décennie des *Annales* et de la sociologie. Je les attendais. Je garde le souvenir de cette
période d'intense découverte intellectuelle, où toute ma vision était
renouvelée, dans le silence de Paris occupé, où mes amis n'étaient
pas revenus, où je ne connaissais presque plus personne.

Dans ces conditions l'occasion s'est offerte à moi d'expérimen-
ter sur le terrain, dans une recherche personnelle, les idées, les théories que j'avais amassées pendant cette brève période de lecture et
de réflexion.

Au lendemain de la défaite de 1940, dans les milieux de droite,
de Vichy, on parlait beaucoup de l'affaiblissement démographique de la France, on le rendait responsable de la défaite, et pas
seulement pour des raisons d'effectifs. On soutenait en particulier
que la chute des natalités était le signe d'une chute de vitalité, d'un
refus de la vie, d'une décadence profonde. Quelques-uns disaient
même biologique et ethnique.

Cette dernière hypothèse m'avait intrigué, parce qu'elle faisait intervenir des causes d'une nature nouvelle pour moi. J'ai voulu y regarder de plus près. J'ai commencé à me documenter, à dépouiller les statistiques, et j'ai été tout de suite pris au piège et pour la vie. Tout de suite j'ai oublié le problème de conjoncture qui avait éveillé ma curiosité pour m'en aller à la découverte d'un continent inconnu. Une histoire mystérieuse, étrange, sans fond, m'apparaissait sous celle que je connaissais et que contestaient déjà les historiens des *Annales* : l'histoire des attitudes devant la vie et la mort. Tel fut le sous-titre du livre d'histoire démographique que je préparais et qui parut en 1948.

Tout le monde connaissait déjà les graves conséquences sur l'histoire politique, économique, sociale, du nombre et de la répartition des populations. Or je découvrais que ces phénomènes visibles et même mesurables dépendaient de conduites qui, elles, étaient invisibles, cachées, et jusqu'à présent jamais observées ni étudiées. Le destin des empires dépendait donc de décisions clandestines, prises au fond de l'alcôve ou du lit clos. Et le comportement des décideurs était conditionné à leur insu par des opinions, des habitudes, des interdits, des impossibilités mentales, venus du milieu social et qui avaient leur logique propre.

C'était une grande leçon. La rencontre de Marc Bloch, de Lucien Febvre, des *Annales*, m'avait fait découvrir une manière de voir, de poser les problèmes ; l'histoire démographique me fit ensuite reconnaître mon territoire : le mien, le vôtre.

C'est sur ce territoire que s'est édifiée la sixième section ; il est bien le lieu de notre rencontre.

Comment nous apparaît-il globalement aujourd'hui ? Les historiens familiers de cet espace se comportent comme s'il était constitué de deux sphères, la sphère du Visible et celle de l'Invisible.

La sphère du Visible est celle de l'Histoire, de l'État, de la Politique et du Droit, du marché économique et des rapports sociaux, du Discours logique, de l'Écriture, des idéologies, de la culture savante. Bref, le domaine de la conscience claire. Mais attention, elle est aussi bien celle du Religieux, les religions du livre, et les mythes ou croyances moins organisés, et qui occupent un espace reconnu. *Le surnaturel appartient au Visible aussi bien que le naturel* ou le profane. Il fait partie des cultures écrites et de la conscience claire.

L'autre sphère est celle de l'Invisible. Elle était ignorée, il y a une cinquantaine d'années, par les historiens qui l'abandonnaient aux médecins, aux psychologues. Elle était le lieu du non-historique. Elle ne l'est plus aujourd'hui.

Je l'ai dénommée plutôt mal que bien l'inconscient collectif et mon ami Michel Vovelle n'a pas manqué de dénoncer l'imprécision du mot. Quand j'ai hésité à employer ce terme, je recourais à une périphrase, je parlais d'espace entre la nature et la culture, entre le biologique et le mental, désignant ainsi des phénomènes qu'on croyait autrefois seulememt biologiques et qu'on sait maintenant être aussi des faits de culture.

Pour moi, un inconscient collectif est un véritable système :
1) cohérent pour une période donnée ;
2) de représentations communes à toute une société ;
3) et non exprimées, parce que inaperçues et le plus souvent non conscientes. Quand elles deviennent plus conscientes, elles sont alors considérées comme des données immuables de la nature mystérieuse, étrangère, échappant à l'influence humaine.

Cette conception d'un système cohérent et logique d'éléments non conscients m'a conduit à faire un sort à la notion d'*impensabilité*. Celle-ci avait déjà été avancée par Lucien Febvre, mais dans le contexte des croyances, c'est-à-dire des idées claires et de la culture écrite. On peut en effet soutenir que dans l'immense corpus de la littérature écrite, il n'y a rien de nouveau, tout a un précédent chez un auteur célèbre ou inconnu, porte-parole de son temps ou voix isolée.

Mais dans le domaine du non-conscient et de l'oralité qu'il recouvre partiellement, cela n'est plus vrai. Là, le système qui s'est constitué à l'intérieur d'une culture exclut radicalement les données qui n'entrent pas dans sa rigoureuse logique. Aussi ai-je soutenu que les techniques contraceptives étaient « impensables » dans nos sociétés traditionnelles, même si elles étaient connues et citées dans des documents de la culture savante — de la sphère du Visible. Leur introduction dans les mœurs communes indique donc un changement de système, nous disons plus simplement un changement de culture.

Bon. Tout cela est maintenant bien exploré et connu, et fait l'objet d'un consensus, comme on peut s'en apercevoir en feuilletant le dictionnaire de *La Nouvelle Histoire* de Jacques Le Goff[3]. Cependant, je dois le reconnaître, ma description de la sphère de l'Invisible ne me satisfait plus et il me semble qu'en la limitant à l'inconscient collectif, on laisse de côté quelque chose d'important.

Je pense désormais qu'elle n'est pas composée seulement d'*inconscient*, comme je le croyais encore hier, mais de *secret*. Ma pomme de Newton a été une anecdote de la vie du père Bruckberger, qu'il rapporte dans ses récents *Mémoires*[4]. Le père Bruckberger aimait la guerre, et il l'a faite dangereusement et passionnément en 1939-1940, avec deux camarades. Il se créa entre les trois hommes une profonde amitié. L'un de ces trois mousquetaires fut tué alors. L'autre était tout simplement Darnand, le chef de la milice. Après la défaite, le père Bruckberger se lança dans la Résistance. Il fut bientôt découvert et arrêté par les Allemands. Cependant, il ne resta pas longtemps en prison et fut libéré au bout de quelques mois. Après la guerre, les Américains arrêtèrent Darnand, les armes à la main, en Italie et le livrèrent aux autorités françaises. Il fut jugé et condamné à mort. Le père Bruckberger l'assista et passa avec lui les derniers jours qui lui restaient à vivre et l'accompagna au peloton d'exécution. Or c'est seulement plus tard, bien après l'exécution, que le père Bruckberger apprit par la veuve de leur ancien compagnon d'armes à tous les deux que c'était Darnand qui l'avait fait libérer, et par conséquent l'avait sauvé du camp de concentration où il risquait de rester. Dans les heures pathétiques de leurs derniers entretiens, Darnand avait gardé son secret.

Cette anecdote m'a rappelé toute une chaîne d'observations dont je n'avais pas saisi tout le sens, mais qui m'avaient intrigué et que je conservais dans un coin de mémoire. Mais j'ai d'abord pensé au témoignage des Évangiles, témoignage d'une culture orale, ensuite transcrit. Les évangélistes nous présentent toujours le Christ comme quelqu'un qui ne dit jamais tout ce qu'il sait, mais laisse entendre plus qu'il ne dit. Parce qu'il est Dieu et fils de Dieu, mais les auteurs des Évangiles et leurs lecteurs ou auditeurs étaient très accoutumés à ce genre de comportement.

Quand les mages venus d'Orient arrivèrent à la crèche de Bethléem, et y trouvèrent un pauvre enfant qui n'avait rien d'un fils de roi, ils durent être frappés par l'étrangeté de leur aventure. Pourtant ils ne lui donnèrent aucune publicité, on sait pourquoi, et on peut imaginer que, rentrés chez eux, ils n'en parlèrent jamais, c'était leur secret.

Prenons maintenant un autre exemple dans des corpus non pas plus familiers, mais où l'historien est plus à l'aise. L'attitude des catholiques pratiquants au XIXᵉ siècle devant l'usage contraceptif du *coitus interruptus*. Cet usage était assez fréquent pour inquiéter les confesseurs. Il arriva cependant que ceux-ci hésitèrent à interroger leurs pénitents. Ils donnaient comme raison qu'ils craignaient de répandre le délit par la publicité qu'ils lui feraient ainsi. On peut penser aussi qu'ils n'étaient pas toujours sûrs de leur droit. Certains rapportaient que des pénitents refusaient de répondre, ou leur opposaient leur bonne foi et leur certitude de ne pas pécher. Il y eut donc alors un conflit entre le prêtre et le laïque, celui-ci admettant, en toute bonne conscience, qu'il était meilleur juge d'une conduite aussi intime que le confesseur, et repoussant l'intervention d'un tiers, fût-il prêtre, dans le secret de son ménage. Il devait défendre son secret.

Nous devinons alors qu'entre l'inconscient collectif et la conscience claire il existe un autre espace, celui de la conscience opaque, c'est-à-dire du secret. Il a sa fonction propre. Mais aussi il joue le rôle d'intermédiaire entre l'inconscient et le conscient. L'inconscient est un monde d'imagination, de désirs, d'angoisses, étrange et mystérieux, qui fait peur et qui fascine. Les sociétés, comme les individus, répugnent à le laisser émerger au niveau de la conscience et de la connaissance. Il y a des choses qu'on ne peut regarder sans risque de mort. Alors l'inconscient ne peut communiquer avec le conscient que par l'intermédiaire d'une zone de transit qui est aussi une zone d'ombre, d'opacité : le secret.

Le secret est donc un lieu de passage, car il tend à être divulgué comme l'interdit à être transgressé. Certes, en principe il ne doit pas être divulgué, autrement il ne serait pas le secret, mais il est aussi de sa nature de tendre à l'être, et il finit normalement par l'être. Il faut donc l'entourer d'obstacles pour qu'il le soit le plus tard possible. C'est pourquoi la société prend des précautions pour maintenir le secret. Elle impose des comportements qui s'opposent à son investissement et qui entretiennent autour du dépositaire du secret, c'est-à-dire de chaque homme et plus encore de chaque femme, un *no man's land*. Ces comportements sont ceux de la pudeur, de la réserve, de l'honneur, non pas tant l'honneur de Don Quichotte que l'honnêteté des paysans languedociens d'Yves Castan [5] — affirmation d'identité.

Toutes ces « qualités » sont des facettes d'un secret fondamental. Nous avons peine aujourd'hui à comprendre leurs fonctions dans la vie sociale, parce que, dans nos sociétés industrielles, le secret est un signe d'arriération ou d'anarchie et les pouvoirs le confondent avec le caché, le honteux, le clandestin.

C'est pourquoi sans doute a-t-on méconnu si longtemps, jusqu'à Jean-Louis Flandrin [6], la différence pourtant essentielle entre la sexualité du couple dans le mariage et hors du mariage.

Quand elle se fait, la divulgation du secret ne se fait jamais par traduction littérale des langues de l'Invisible dans celles du Visible. Elle se fait par le moyen de transpositions souvent complexes, qui ne laissent pas passer tout le sens, qui conservent encore un peu du secret qu'elles révèlent : des langages d'initiés. Tout le monde ne doit pas comprendre tout de suite.

On exprime donc le secret, quand il est mûr, par des signes, ou des chants, par des codes stéréotypés, plutôt que par un discours trop transparent.

Le sens de ces codes échappe d'ailleurs aux hommes de la culture savante, où tout est clair et transparent. Par exemple, les médecins du début du XIXᵉ siècle, utilisés par Edward Shorter [7], interprétaient les codes des jeunes paysans amoureux comme la preuve de leur incapacité à sentir et à exprimer. En réalité, ils faisaient surtout la preuve de leur propre incapacité à traduire les codes. Le cinéma d'aujourd'hui retrouve au contraire le sens perdu des signes, des expressions qui sont en deçà de la parole, avec leurs charges résiduelles de secret parce qu'ils sont un art du geste. Je pense en particulier au film d'Ermanno Olmi *L'Arbre aux sabots*.

Le passage de l'Invisibile au Visible se fait aussi autrement que par des codes stéréotypés. Il peut se faire par des systèmes de transposition dans le Visible qu'il faudrait étudier de près. Le locuteur, ou plutôt le médium qui sert d'expert, prend dans le Visible des éléments connus, des événements, des images, des personnages, et les choisit en fonction de leur proximité ou de leur ressemblance avec les choses secrètes qui le travaillent, et il les utilise comme s'ils étaient ces choses elles-mêmes et avaient le même sens.

Les commentaires qu'il fait des données de l'expérience commune signifient alors autre chose que leur sens apparent, quelque chose qui vient de loin, du monde de l'Invisible, de l'opaque. Ces transferts se font par le canal d'experts, de *médiums*, qui ont le pouvoir de traduire à leur manière et dans leur langue, en l'exploitant à leur profit, les poussées des profondeurs qu'ils ont su détecter. Ces pouvoirs et ces dons font d'eux des indicateurs de l'Invisible, très utiles pour nous, historiens — *à condition que nous ne les prenions jamais à la lettre.*

Ces médiums ont été d'abord des hommes d'Église, ensuite des médecins, puis des hommes politiques, révolutionnaires... En conséquence, l'historien doit être à la fois prudent et audacieux dans ses interprétations.

Prudent : il ne doit pas prendre pour argent comptant les rapports qui apparaissent avec le plus d'évidence entre les spectacles du Visible et les pulsions de l'Invisible.

Audacieux : il ne doit pas hésiter à restituer les chaînons qui sont escamotés et qui lui manqueraient s'il ne s'en tenait qu'aux apparences.

Pour me faire comprendre, je prendrai l'exemple de la peste noire et de la crise du XIVe-XVe siècle, sur laquelle nous aurons, je l'espère, à revenir longuement car, comme la Révolution française, les révoltes populaires du XVIIe siècle, la contraception du XVIIIe-XIXe, c'est un *nœud épistémologique* de notre historiographie.

Cette crise, je n'ai pas eu un instant l'idée de la contester et je crois en avoir reconnu l'importance, quoique, c'est vrai, je n'en aie pas fait une division à elle toute seule de ma périodisation de l'histoire de la mort. Je la vois comme l'étape ultime et paroxystique d'une évolution, qui commence un à deux siècles plus tôt, et qui possède sa cohérence propre.

En revanche, ce que je conteste, c'est la corrélation entre cette crise des mentalités occidentales et d'autre part les catastrophes naturelles des pestes, les ravages de la guerre de Cent Ans, la crainte de la fin du monde, les angoisses du Grand Schisme. Non pas, certes, que ces événements n'aient pas joué un rôle, mais un *rôle de signifiant*. Les médiums, les hommes d'Église les ont exploités en faveur de leurs desseins lointains.

Dans son très beau livre, Jean Delumeau a établi une relation de cause à effet entre la peur collective qui monte et se gonfle à partir du XIVe siècle comme une marée et les phénomènes du Visible comme les pestes et les grandes angoisses religieuses [8]. Sauf quelques peu significatives exceptions, j'ai moi-même choisi dans les corpus documentaires à peu près les mêmes séries que Jean Delumeau. Je les ai lues et ressenties comme lui, mais je les ai corrélées autrement.

Je pourrais refaire son livre, avec moins d'art et de talent, mais avec les mêmes données et la même lecture brute de ces données, prises séparément. Toutefois, je les organiserais autrement entre elles, et la vision globale pourrait alors devenir très différente. C'est d'ailleurs la méditation de ce beau livre qui me pousse maintenant à prévoir une discontinuité plus radicale entre la sphère de la conscience claire et la sphère de l'inconscient et de la conscience opaque.

Les choses de l'Invisible *s'expriment* dans celles du Visible, mais indirectement et, en tout cas, elles *ne s'expliquent pas au fond* par les choses du Visible. Il faut chercher ailleurs des explications d'une autre nature — à ma connaissance, les historiens se sont jusqu'à présent peu intéressés au secret. Pas de Secret dans l'Histoire, comme nous avons une Peur dans l'Histoire.

Il n'en est pas de même des philosophes, des psychologues. Mon ami Pierre Boutang a consacré sa thèse à l'ontologie du Secret [9]. Un très beau livre qui a le défaut d'être peu accessible à cause de son excessive condensation. Moins dénombrement empirique des secrets qu'ontologie, « secret de l'être : l'être tel qu'il se cache et se montre dans le secret ».

D'autre part, en 1976, la *Nouvelle Revue de psychanalyse* [10] a consacré un numéro spécial au Secret. Il serait temps de tenter une lecture d'historien du Secret. Nous n'y sommes guère préparés. Nous pouvons cependant repérer quelques pistes.

Par exemple, l'honnêteté languedocienne d'Yves Castan nous montre la part du Secret dans les stratégies qui permettaient à chaque individu, ou plutôt à chaque couple, de définir un domaine, comme un oiseau définit le sien, et de le faire respecter. Cette stratégie dépendait de sa fortune, de sa naissance, de ses alliances, et aussi de son bagou, le sien et celui de sa femme, de leur adresse à exploiter leurs atouts et à tirer profit des faiblesses de l'entourage. De telles stratégies impliquaient d'une part une capacité de réponse immédiate aux défis extérieurs, de saisir les occasions, mais aussi la capacité de préparer en secret un projet, de tromper les curiosités. On ne gagnait à ce jeu difficile que si on savait à la fois tenir sa langue et la manier habilement, tromper et ne pas être trompé. Une éducation de la ruse, mais la ruse est un cas ou une déformation du Secret.

Une autre direction nous serait fournie par la religion populaire ou, plus précisément, la religion commune, la religion orale. Par exemple, dans mes études sur les tombeaux, j'ai été frappé par la persistance dans leur iconographie du thème du repos, du sommeil, de l'attente, comme représentation de l'au-delà à une époque où il était refoulé depuis longtemps dans la pensée cléricale. Il m'a semblé que ce thème n'avait pas encore tout à fait disparu et qu'on pouvait le reconnaître aujourd'hui dans l'attachement à la croix de la tombe chez les incroyants. Faudrait-il rapprocher cette croyance vague, mais persistante, de la répugnance à l'égard de l'incinération ? Un psychologue n'hésiterait pas à rapprocher la fosse funéraire, la terre nourricière et le ventre maternel.

Aussi est-ce à des psychologues, ceux auteurs de la *Nouvelle Revue de psychanalyse*, que j'emprunterai ma dernière direction de recherches : la découverte de la musique populaire par la culture savante au XVIIIe siècle. Ce cas a intéressé Pierre-Paul Clément. Il cite le texte où, dans les *Confessions*, Jean-Jacques Rousseau raconte l'émotion qu'il éprouvait à entendre les « vieilles chansons » de sa tante Suzon, une fille ancienne. Résurgence dans le présent du passé enfoui et secret. « Il sent, nous dit Clément, que cette vieille chanson qui traverse sans peine l'épaisseur du temps est porteuse d'un secret : elle remonte d'un âge où la faute n'existait pas. » Le secret va ici de pair avec la nostalgie d'un monde en train de se perdre [11].

Pour Nerval, les vieilles chansons ont le même pouvoir :

> Il est un air pour qui je donnerai
> Tout Rossini, tout Mozart, tout Weber,
> Un air très vieux, languissant et funèbre,
> Qui pour moi seul a des charmes *secrets*.

Dans le numéro spécial de la même revue sur le Secret, j'extrais cet autre texte de Guy Rosolato : « Et la musique par un seul air qui revient du passé [...] par une *voix* sans parole, nous conduit au secret même, au plus intime de la source pulsionnelle, indicible, qu'est le Ça [12]. » « L'art [la musique] constitue par excellence le domaine réservé, *le lieu du secret*, l'enclave narcissique d'où l'échange avec autrui se réalise justement par le partage de l'incommunicable [13]. »

J'ai été très frappé par tout le parti que Jean Delumeau avait su tirer de textes de psychanalystes, en particulier dans son chapitre sur la femme. Ne sommes-nous pas toujours ramenés à des explications de l'ordre du psychologique ? Nous avons noté qu'on n'explique pas l'Invisible avec les phénomènes du Visible. Nous remarquons ici l'intérêt que des philosophes et des psychanalystes ont su porter à des phénomènes jusqu'ici négligés par les historiens.

Ne devons-nous pas alors chercher à des phénomènes psychologiques des explications et une problématique plus psychologiques que nous ne le faisons ?

NOTES

[1] André Burguière, *Le Nouvel Observateur*, 5 juillet 1980.

[2] Philippe Joutard, *La Légende des camisards. Une sensibilité au passé*, Paris, Gallimard, 1977.

[3] *La Nouvelle Histoire*, sous la direction de Jacques Le Goff, *op. cit.*

[4] Raymond-Léopold Bruckberger, *Mémoires*, Paris, Flammarion, 1978.

[5] Yves Castan, *Honnêteté et relations sociales en Languedoc (1715-1780)*, Paris, Plon, 1974.

[6] Jean-Louis Flandrin, « Contraception, mariage et relations amoureuses dans l'Occident chrétien », dans *Annales ESC*, 1969, p. 1370-1390 ; *Les Amours paysannes. Amour et sexualité dans les campagnes de l'ancienne France (XVIe-XIXe siècle)*, Paris, Gallimard-Julliard, 1975 ; et *Familles. Parenté, maison, sexualité dans l'ancienne société*, Paris, Hachette, 1976.

[7] Edward Shorter, *The Making of the Modern Family*, New York, Basic Books, 1975, trad. fr. : *Naissance de la famille moderne, XVIIIe-XXe siècle*, Paris, Éd. du Seuil, 1977.

[8] Jean Delumeau, *La Peur en Occident (XIVe-XVIIIe siècle). Une cité assiégée*, Paris, Fayard, 1978.

[9] Pierre Boutang, *Ontologie du secret*, thèse de doctorat d'État, université Paris-IV, 1973, dact., et Paris, PUF, 1988.

[10] *Du secret*, *Nouvelle Revue de psychanalyse*, n° 14, automne 1976.

[11] Pierre-Paul Clément, « De la mémoire aux mémoires : construction d'un espace autobiographique dans les *Confessions* de J.-J. Rousseau », dans *Mémoires, Nouvelle Revue de psychanalyse*, n° 15, printemps 1977, p. 185-201 (citation p. 201).

[12] Guy Rosolato, « Le non-dit », dans *Du secret*, *Nouvelle Revue de psychanalyse*, *op. cit.*, p. 5-26 (citation p. 25).

[13] *Ibid.*, p. 16.

2

Le temps de l'Histoire*

Le Temps de l'Histoire est paru en 1954. Tant de livres lui ont succédé dans cette voie encore peu encombrée qu'on peut s'interroger sur l'opportunité d'une réédition. Celle-ci, en effet, n'aurait pas de raison d'être si mon but avait été, à l'époque, de reconstituer l'évolution d'une historiographie, de recenser des œuvres, d'en définir les idéologies, d'en établir les généalogies. Bref, je n'ai pas voulu tenter une histoire de l'Histoire, mais plutôt, comme quelques autres auteurs l'ont fait à leur façon, comme Henri-Irénée Marrou [1] et Paul Veyne [2], saisir au vol la manifestation populaire souvent subtile et fugitive d'une attitude devant le Temps, non pas le Temps biologique, individuel, mais le Temps collectif ou social, commun à une période tout entière.

Je supposai donc que chaque longue période fonctionnait comme une culture ethnographique, et qu'à ce titre elle comportait une attitude globale devant le Temps qui lui était particulière et la définissait — distincte par conséquent de celle qui la précédait ou la suivait. Le passage de l'une à l'autre devait être un événement important.

Or j'ai eu le privilège — ou la malchance — d'assister, et de participer, à l'un de ces passages, comme il n'y en eut que peu dans la longue durée. Il coïncidait en effet avec la forte charnière des

---

* Ce texte, daté de janvier 1983, a été écrit par Philippe Ariès lors de son séjour au Wissenschaftskolleg de Berlin. Il devait constituer la préface d'une réédition du *Temps de l'Histoire* aux Éditions Albatros, qui ne fut jamais publiée. Le livre a été réédité par les Éditions du Seuil en 1986, mais sans ce texte retrouvé depuis.

années quarante et ne pouvait passer inaperçu. Ce livre est né d'une prise de conscience d'un changement de temporalité et d'un besoin d'en comprendre la signification aujourd'hui, et d'en déduire ce que cela avait voulu dire à d'autres époques.

Il se trouve que j'ai subi ce changement d'attitude collective dans des conditions qui n'étaient pas tout à fait celles de tout le monde : avant la guerre, j'avais été, comme beaucoup d'autres, fortement engagé dans une action politique, mais, depuis quelques années, je cherchais de toutes mes forces à m'en dégager, et il me semblait avoir trouvé la voie royale qui m'éloignait des faits et des opinions politiques et qui me rapprochait des conditions véritables de nos vies d'hommes ; une histoire des sentiments profonds, involontaires, inexprimés, qui avaient échappé à l'attention des historiens fascinés par les données politiques : une Histoire délibérément non politique.

Le monde des hommes me paraissait dépendre d'autres constellations que celles de la politique, ou même de l'économie ou de la religion. Je venais, en effet, de terminer mon *Histoire des populations*. Grâce à ce livre, je pouvais m'estimer délivré des démons de l'actualité militante. En fait, ceux-ci n'étaient pas morts, et l'*Histoire des populations* situait son jeune auteur encore convalescent à un croisement dangereux des réalités politiques, violentes, lâchées comme des bêtes sauvages — et d'autres réalités plus cachées et plus décisives, mais plus fragiles.

Pendant les préparations de mon *Histoire des populations*, les opérations de recherche m'avaient enfermé dans la solitude des salles de travail. D'autre part, la volonté de saisir le sens des données ainsi recueillies m'amenait à recréer, par-delà les murs des bibliothèques, un nouveau présent, plus concret et vivant que nature, mais ce présent ainsi retrouvé — par la recherche — n'était plus le présent brut, tel que je le vivais chaque jour sans médiation. Une telle différence peut être faible et faiblement perçue. C'est ce qui arrive normalement dans des époques paisibles ou dans le cocon d'une carrière universitaire, même difficile. Mais il n'en était pas ainsi en 1944.

Quand, arrivé au bout du voyage autour de ma chambre, j'ai fait surface, comme un plongeur de fond, j'ai été saisi et roulé par les secousses d'un monde en éruption qui m'était encore inconnu. Je sortais d'une Histoire qui s'écrit, qui se voulait sérieuse sinon savante ; elle ne ressemblait pourtant déjà plus aux modèles de mes maîtres de Sorbonne, mais l'apprentissage que j'en avais fait tout seul depuis quelques années de grande concentration tempérait à mes yeux sa nouveauté.

Et voici que de là, de cette Histoire d'archives, de bibliothèque, parfois d'enquêtes orales, de cette Histoire *élaborée*, je sautais en plein milieu d'une Histoire qui accouchait dans la violence, le tumulte, le sang, la guerre, une Histoire brute qui frappait en plein cœur, qui faisait bien ou mal, mais qu'on subissait sans aucun besoin de la comprendre.

Sur la grève dévastée où j'échouais, je me trouvais au carrefour de courants très divers et opposés : d'abord, *les* idées sur l'Histoire des historiens qui m'avaient interpellé jusqu'ici se heurtaient à *une* idée de l'Histoire perçue comme une masse palpitante et sanglante d'actes, de décisions, qui émergeait sous mes yeux du chaos des guerres, des révolutions, dans la fureur du XXe siècle à son mi-temps.

C'est cette rencontre, pour une fois, très consciente, des deux Histoires, celle qui se fait et celle qui s'écrit, qui m'a incité à faire une pause. Sollicité par l'histoire qu'on appellera des mentalités, retenu et poussé à la fois par les mythes politiques de ma famille et de ma jeunesse, interpellé enfin par les nouveautés prodigieuses d'un monde en fusion, d'un bout à l'autre des continents, j'avais besoin d'un moment de réflexion.

J'ai dit que l'un des courants que je rencontrai à ce confluent mouvementé des années quarante était constitué par les idées sur l'Histoire.

Il y avait eu débats dans le monde savant tout au long du XIXe et du début du XXe siècle. Au début des années quarante, le débat s'était circonscrit entre deux grandes tendances, entre la vieille Histoire scientiste, dite souvent positiviste, qui avait dominé l'Université occidentale et dans une certaine mesure créé l'Histoire dite « moderne », et l'Histoire devenue aujourd'hui banale sous le nom d'histoire des mentalités, d'Histoire sociale, d'école des *Annales*, et plus récemment d'Histoire anthropologique (n'hésitons pas à coller toutes ces étiquettes sur le même sac). J'ai préféré l'appeler, à l'époque où j'écrivais ce livre, l'Histoire « existentielle », et, si le mot me convient toujours, je dois reconnaître qu'il n'a pas fait fortune.

Avec mon *Histoire des populations*, j'avais déjà choisi, mais c'était un choix spontané, non délibéré, où les influences de la géographie humaine, de la sociologie d'Halbwachs, l'Histoire de Marc Bloch et de Lucien Febvre se mêlaient à une curiosité indiscrète pour ce qui ne se voyait pas ou dont on ne parlait pas, et aussi à de la méfiance à l'égard des explications toutes cuites dont on raffolait à la fin des années trente. J'avais pris le train en marche, sans me préoccuper de méthodes ni de théories : ce train, je ne savais pas trop où il me conduisait. Maintenant que c'était fini, avant de reprendre d'autres recherches et de les pousser plus loin, j'éprouvais le besoin de comprendre d'une façon plus logique, plus conceptuelle, les raisons profondes d'un choix aussi peu réfléchi, que ne dictait aucune préoccupation de carrière ni de patronage.

Aujourd'hui, le débat entre les deux Histoires, l'événementielle, comme on disait, et l'existentielle, comme je le dis, est tranché depuis longtemps. L'Histoire sociale (c'est son acception la plus commune et la plus admise) a triomphé presque sur tous les fronts. Il n'y a plus de combattants, seulement ici et là quelques grognards. Il n'en était pas ainsi pendant les années quarante, où, tout au moins, les souvenirs de polémiques étaient encore frais, on soignait ses bosses. Le lecteur trouvera les traces de ces démêlés dans mes deux chapitres : « L'Histoire scientifique » et « L'Histoire existentielle ». Ceux-ci lui paraîtront peut-être un peu défraîchis. Le pouvoir académique a (heureusement) passé d'une Histoire à l'autre en France. Cela ne s'est pas fait ainsi dans d'autres pays, et la victoire de l'école des *Annales* a donné à la France une avance et un rôle de modèle qu'elle a pu garder quelque temps. Maintenant qu'une certaine méfiance revient (aux États-Unis par exemple), le vieux débat reprend peut-être de l'actualité. En tout cas, j'ai conservé mon texte d'origine, sans rien y changer. J'ai simplement remis à leur place logique et chronologique les chapitres que j'avais, dans la première édition, rejetés à la fin du livre, en matière de conclusion. J'ai préféré les situer ainsi dans la continuité de mes réflexions et ne pas les séparer des autres pages plus personnelles, inspirées par les questions que me posait le décryptage de mes expériences vécues et de mes nostalgies, d'une part le torrent de la *grande Histoire*, c'est-à-dire à la Malraux, et d'autre part les lacs paisibles ou secrets des mémoires familiales.

Je viens de parler de la grande Histoire. Le mot paraîtra bien vague, bien ambigu et un peu maladroit. Chez les philosophes et les historiens de l'Histoire, le mot ne se limite pas au produit du travail historique, à l'œuvre de l'écrivain. Il s'étend aussi bien à la matière brute des faits, des événements, avant leur transformation par l'historien, c'est-à-dire tout ce qui se passe autour de soi, et, pourquoi pas, en soi. Ici, dans ma terminologie, à ce mot de « grande Histoire » j'attribue un sens plus restreint que celui d'une totalité qui se fait. Je désigne plus précisément, en vrac, le bouillonnement de passions, de fureurs, de forces formidables, à la fois politiques et économiques, d'accumulation de puissances encore jamais vues, telles qu'elles déferlèrent sur le monde de la guerre et de l'après-guerre : les années trente-cinquante.

Le mot m'avait été soufflé par son monumental témoin, André Malraux.

Aujourd'hui, sans renoncer, bien au contraire, à cette référence, je parlerai plutôt d'*Histoire-Révolution*, parce que nous étions plongés dans un bouillon de révolution, non pas une révolution comme l'anglaise du XVIIᵉ siècle, la française du XVIIIᵉ, la russe du XXᵉ, qui ont surgi comme des épisodes courts, mais au contraire une interminable apocalypse, dont on avait l'impression (trompeuse) qu'elle ne finirait jamais et renaîtrait ici et là quelque part dans le monde : un *millenarium*, ponctué de catastrophes, sur un fond constant de crises, de complots, de guerre civile, de tyrannie, de déracinements, de persécutions. On aurait dit que ces tumultes inimaginables surgissaient d'une boîte de Pandore, et les chefs d'État, et les plus illustres, ne parvenaient même pas à en déchiffrer le code, jouets d'un destin qu'ils contrôlaient moins que jamais.

Alors, on a vu sortir de l'ombre, et publier leurs témoignages, ceux qui ont peut-être été les vrais acteurs de cette grande Histoire : militants généralement obscurs, parfois illustres, qui se jetaient dans l'action comme les missionnaires de la Contre-Réforme entraient en religion. La guerre civile, la guerre d'Espagne, les fronts des maquis, les complots de toutes sortes les avaient arrachés à la vie sage d'un militant classique, les avaient jetés dans d'extraordinaires aventures. Au moment où ils se démobilisaient de gré ou de force, ils publièrent leurs souvenirs sous formes de Mémoires ou de biographies romancées, à la fin des années quarante. Une littérature abondante, parfois suspecte, mais brûlante, et qui ne ressemblait en rien aux Mémoires des époques révolues.

Cela a passé comme une vague, qui m'a inspiré mon chapitre « L'engagement de l'homme moderne dans l'Histoire ». Puis le silence s'est étendu sur les libres témoignages de ces révolutionnaires hérétiques, qui avaient été pris au piège d'une révolution en train de se transformer en appareil d'État, en modèle de gouvernement, et aussi sur les déceptions qui les conduisirent parfois au suicide, au désespoir, mais aussi, heureusement, au grand journalisme et à la grande littérature.

Un des derniers documents de cette époque, qui était resté inédit, vient d'être arraché à la vieillesse de son auteur : le journal de Pierre Pascal [3]. Comme je regrette aujourd'hui de n'avoir pu l'évoquer dans ce chapitre où la première place lui serait revenue, tant il est exemplaire ! Maintenant, après une décennie environ, la littérature de témoignages a rompu le silence que faisait régner sur l'opinion le conformisme des partis politiques, quelles que fussent leurs tendances. Des hommes seuls, absolument seuls, comme Soljenitsyne, sont venus crier à la face du monde leur authentique histoire. La littérature des dissidents prend désormais la relève de celle des révolutionnaires, des anarchistes des années trente-quarante, avec un style et une philosophie différents, mais dans la même lignée.

Grande et étrange nouveauté que le rôle des isolés, des marginaux, des vaincus, quand ils savent parler ! Et cependant, à ce chapitre des acteurs qui crient leur témoignage il faudrait maintenant ajouter un paragraphe sur de nouveaux venus, qui, eux, ne veulent pas parler, par principe, autant que par stratégie : les terroristes. Ils s'enferment dans leur mutisme, et même quand ils désertent leur cause, c'est dans une clandestinité qui ne s'explique pas seulement par la peur ni par l'incapacité. Une éducation grande-bourgeoise leur a donné les moyens de s'exprimer, non, ils se taisent, car ils n'ont rien à dire à une société qui n'a plus de sens. Dans leur désert, ils n'ont pas d'interlocuteur à qui transmettre leurs passions et leurs déceptions, comme dans les prisons étanches où on les a murés.

Au cours des années quarante, ces voix perdues et bientôt étouffées m'avaient frappé, mais elles n'étaient que les éclats d'un grand théâtre aux dimensions du monde. Le spectacle qu'on y jouait me frappait, si à l'écart que je croyais être, comme un poignard, emportant mes volontés de renoncer à la politique, et remettant en cause mes idées sur la dévaluation de l'événement et du pouvoir politique, que me suggéraient mes recherches sur les mœurs quotidiennes et la sensibilité. Les phénomènes les plus importants, je le savais, ne se situaient [pas] à un tel niveau d'illusion, mais les grandes fureurs des guerriers, révolutionnaires, les témoignages pathétiques, les tortures, les camps de prisonniers, les déplacements de populations, tout cela ne pouvait être traité comme de simples incidents superficiels, ils bouleversaient mes idées et me posaient des questions.

L'une de ces questions provenait du marxisme, de sa rapide conquête de l'intelligentsia et, plus encore, de sa vulgarisation dans les lieux communs. C'est qu'il offrait à tout ce foisonnement d'idées et de passions un langage, un code et, en fin de compte, un dénominateur commun et une apparence de logique. Il donnait un sens et une cohérence à la pression des énormes forces économiques mondiales, encore si légères dans la France impériale et protégée d'avant la guerre.

A la fin des années quarante et pendant les années cinquante, le marxisme se confondit avec ce qu'on commençait à appeler la modernité, et il lui prêtait la puissance d'un déterminisme à peu près incontesté. D'où son prestige auprès des jeunes intellectuels français.

Le marxisme m'a intéressé pour deux raisons particulières qu'on retrouvera dans ce livre. D'abord à cause du degré de valorisation de l'action politique dont témoignaient ses agents, devenus bien souvent ses adversaires. On touchait ainsi du doigt une certaine manière nouvelle de vivre les fièvres de l'Histoire. Ensuite à cause du renfort qu'il apporta aux interprétations déterministes alors triomphantes : ce qu'on appelait, à droite comme à gauche, chez les catholiques teilhardiens comme chez les progressistes libéraux, le *sens de l'Histoire*.

En me relisant aujourd'hui, je retrouve dans mon souvenir les sentiments qui me partageaient à l'égard du marxisme et du « sens de l'Histoire ». D'une part, l'accent mis sur la force du changement, la fascination des grandes poussées qui transformaient le monde et, en conséquence, du système qui croyait en donner la clé passe-partout. D'autre part, et en sens contraire, l'impossibilité d'accepter ce transformisme — tout en conservant la notion de changement, qui s'imposait dans toutes les activités humaines, dans la vie matérielle et dans la vie de l'esprit, dans la maison comme dans l'État. Et, enfin, à la lecture des historiens marxistes comme à celle de leurs militants désaffectés, la découverte d'une réduction finale de ces forces de feu à des systèmes glacés qui créaient de nouveaux appareils d'État autoritaires.

Sans doute me reprochera-t-on aujourd'hui de m'en être tenu trop facilement à la version pauvre du « marxisme vulgaire », d'avoir laissé de côté les tentatives de l'enrichir — mais je ne faisais pas une histoire du marxisme savant et seuls ses aspects les plus communs, sa « vulgate », valaient la peine d'être retenus. Pourtant, j'aurais dû être plus attentif aux renouvellements apportés par le marxisme à l'Histoire, grâce au rôle essentiel attribué aux facteurs économiques, aux sympathies populaires, aux mouvements organisés des classes sociales, renouvellement qui marque pratiquement toute une génération d'histoires, marxistes et non marxistes. C'était la revanche des phénomènes auparavant ignorés ou mal situés (comme les révoltes paysannes du XVIIe siècle).

Enfin, je ne crois pas m'être trompé en ayant tout de suite repéré sous les hautes énergies révolutionnaires la pente vers le refroidissement, la bureaucratie autoritaire et la raison d'État.

Cela vaut la peine d'être rappelé aujourd'hui, où les violences persistent, certes, mais gelées et canalisées dans des institutions d'État plus sûres d'elles, de leur droit, de leur avenir qu'aucune des anciennes tyrannies ou des royaumes de droit divin.

Exposé à toutes ces influences si étrangères à ma formation, à mon éducation comme à mes lectures, j'ai senti le vent du large, et entendu l'appel qui venait de ces continents, sortis tout à coup de leur immobilité. Mais, comme Ulysse, je n'ai pas cédé aux voix des sirènes, à vrai dire, sans beaucoup de mérite, quoique dans les mêmes milieux conservateurs où j'évoluais beaucoup furent piégés : le marxisme chrétien ? Mounier ? Sartre ? On en parlait pas si loin de chez moi.

Mais les grands souffles dévastateurs m'ont au contraire poussé à me replier frileusement vers les rivages d'utopie de mes familles, dont le babillage pouvait paraître futile à côté des grandes orgues planétaires.

Rien de moins futile, en vérité, que ces images nostalgiques et naïves. Elles m'ont inspiré les pages de mon premier chapitre, «Un enfant découvre l'Histoire», et elles constituent sans doute la trame concrète de ce livre, sinon de toute ma vie. Ce méli-mélo de généalogies, de souvenirs, de légendes, de réel et d'imaginaire, je l'ai baptisé l'*Histoire particulière*, par opposition à la grande Histoire, à l'*Histoire-Révolution*. Chose curieuse, je retrouve la même formulation chez deux historiens en cette année 1983. [D'abord] dans un article de Gérard Namer, «Joseph Roth et la mémoire juive [4]», à propos du Schtetl, du déracinement des communautés juives de l'Est et leur embourgeoisement dans la société libérale : «Il y a donc un double visage du bourgeois : en général le bourgeois représente la négation de l'homme (c'est nous, sans nulle vanité)... Mais quand il s'agit du juif de l'Est (venu des petites communautés séculaires), le terme "bourgeois" prend une dimension chaleureuse. Le juif de l'Est se *sauvait de la grande Histoire*

par la petite histoire domestique, par l'idylle familiale bourgeoise. »
Je ne disais pas autre chose. En fait, cette petite histoire domestique (je m'approprie l'épithète ajoutée par Gérard Namer) se
confond avec ce que, plus tard, Philippe Joutard a excellemment
baptisé le *légendaire familial* [5]. Il était de la nature de cette histoire qu'elle n'ait pas conscience d'être une Histoire. Elle restait
orale, ou rapportée dans des lettres, ou encore confiée à de modestes
cahiers manuscrits, réservés aux descendants, pour qu'ils n'oublient
pas. Ces humbles textes sont à rapprocher des vieux livres de raison, des journaux intimes ou des Mémoires, qui le plus souvent
n'étaient pas destinés à la publication, ni même toujours à la
conservation. Aujourd'hui, dans les années soixante-dix-quatre-
vingt, les historiens sont à l'affût de ces documents spontanés et
naïfs, qui leur sont devenus précieux après avoir été longtemps négligés : pour commencer, on ne s'intéressa qu'à ce que les récits des
témoins apportaient à la connaissance des événements et des acteurs
de la grande Histoire.

Maintenant, il faut encore, parfois, les arracher à des héritiers
peu coopératifs qui les détiennent comme des secrets dangereux
pour l'honneur de la famille, ou qui les traitent (et les maltraitent)
avec indifférence, dans les deux cas les exposant à la destruction.
Leur succès leur fait aussi courir un autre risque, celui de la mani-
pulation. Certains textes subissent aujourd'hui le rabotage qui a
mutilé les premières éditions de Mme de Sévigné ou de Samuel
Pepys, mais cette fois dans un sens opposé, celui de la morale vic-
torienne !

On sait aussi le goût nouveau (il date à peine d'un peu plus d'une
décennie) pour les généalogies et les reconstitutions de famille biographiques (c'est-à-dire autres que seulement démographiques).

Il n'empêche que, pendant longtemps, ces sources extraordinaires et passionnantes n'ont guère inspiré les historiens. Mon lecteur
doit maintenant soupçonner le lien que je veux établir entre la
conscience d'un passé particulier (ce qui s'est fait dans un petit
milieu, hors de la grande Histoire) et ce que pourront et sauront
en tirer (tardivement) les historiens.

A vrai dire, cette rencontre entre l'Histoire des historiens et celle,
inconsciente, des petites unités sociologiques — familles, milieux —

aurait pu se faire plus tôt si, en France du moins (comment les choses se sont-elles passées ailleurs, dans une Angleterre très privatisée où la tradition du *diary* était ancienne ?), les pressions idéologiques n'avaient pas détourné l'attention des intellectuels vers des objectifs apparemment plus significatifs et plus conséquents.

L'attachement au passé du groupe et le soin mis à sa transmission existaient autant à gauche qu'à droite. Il me semble cependant qu'ils devaient trouver un meilleur terrain dans une droite contre-révolutionnaire forcément nostalgique. Or c'est aussi dans ces familles catholiques, royalistes, réactionnaires, que l'École des chartes recruta longtemps ses érudits, qui défendirent le trône et l'autel — surtout l'autel — dans la revue savante où le Moyen Age — âge d'or de la chrétienté — occupait une place privilégiée, la *Revue des questions historiques*. Ils auraient pu saisir l'intérêt des documents provenant de leur propre fonds familial et ébaucher une histoire folklorique conservatrice. Sauf erreur, ils ne l'ont pas fait, piégés par leur conception étroite de l'érudition et du document écrit et par leur préférence pour les hautes époques.

Non seulement ils ont échoué, mais ils ont naufragé, vaincus par la concurrence de la *Revue historique*, fondée par le républicain Monod, qui revendiquait pour l'Histoire le statut de science positive. Charles-Olivier Carbonell a raconté ce sabordage [6]. Les érudits catholiques et contre-révolutionnaires avaient perdu une bataille. Ils auraient pu ne pas perdre la guerre et trouver des alliés et des successeurs chez les intellectuels de droite qui se rassemblaient à la fin du siècle autour de Charles Maurras et de l'Action française et présentaient une version originale et renouvelée du royalisme traditionnel. Ils suscitèrent en effet une école d'historiens (avec Jacques Bainville et Pierre Gaxotte) que j'ai appelée ici (chapitre I) l'*Histoire conservatrice*, et que René Grousset avait baptisée plus joliment l'Histoire capétienne. Elle conquit très vite la faveur d'une droite plus large que son noyau royaliste et suscita un engouement pour l'Histoire, moins sérieux que celui que nous constatons aujourd'hui, mais comparable.

Or ces « nouveaux historiens » n'ont pas été tentés de sauver ni de poursuivre l'œuvre de leurs prédécesseurs érudits : ils les ont ignorés, et sans le livre de Carbonell, je n'aurais pas moi-même soupçonné que le problème ait pu se poser : on a abandonné l'érudition traditionnelle à quelques savants locaux sans prestige. C'est que les historiens d'Action française ne tenaient pas à établir des faits, à recourir aux sources. Ils se contentaient des données tirées de livres souvent de seconde main. Leur ambition était en effet philosophique : ils voulaient repérer dans des ouvrages plutôt savants, sans but idéologique et qui ne prétendaient rien prouver, des relations d'analogie, puis à partir de ces analogies déterminer des constantes, et enfin tirer de ces constantes des règles de gouvernement ou du moins un code de bons usages politique. Une telle méthode invitait à gommer les différences des temps au profit d'une identité perpétuelle.

Notons-le d'ailleurs : les historiens positivistes, dans leurs prétentions scientifiques, aboutissaient aussi, de leur côté, au nivellement des différences. Quand on se situe volontairement à ce niveau élevé d'organisation des sociétés qu'est l'État moderne, qu'on croyait être aussi la cité antique, ou dont la féodalité paraissait le contraire, le négatif, les choses tendent à se ressembler : faites-en l'expérience ; de Thucydide à Renouvin, en passant par Machiavel jusqu'à Raymond Aron, l'érudition ne change rien à l'affaire : les sources sont choisies en fonction des stratégies privilégiées qui sont toujours les mêmes.

Ces observations en zigzag à partir de quelques repères : la macro-histoire d'un monde dilaté, la micro-histoire des milieux « domestiques », les historiographies conservatrice, marxiste, événementielle, « existentielle », me ramenaient à deux pôles fondamentaux : l'identité et la différence.

Dans l'Histoire qui se fait comme dans celle qui s'écrit, la partie se joue entre ces deux buts, et alors l'habileté comme le plaisir du joueur consistent à se placer comme il faut.

J'ai refusé au départ l'illusion d'identité des historiens de l'analogie, et aussi ceux du fait ou de l'opinion politique. J'ai aussi refusé les évolutions linéaires et programmées des déterministes, quels qu'ils soient, tout en reconnaissant une périodicité irrégulière et non dirigée du changement. La notion d'identité n'a pas pour autant disparu tout à fait, mais elle s'est associée dans la durée avec celle de différence, pour devenir un temps de permanence entre deux trains de différence.

Mais alors une autre contradiction apparaît, essentielle. Dans ces périodes de permanence où rien ne paraît changer, où le socle de la civilisation matérielle, selon l'expression de Braudel, ne bouge pas sensiblement (il bouge insensiblement), les différences sont fortes, non plus dans le temps, un peu plus dans l'espace (moins qu'on l'a cru), mais elles se cumulent surtout à l'intérieur de chaque unité de lieu et de temps. Pour parler le jargon des sciences humaines, on pourrait dire que de diachroniques ces unités deviennent synchroniques, ou que d'historiques et évolutives elles deviennent ethnographiques ou anthropologiques. Chaque espace, chaque rue, maison, salle, chambre, atelier, lavoir, café est un rendez-vous de diversités, d'odeurs, de couleurs, de bruits, d'opinions de toutes les sortes. La bigarrure se développe là où le changement cesse d'être perçu. C'est pourquoi dans les civilisations matérielles lentes, la place de l'Histoire, celle qui s'écrit, est réduite à sa fonction élémentaire de mémoire. Une société se passe difficilement de mémoire. L'Histoire glisse vers le récit, les événements qu'il faut retenir, l'annale, la chronique ou l'épopée.

Au contraire, et c'est ce qui me frappait dans les années quarante, quand je rédigeai ce livre, et l'histoire des années soixante et soixante-dix n'ont fait que confirmer cette observation, à mes yeux capitale, quand le tempo s'accélère, ainsi qu'il est arrivé depuis les progrès du capitalisme, quand au contraire l'inertie de la civilisation matérielle et l'impression de permanence qu'elle donnait s'affaiblissent, quand, sous l'effet des économies de marché, tout a l'air de bouger à la fois et très vite, rien ne ressemble plus à rien, cependant, ô paradoxe ! tout se ressemble. La bigarrure disparaît, et la modernité recouvre de son manteau gris d'uniforme les cultures dont elle a effacé les couleurs. Ainsi, sur les affiches de l'aéroport de *Playtime*, le film de Tati, les incitations au voyage renvoient toutes aux images identiques d'un monde standardisé. La remarque jadis originale est devenue un lieu commun, sans perdre de sa vérité.

Alors il appartient à l'Histoire — celle qui s'écrit cette fois — d'intervenir dans les mécanismes compensateurs d'une société qui étouffe sous l'uniformité et qui réagit en multipliant les marginaux. Elle doit désormais ajouter une fonction nouvelle à celle, ancienne, de mémoire. Spontanément, la société éprouvée lui demande (comme au roman) de reconstituer dans un imaginaire plus vrai que nature la diversité des réalités perdues.

C'est pourquoi je conclurai en 1983 comme en 1949 : « A une civilisation qui élimine les différences l'Histoire doit restituer le sens perdu des particularités. »

NOTES

[1] Henri-Irénée Marrou, *De la connaissance historique*, Paris, Éd. du Seuil, rééd. 1975.

[2] Paul Veyne, *Comment on écrit l'Histoire*, Paris, Éd. du Seuil, 1971, rééd. 1978.

[3] Pierre Pascal, *Mon journal de Russie à la mission militaire française*, Lausanne, L'Age d'homme ; t. 1 : *1916-1918*, 1975 ; t. 2 : *En communisme, 1919-1920*, 1978 ; t. 3 : *Mon état d'âme, 1922-1926*, 1982 ; t. 4 : *Russie, 1927*, 1982.

[4] Gérard Namer, « Joseph Roth et la mémoire juive », dans *Le Scarabée international*, n° 3-4, automne-hiver 1982. (Contrairement à ce que déclare Ariès, Gérard Namer est un sociologue, et non un historien.)

[5] Philippe Joutard, *La Légende des camisards. Une sensibilité au passé*, *op. cit.*

[6] Charles-Olivier Carbonell, *Histoire et historiens : une mutation idéologique des historiens français, 1865-1885*, Toulouse, Privat, 1976.

3

La ressemblance*

J'avais d'abord été tenté de m'en tenir à analyser la notion de la ressemblance dans la sensibilité moderne, du XVIe au XVIIIe siècle. Elle est en effet attachante et nouvelle. On pourrait la saisir au fond de quelques thèmes.

D'abord, le *thème du miroir* : un miroir plus ou moins magique, qui restitue une autre image, pas identique, un peu différente, celle de la vieille femme qui deviendra la jolie jeune fille — ou encore l'image de la mort qu'elle sera bientôt.

Ensuite, très comparable, le thème de l'*anamorphose*, si bien étudié récemment par Jean-Claude Margolin, et qui montre à la fois et en même temps la ressemblance et le changement en autre chose [1]. Ou encore le personnage humain composé à l'aide de fleurs, de fruits, de légumes, d'objets végétaux. Tous ces objets végétaux *assemblés* d'une certaine manière prennent une certaine forme et ressemblent à une figure humaine. Cette présence énigmatique d'une figure humaine dans le monde végétal, où il faudra la retrouver par la ressemblance — car on ne connaît pas encore les possibilités de la *Gestalttheorie* —, persiste longtemps au XVIIIe siècle. Pendant la Révolution et l'Empire, les familles roya-

* Ce texte est celui d'une communication faite au séminaire interdisciplinaire du Collège de France consacré à l'analogie. Nous le publions d'après le manuscrit de Philippe Ariès. Un texte abrégé, « rédigé par le secrétariat du colloque à l'aide des notes prises au cours de l'exposé », est paru sous le titre « Permanence et différence dans la pensée historique », dans le volume *Analogie et Connaissance*, sous la direction d'André Lichrenowicz, François Perroux et Gilbert Gadoffre, Paris, Maloine, « Recherches interdisciplinaires », t. 1 : *Aspects historiques*, 1980, p. 155-158.

listes collectionnaient des paysages funéraires, ce que les Américains appellent des *mourning pictures*, où, avec un peu d'attention, on retrouvait dans le feuillage du saule pleureur le profil de Louis XVI, de Marie-Antoinette, de Mme Élisabeth et du Dauphin. On les retrouvait évidemment grâce à leur ressemblance.

Hors des documents graphiques, le thème de la ressemblance a sa place dans les traités de médecine légale. « De similitudine » est le titre d'un chapitre. Il s'agit de déceler par la ressemblance des parentés dissimulées ou désavouées.

Il y a donc tout un système cohérent de représentations autour de la notion très équivoque de ressemblance, où ce qui se ressemble n'est jamais identique, où la ressemblance est élément d'une recherche, d'une sorte de devinette. Où, au bout du compte, on trouvera quelque chose d'un peu différent — ou d'un peu autre — mais pas très différent tout de même.

Mais j'ai préféré une autre interprétation de l'analogie, qui me touche personnellement de plus près et qui finalement n'est peut-être pas non plus très éloignée de cette notion de ressemblance des sociétés du XVIᵉ au XVIIIᵉ siècle. Je l'ai préférée pour deux raisons. *D'abord* parce qu'elle m'était plus familière : je l'ai trouvée dans mon bercau, où des bonnes fées réactionnaires l'avaient mise, et *ensuite* parce qu'elle me paraît plus susceptible d'une libre discussion entre nous, et finalement plus actuelle.

Dans la vie quotidienne de nos familles, dans les années vingt de mon enfance girondine, les vieux thèmes de la ressemblance étaient toujours très vivants, mais, plus ou moins chassés des idéologies supérieures, scientifiques ou religieuses, ils s'étaient réfugiés autour de *deux pôles*. Le premier rôle appartenait à la vie quotidienne, le second à la vie culturelle.

Dans la vie de tous les jours, il importait beaucoup de savoir qui ressemblait à qui. D'abord dans la famille : le petit Philippe ressemblait à son père ou à sa mère, il tenait de tel de ses grands-pères. Son cousin germain Untel le rappelait beaucoup. La conversation sur les ressemblances était intarissable, d'autant plus que les ressemblances changeaient avec l'âge. Tel qui ressemblait à sa mère jeune prenait en vieillissant la ressemblance de son père.

Aujourd'hui, ce sujet s'est tari. Le dernier épisode que j'ai dans ma famille est un portrait de moi par un ami polonais. La version me ressemblait peu, mais tout le monde a trouvé qu'elle ressemblait beaucoup à mon frère cadet, tué à la guerre de 1945 et que le peintre n'avait pas connu. On s'est un peu ému de cette circonstance à l'époque, vers 1965. Puis les années ont passé et je m'aperçois aujourd'hui que ce thème est délaissé et que mes neveux me paraissent assez indifférents sur ce sujet et se préoccupent peu de leur ressemblance et de qui ils tiennent. La question ne passionne plus grand monde. Le problème de la ressemblance appartient peut-être (mais ce n'est pas sûr) maintenant au passé.

Le second pôle du thème de la ressemblance — dans ma jeunesse — était l'Histoire et la politique. Et ceci nous introduit dans un secteur moins pittoresque, moins anecdotique, mais sans doute plus intéressant pour l'Histoire en train de se faire. Dans ce premier XXe siècle, le grand problème, en ce qui concerne la réflexion politico-historique, dans ces milieux de culture humaniste, était de trouver dans le passé quel qu'il soit, celui de l'Antiquité, qui était peut-être le mieux connu, celui du Moyen Age et de l'Ancien Régime ou de la Révolution, des *exempla* qui permettent de retrouver une continuité interrompue par la Révolution française et les mauvais gouvernements qui lui avaient succédé. Il fallait donc trouver des situations qui *ressemblent* aux situations d'aujourd'hui et permettent de tirer des conclusions valables pour le temps présent.

On disait couramment : les mêmes causes produisent les mêmes effets. On était absolument indifférent aux changements profonds et irréversibles de la société. On était assuré que la société ne changeait pas, qu'elle était restée *saine* dans ses bases et que la seule variable qui était préoccupante et sur laquelle on pouvait agir était la *nature de l'État*, le Pouvoir. On refusait l'idée de changement profond. Les changements de la science et de la technique, auxquels participaient de très près les notables bourgeois dont je parle, leur paraissaient superficiels dans la mesure où ils n'avaient pas touché les mœurs. Et c'est vrai que jusqu'à la guerre de 1939, ces changements avaient été lents, pas très conscients, et surtout n'avaient pas beaucoup changé le mode de vie. On avait le droit de croire que la société restait assez pareille à elle-même, en France.

Alors on cherchait dans l'Histoire des leçons politiques, et ces leçons étaient suggérées par la *ressemblance* perçue entre les situations. Par exemple, les guerres de religion (la personnalité d'un Michel de l'Hôpital paraissait comme le modèle du *libéral*) ou les périodes prérévolutionnaires, les règnes de Louis XIV, Louis XV, Louis XVI. C'est ce que René Grousset a appelé avec humour l'*école capétienne*. Ce n'est pas une école qui a aujourd'hui beaucoup de disciples. Mais elle a sa place dans l'histoire de l'Histoire, et Charles-Olivier Carbonnel a su montrer sur quel environnement érudit elle s'enracinait : le groupe de la *Revue des questions historiques*, contre laquelle a été fondée par Monod la *Revue historique*, toujours vivante, mais peut-être plus conservatrice qu'à ses origines [2].

Je crois qu'il y avait une relation profonde entre cette recherche historique des ressemblances des situations et la place de la ressemblance dans l'ancienne psychologie et dans l'ancien système de représentation de l'Autre.

C'est pourquoi, héritier fidèle des traditions ancestrales, j'ai reçu cette notion dans mon berceau, et j'ai eu beaucoup de peine à m'en défaire. C'est pourquoi j'ai au début réagi assez négativement aux propositions de ce colloque. Car il me semblait *que l'idée que j'avais eu beaucoup de mal à mettre à la porte dans les années vingt de mon âge revenait par la fenêtre dans les années soixante.* Et cette réaction d'humeur m'a inspiré les réflexions suivantes : les premières sont autobiographiques.

Quand je suis arrivé, étudiant, à la Sorbonne, je n'avais encore aucun doute sur la solidité de l'école capétienne et sur les vertus de la théorie des ressemblances (de la recherche des ressemblances). Je savais que j'aurais à me défendre de l'Histoire laïque et démocratique — celle de la *Revue historique* — mais j'étais attiré, dans l'Histoire universitaire, dans cette époque, par sa prétention à la reconstitution complète et à la continuité. Je souffrais des trous de l'Histoire capétienne, qui ne s'intéressait qu'à des étapes privilégiées et exemplaires, et je désirais reconstituer cette continuité. C'est ce que je demandais à l'Histoire universitaire.

Certes, cette Histoire universitaire prenait à rebrousse-poil toute mon éducation familiale (plus que ne le ferait l'Histoire d'aujourd'hui, qui y verrait au moins un témoignage ethnologique). Mais il y avait dans cette Histoire — aujourd'hui vieux style — deux tendances. L'une, plus positiviste, objectivante, réellement événementielle, qui supprimait à la fois le problème de la ressemblance et celui de la différence, car elle dévidait un tissu d'événements reconstitués à la suite, qui avaient leur logique propre, c'est-à-dire qu'un événement commandait directement celui qui l'avait suivi chronologiquement, dans la série que l'érudition permettait d'établir grâce aux documents. Et puis, surtout en Histoire contemporaine, il y avait une autre *tendance, voilée* sous l'érudition, *qu'on appelle aujourd'hui européanocentrisme*, sinon impérialisme culturel, et qui *faisait de la civilisation démocratique occidentale postrévolutionnaire (mais les contre-révolutionnaires s'y ralliaient petit à petit) un modèle que les migrations de population, les colonisations, l'économie capitaliste étendaient peu à peu à un monde sauvage et fermé.* En réalité, cette seconde notion ne m'éloignait pas tant de la vieille doctrine de la ressemblance. L'idée s'est formée peu à peu que malgré bien des contradictions, des oppositions souvent sanglantes, *un certain nombre de ressemblances, [d'analogies] fondamentales reliaient, par-dessus ces oppositions ou ces différences*, des sociétés *et des cultures*, et en faisaient bien *une civilisation* : la *civilisation occidentale*, la nôtre.

Alors que j'avais depuis quelque temps abandonné cette foi dans les ressemblances, j'ai eu l'occasion de comprendre l'importance de cette notion de civilisation unique chez nos maîtres, et chez l'un des plus prestigieux : Jérôme Carcopino. J'avais publié dans une collection d'histoire que je dirigeais la traduction d'un livre anglais de Nilsson sur la religion grecque, où Nilsson montrait tout ce qui y subsistait d'archaïque et de sauvage [3]. Et Carcopino, que je voyais alors de temps en temps, me dit presque textuellement : vous avez fait là une mauvaise action. Et sa critique peut se résumer ainsi : vous avez fait basculer la Grèce du côté de la Barbarie, alors qu'elle doit rester la mère de notre civilisation.

Ainsi je retrouvais bien, à la Sorbonne, une critique souvent convaincante de l'école capétienne, mais [aussi] une sorte de théorie voilée des ressemblances qui n'en était pas si éloignée. Si peu éloignée que cette doctrine de la civilisation occidentale a aujourd'hui remplacé dans les milieux de droite (qui ne sont plus toujours socialement les mêmes) la doctrine de l'âge d'or prérévolutionnaire, d'Ancien Régime.

Or, sous diverses influences, j'avais été amené à me séparer de cette école capétienne, sans d'ailleurs renier mes origines ni mes fidélités. Mais ce qui m'avait peu à peu détourné était justement la notion de ressemblance. J'en étais venu peu à peu à la considérer comme fondamentalement antihistorique, et ma découverte dans les années quarante de Marc Bloch, de Lucien Febvre et des premières *Annales* m'a confirmé dans ce qui a été d'abord une sorte d'aversion.

L'Histoire et même, d'une manière beaucoup plus générale, la connaissance des autres m'ont paru basées sur une perception d'abord naïve des différences. Les mécanismes instinctifs de mes parents qui les portaient à observer des ressemblances se sont changés chez moi en mécanismes, tout aussi instinctifs, à percevoir des différences.

Je serais alors tenté de dire que la ressemblance est un piège, qu'elle n'existe pas, avec son équivoque. Qu'il y a seulement ou des différences, ou des identités — par exemple sérielles —, ou encore des permanences, c'est-à-dire des choses qui ne bougent pas, identités et permanences n'étant pas des ressemblances. Ceci demande quelques explications.

J'étudie les testaments. Je compare les testaments du Moyen Age à ceux du XVIe et du XVIIe siècle. Je suis frappé de la faiblesse des différences — du moins du point de vue qui est le mien —, c'est-à-dire [seulement] des différences de langues (latin ou français) ou de style (le style du XIVe siècle, XVe siècle, n'est pas celui du XVIe-XVIIe siècle). Mais ces différences me paraissent *peu signifi-*

catives et je dis que, sous réserve de ces différences peu significatives, les testaments du XIIIe au début du XVIIIe siècle me paraissent à peu près *identiques*. Ils ne se ressemblent pas, ils sont presque pareils. Cette identité me permet de les stocker dans une même série, dans un même corpus.

Bon. Il existe d'autre part une autre catégorie de documents, qui, de mon point de vue d'historien de la mort, de l'au-delà, etc., *ressemblent* aux testaments et cependant en diffèrent : les obituaires. Cette ressemblance m'amène à les comparer, et je m'aperçois alors qu'il n'y a ni ressemblance ni différence, mais que les uns et les autres appartiennent au même système de circulation des fondations pour les morts, mais que les uns sont des *distributeurs* : je donne tant de livres de rente à tel monastère ; les autres sont des *receveurs* : je reçois tant de livres de telle personne à condition de dire chaque année tel jour une ou plusieurs messes pour le repos de son âme. Le système a d'ailleurs commencé avec les obituaires, parce qu'il y avait d'autres moyens que les testaments de faire un don.

J'ai donc deux séries symétriques et complémentaires : les testaments et les obituaires.

Si je suis dans le temps les obituaires, je les retrouve dans les calendriers que les prêtres de paroisse avaient dans leur sacristie il y a une trentaine d'années.

Si je suis les testaments, j'observe que la quasi-identité que j'observais du XIIIe au début du XVIIIe siècle cesse vers le milieu du XVIIIe siècle. Alors une *différence* apparaît, qui rompt la continuité. Les testaments après 1750 ont une autre signification. Cette différence remet tout en question. Quelque chose d'important change. En revanche, l'absence de changement et de différence entre le XIIIe et le XVIIIe siècle me permet de dire que je me trouve pendant toute cette période en face d'une *permanence*. Une période de permanence située entre deux différences : la première quand le testament réapparaît avec un rôle religieux presque particulier, la seconde quand ce sens religieux disparaît.

Des différences, des identités, des permanences. Quand apparaît dans cet itinéraire intellectuel la notion de ressemblance, c'est à l'occasion, temporairement, pour m'orienter vers une identité encore incomplète ou une permanence en train de s'installer. C'est une ressemblance à une seule voie, univoque, alors que la ressemblance classico-baroque, héritée par une certaine historiographie du XIXᵉ siècle, était au contraire équivoque. La mienne est un instrument de travail, une *orientation de la curiosité*, destinée à s'effacer à mesure que la recherche se précise et se conceptualise. Au contraire, l'ancienne analogie faisait partie de la nature des choses.

L'idée maîtresse de l'Histoire devient donc celle de différence. Les identités et les permanences ne sont pas naïvement perçues par l'observateur, elles n'apparaissent qu'en fonction des différences, qui, elles, doivent nous sauter aux yeux. *L'éducation de l'historien est justement le développement de sa sensibilité aux différences.* C'est sans doute pour cette raison que deux branches, deux époques de l'historiographie sont restées longtemps réticentes à cette conception nouvelle de l'Histoire comme science des différences : l'Histoire contemporaine, parce que nous concevons justement le temps où nous vivons comme un *temps uniforme* sans différences culturelles fondamentales, même si nous disons que tout change très vite. Nous n'avons pas d'autres temps de référence pour comparer notre présent. Le vrai changement s'introduit par la comparaison. C'est le mérite de certains historiens, comme Maurice Agulhon, d'avoir détaché dans ce présent uniforme une branche de temps autre, différent, et d'avoir fait du XIXᵉ siècle quelque chose d'aussi étrange pour nous que l'Ancien Régime ou le Moyen Age. C'est aussi la pression des événements des années soixante. L'autre période qui a résisté est l'Antiquité, et sans doute pour la même raison, c'est-à-dire l'absence d'un autre temps de référence : les historiens héritèrent d'un *modèle classique* à peu près aussi monolithique que notre présent contemporain. Ces historiens ont sans doute subi l'influence des ethnologues, des interprétations des cultures non classiques, mais même quand ils les acceptaient, ils les faisaient entrer à l'intérieur d'un monde historique autogéré depuis des siècles avec un sentiment de supériorité, siège bien défendu d'une *culture supérieure avancée* qui devait garder sa supériorité même après avoir avalé de plus ou moins bon gré les pilules ethnologiques ou autres.

C'est donc dans l'historiographie médiéviste et moderniste que cette histoire des différences s'est développée librement dans ces dernières décennies, en enlevant à l'analogie tout rôle autre que celui d'éveilleur occasionnel d'une curiosité.

NOTES

[1] Jean-Claude Margolin, « Aspects du surréalisme au XVIᵉ siècle : fonction allégorique et vision anamorphotique », dans *Bibliothèque d'humanisme et Renaissance*, t. XXXIX, 1977, p. 503-550.

[2] Charles-Olivier Carbonell, *Histoire et historiens : une mutation idéologique des historiens français, 1865-1885, op. cit.*

[3] Martin P. Nilsson, *Greek Popular Religion*, New York, Columbia University Press, 1940, trad. fr. : *La Religion populaire dans la Grèce antique*, Paris, Plon, 1954.

4

Saint-Pierre ou la douceur de vivre*?

Le 8 mai 1902, une ville de 30 000 habitants disparaissait dans un nuage de feu, en quelques minutes. Spectacle inouï, on compta les survivants sur les doigts d'une seule main. Il faudrait aujourd'hui aux automobilistes français deux bonnes années pour réaliser les mêmes performances. Toutes les conditions étaient réunies pour frapper l'imagination : la soudaineté, la rapidité, la violence, la totalité de la destruction. Une ville entière portée à très haute température et brûlée vive, une scène de science-fiction.

Or ce cataclysme spectaculaire a peu remué l'opinion mondiale, et française. A peine celle-ci a-t-elle donné quelques signes d'intérêt et de pitié comme une aumône. Le fait de cette différence est à lui seul surprenant. Un siècle et demi plus tôt, au milieu du XVIIIe siècle, Lisbonne était détruite par un tremblement de terre qui faisait aussi 30 000 victimes. Tout le monde civilisé fut saisi d'horreur et d'une sorte d'angoisse philosophique. L'événement remit en question l'optimisme et l'assurance des hommes des Lumières, des philosophes, il força même Voltaire à réviser ses idées sur la Providence. Aujourd'hui, imaginons un événement comparable : les premières manifestations, les coulées de boue, les épaves du raz de marée apparaîtraient sur les écrans de télévision. Des envoyés spéciaux arriveraient sur les lieux (où étaient-ils, en 1902, les grands reporters?). Des enquêteurs seraient dépêchés par le gouvernement : administrateurs, savants du Muséum, des universités ;

---

* Ce texte a été publié dans le volume *Catastrophe à la Martinique*, avec des contributions de Charles Daney et du docteur Émile Berté, Paris, Herscher, «Archives de la Société de géographie», 1981, p. 11-24.

Haroun Tazieff tonnerait sur les médias. Les journaux satiriques s'empareraient de l'événement, en dévoileraient les dessous politiques, d'autant plus volontiers qu'on serait en pleine période électorale — pour parfaire la ressemblance.

Qu'est-ce donc qui s'est passé dans l'intervalle d'un siècle ? Peut-être Saint-Pierre était-il trop loin des yeux, et les Antilles avaient-elles cessé de susciter les rêves et les envies, comme au temps de l'impératrice Joséphine et de la sultane Validée à la fin du XVIIIe et au début du XIXe siècle, leur plus belle époque. Quand le fait divers se passait en plein Paris, les réactions ne tardaient pas. Mais au fond des mers des Tropiques, à quinze jours de bateau ?

Pourtant, en 1902, les progrès des communications auraient pu compenser l'éloignement : c'était l'ère du télégramme. Quatre navires poseurs ou réparateurs de câbles croisaient autour de la Martinique et les meilleurs observateurs de la catastrophe étaient à leur bord. Les télégrammes officiels ou privés étaient nombreux, ils ont été recueillis et ils constituent l'une des meilleures sources de notre connaissance des événements. Quelques-uns, publiés en 1972 par le docteur Domergues, relevés par une écoute à moitié clandestine, restituent l'atmosphère. Et pourtant, si l'information a été plus rapide, elle s'est vite émoussée et elle n'a pas réussi à éveiller l'inquiétude, à émouvoir en profondeur. Elle s'est heurtée au mur de l'indifférence. On a l'impression que les informations heurtaient une volonté de ne pas se laisser troubler.

Serait-ce le signe avant-coureur de la mise à l'écart de la mort qui caractérisera le XXe siècle, mais plus tard, bien après la Première Guerre mondiale ?

Ne serait-ce pas plutôt (mais il y a sans doute un rapport) une manifestation du repli sur elles-mêmes des bourgeoisies qui inspirent les mœurs et les mentalités au XIXe siècle ? L'une des leçons de l'événement de 1902 et de son faible impact, plus encore du refus de le « lire », de lui trouver un sens — comme au temps de Lisbonne ou de Hiroshima —, n'est-elle pas le signe de ce repli des sensibilités bourgeoises occidentales ?

Quand les catastrophes se passaient sous son nez, comme au temps déjà loin de l'incendie du bazar de la Charité, l'opinion réagissait encore. Mais dès que le théâtre du drame s'éloignait, elle devenait frileuse et détournait ses regards des fronts avancés qu'elle avait lancés, au XVIIIᵉ siècle et même auparavant. C'est aussi que les catastrophes naturelles ne l'intéressaient plus : les bourgeoisies dominantes refusaient ce sur quoi elles ne pouvaient pas agir. Aujourd'hui, si on ne peut éviter les séismes, on tente de les prévoir (par l'analyse statistique au Japon, à Lima, etc.) et on s'efforce d'en prévenir les effets. Une meilleure probabilité restitue à l'homme un certain pouvoir qui n'existait pas encore en 1902 — on se croyait alors dans le hasard absolu. Mais il est tout de même étrange que des phénomènes de ce genre aient si peu posé de problèmes aux hommes du temps. Les lecteurs de journaux du début du XXᵉ siècle n'avaient pas la tête aussi philosophique que les lecteurs de Voltaire ou, auparavant, les auditeurs de Bossuet !

Ils n'étaient plus tentés de réfléchir sur les cataclysmes naturels : la nature avait perdu pour les hommes quelconques son pouvoir d'incitation ; c'est que les savants l'avaient sans doute monopolisée pour leur propre compte : elle n'était plus désormais accessible au vulgaire que sous la forme des techniques d'application.

C'est aussi que d'autres dangers apparaissaient à l'horizon : les guerres modernes, les guerres d'enfer. On en avait déjà l'expérience avec la guerre de Sécession, qui fut une répétition générale des grands massacres et des haines folles qui devaient emporter le siècle suivant dans leur tourbillon. On ne compterait plus désormais les morts par dizaines de milliers, chiffres dérisoires, mais par millions et même dizaines de millions. Les dernières guerres du XIXᵉ siècle, les guerres d'Italie, de Crimée, avaient déjà inquiété assez pour susciter la création de la Croix-Rouge, une sorte d'ordre laïque qui répondait aux interrogations de l'époque, comme les ordres mendiants au XIIIᵉ siècle, les jésuites au XVIᵉ avaient répondu à celles de leur temps.

Si les 30 000 Pierrotins ont été vite oubliés par l'opinion, quelques-uns se sont souvenus et ont voué une sorte de culte à la ville perdue et à la vie qui l'avait animée : les survivants des familles créoles, c'est-à-dire blanches, ceux qui n'étaient pas à Saint-Pierre le 8 mai 1902, soit parce qu'ils avaient fui, soit qu'ils fussent par hasard ailleurs à la Martinique, soit qu'ils résidassent alors en France. C'était le cas de mes parents, de ma mère en particulier, dont les propres parents venaient tout juste de quitter la Martinique et de s'installer à Bordeaux ; de ma grand-mère paternelle (mon père et ma mère étaient cousins germains), qui vivait aussi à Bordeaux depuis la mort de son mari, survenue à Saint-Pierre, où il était président de la chambre de commerce. Tous ceux-là vécurent dans une sorte de culte de la Martinique, dans la nostalgie de la vie à Saint-Pierre. J'ai été nourri de leurs récits merveilleux des Antilles, en ce bon vieux temps-là, enfoui à jamais sous les boues et les cendres du mont Pelée.

C'est d'ailleurs à cause de ce passé familial que j'interviens dans ce livre sur la ville disparue, comme Ys, la ville engloutie de la légende. Je ne suis ni géologue, ni historien des colonies, ni historien des Antilles ou des Caraïbes. Mais qu'auraient pensé mes parents, mes grands-parents si j'avais décliné la charge — mais peut-être aussi l'honneur — de porter aujourd'hui témoignage de leur fidélité ?

Car l'amour de la Martinique était chez eux un sentiment d'une extraordinaire intensité, que le temps n'affaiblissait pas, mais renforçait au contraire grâce à l'affabulation que permettaient l'éloignement et la distance.

Le grand événement de la vie de mes parents, le premier jusqu'à la guerre de 1914, le second ensuite, fut jusqu'à leur mort ce qu'on appelait la catastrophe, c'est-à-dire l'éruption du 8 mai 1902. Il n'y avait qu'une catastrophe qu'il ne valait pas la peine de nommer avec plus de précision. Telle chose s'était passée tant d'années avant ou après la catastrophe. Il y avait une ère de la catastrophe, comme une ère de l'Incarnation ou de l'Hégire.

La catastrophe permettait de dater cette histoire qui leur importait le plus, leur propre Histoire, un ensemble d'anecdotes vraies et de fables que l'historien des mémoires collectives, Philippe Joutard, appelle le « légendaire familial [1] ». Ma famille était liée à l'histoire de la Martinique et l'avait « privatisée » depuis que plusieurs de nos ancêtres y avaient émigré. Je voudrais donner une idée de cette histoire privée par un seul exemple.

Il y avait à Saint-Pierre une pension de jeunes filles de bonne famille qui s'appelait, quand ma grand-mère maternelle, puis ma mère y étaient élèves, la « pension Rameau ». Je possède un de leurs livres de prix avec cette mention.

Or cette pension, la seule de son espèce à Saint-Pierre, avait été fondée au début du XIXᵉ siècle par mon arrière-grand-mère paternelle et ses deux sœurs, qui s'appelaient tout simplement Yolande, Eucharis et Agélie. La pension portait alors le nom des trois demoiselles : la pension Mougenot. Elles n'étaient pas d'origine martiniquaise.

Leur père, un ancien luthier de Remiremont, était venu s'installer (je ne sais exactement quand, j'écris de mémoire avec des souvenirs de récits, de conversations) à Saint-Domingue. Il fut tué lors du soulèvement de l'île avec Toussaint Louverture, au cours duquel les Blancs furent massacrés. Mais sa femme et ses trois filles purent être sauvées par une Da, une servante au grand cœur ; l'anecdote, vraie ou fausse, fait partie du folklore des créoles de Saint-Domingue, et on retrouve d'autres odyssées semblables dans les épitaphes biographiques des petits cimetières catholiques américains où les réfugiés français sont venus mourir (il y en a un à Charleston).

Ces dames vécurent à New York le temps de la tourmente et, dès qu'elles purent, elles retournèrent aux îles françaises. La seule grande ville où des femmes comme elles savaient trouver un emploi était Saint-Pierre, or justement il n'y avait pas là d'établissement d'éducation convenable et moderne pour les jeunes filles : celles-ci étaient élevées à la manière de l'Ancien Régime avant Fénelon, dans des couvents qui n'étaient pas destinés à cette fin. C'est ainsi que les demoiselles Mougenot eurent l'idée ingénieuse de fonder une pension qui prospéra et leur permit, malgré leurs faibles ressources, de tenir leur place dans la société de Saint-Pierre. Un jeune armateur de Bordeaux, nommé de Beyssac, fit alors leur connaissance, tomba amoureux de l'une d'entre elles et réussit à l'épouser, malgré sa réserve et la différence des fortunes, joli roman d'amour dont je vous épargne les détails romantiques : une jeune fille pauvre, une institutrice, mais digne et méritante, faisait un beau mariage et épousait un riche armateur qui l'établissait à Bordeaux.

On pensait, dans ma famille, que ceux qui n'avaient pas connu Saint-Pierre n'avaient pas connu la douceur de vivre. On en parlait comme Talleyrand parlait de l'Ancien Régime. L'histoire de mon arrière-grand-mère Mougenot en est une illustration.

Cependant la médaille avait son revers, qu'on avouait moins facilement, mais qu'on ne pouvait nous dissimuler tout à fait. Pour ceux qui ne possédaient pas de grandes plantations, pour les négociants, la vie était dangereuse, pleine d'aléas, les affaires difficiles. En contrepoint des contes de fées, comme celui du beau mariage de mon arrière-grand-mère, j'ai entendu des confidences amères. Mon grand-père maternel avait échoué dans toutes ses entreprises. La dernière était une scierie, à côté de Saint-Pierre. Il aimait en effet le travail du bois et, pour son plaisir, il n'a jamais cessé pendant toute sa vie de bricoler à la maison sur un ravissant établi de menuiserie en bois des îles, qui l'avait accompagné dans ses déplacements et que ma mère a transformé en secrétaire. Découragé et amer, il se convainquit qu'il n'y avait rien à faire à la Martinique : plus tard, il dissuada tant qu'il put mon père — son gendre — de monter à la Martinique une affaire de distribution d'électricité, qui, en effet, échoua.

Il renonça donc à la petite patrie merveilleuse, à la perle des îles, il quitta Saint-Pierre sans esprit de retour, et il vint s'installer définitivement avec ses deux enfants à Bordeaux, quelques années avant la catastrophe.

Ma mère avait alors treize ans, mais ces treize années de Martinique suffirent à remplir toute sa vie de souvenirs, d'émerveillements, de nostalgie. J'aurais dû les noter. Hélas ! j'en étais saturé et j'avais plutôt hâte de m'en dégager. Heureusement, quelques faits tant de fois répétés malgré mon impatience sont restés plantés dans ma mémoire. Je les retrouve en feuilletant les pages d'un album de famille. Il faut convenir, les photos sont là pour en témoigner, que Saint-Pierre était une très belle ville.

Une de ces photos (voir ci-contre), assez mauvaise et portant quelques indications à la plume, représente la rue Caylus, où ma mère est née, où se trouve la maison des Ariès. La rue donne, au bout, dans la rue du Petit-Versailles (quels noms admirables, comme on n'en trouve plus qu'au Québec), et la maison sur laquelle elle donne est la maison Lahon, de la famille de mes arrière-grands-parents maternels. On le voit, l'architecture de Saint-Pierre n'a rien de tropical : pas de grandes maisons pseudo-palladiennes comme

La rue Caylus

il y en avait dans la campagne martiniquaise, de ces « habitations »,
« les belles maisons coloniales » disait-on pour les opposer justement à celles de Saint-Pierre, entourées qu'elles étaient de gale-
ries, généralement de bois, sur plusieurs étages.

Regardez-les, ces petites maisons de pierre de Saint-Pierre, très
simples, exactement pareilles à celles d'une petite ville de la France
de l'Ouest, Saint-Malo, Saintes, que sais-je ! Au rez-de-chaussée
une porte étroite entre des fenêtres, au premier étage un balcon
sur lequel donnent trois fenêtres. Un deuxième étage sans balcon.
Et c'est tout.

A voir les photos, on se croirait vraiment très loin des Tropiques. On reconnaît là, comme d'ailleurs au Québec, la volonté de
changer le moins possible le cadre de vie européen et français, de
le conserver et de le transférer sans changement. Les Espagnols
des XVIᵉ et XVIIᵉ siècles répondraient à la même exigence de
continuité en transportant au Mexique la *plaza mayor*, avec son
église et son palais. Au Canada, le climat permettait de faire illusion, mais ici, sous le soleil des Tropiques, ces *insulæ* de petites
maisons de pierre serrées les unes contre les autres, occupant tout
l'espace comme dans une ville médiévale, avec leurs balcons et leurs
toits, ont un aspect tout de même étrange, insolite.

Une autre photo de mon album familial illustre aussi le bonheur
de vivre à la Martinique avant la catastrophe. Ces photos-là, on
ne les confiait pas à un dépôt aussi officiel et savant que la Société
de géographie ! Elles étaient trop intimes.

Celle-ci représente un « déjeuner de rivière », comme on disait,
c'est-à-dire un pique-nique dans le lit d'un torrent, en costume de
bain (pour les dames) ou tout simplement (pour les hommes) en
vêtements de dessous, en caleçon. Aujourd'hui personne ne se baigne plus en rivière, par peur d'un parasite dangereux : on mesure
à cet interdit sanitaire les ravages dus à la pollution. Ce jour-là,
la famille Ariès avait quitté sa maison de la rue Caylus, en voiture
à cheval, pour gagner les torrents qui descendent de la montagne
Pelée, avec une famille amie, celle-là même d'où vient la photo ;
c'étaient des Danois, la famille du directeur d'une banque anglaise
de Saint-Pierre. Au dos, je lis : « The Ariès Family — 1893. » Je

Un déjeuner de rivière

reconnais au premier plan, de gauche à droite, le frère de ma mère, ma grand-mère au milieu, et à droite ma mère. Au second plan, à droite, mon grand-père... Ils ont l'air en vacances et heureux. Et pourtant grand-père devait être préoccupé par ses affaires et son avenir et il prévoyait un départ qui devait être définitif : ni lui ni les siens (sauf ma mère et à la fin de sa vie, comme je vais le dire) ne reverront plus la Martinique. Celle-ci resta au fond des brouillards bordelais l'image de rêve : le vert paradis de leur enfance.

Ils s'établirent donc à Bordeaux quelques années plus tard. Des cousins m'ont raconté leur arrivée : à peine débarqué, mon oncle (le petit garçon à gauche sur la photo dans la rivière que je viens de commenter) s'émerveilla en face d'un omnibus à impériale : « Oh, un carrosse (prononcer caouosse) à deux étages ! » Sans doute l'omnibus à cheval de Saint-Pierre n'en avait qu'un !

La famille prit à Bordeaux ses habitudes grâce à tous les amis et parents qui s'y trouvaient : pour ma mère le Sacré-Cœur remplaça la pension Rameau. A peine installés, la nouvelle de la catastrophe leur parvint, supprimant d'un coup tout un monde qui avait été le leur, et rendant orphelins ou privant d'enfants ou d'époux le monde qui devenait le leur. Terrible moment, on vécut quelques jours dans l'incertitude, ne sachant pas qui était mort, qui était vivant. L'hécatombe fit oublier les morts banales qui l'avaient précédée. Ainsi n'ai-je jamais entendu parler de cette vieille dame Benech âgée de quatre-vingt-six ans, dont je retrouve le nom dans la nécrologie d'un journal de Saint-Pierre, à la fin d'avril, quelques jours avant la catastrophe. Elle s'appelait comme ma grand-mère Rose-Joséphine, deux prénoms répandus : Rose à cause de sainte Rose de Lima, la première sainte « créole », comme on disait, la première sainte du Nouveau Monde, et Joséphine à cause de l'impératrice dont les familles créoles revendiquaient le cousinage. Elle ne pouvait être que la grand-mère ou la grand-tante de ma mère. On aurait dû m'en parler : je ne sais rien d'elle. Sa mort a passé inaperçue sous l'avalanche des disparus du 8 mai.

Quelques semaines après, mes grands-parents et ma mère ont vu arriver à Bordeaux une sœur de ma grand-mère, non mariée, Laure Lahon, l'une des rares rescapées. Elle habitait avec son frère la maison Lahon, rue du Petit-Versailles, tout près de la maison des Ariès. Son frère, un vieux garçon malade qu'elle soignait (de quelle maladie? je n'ai jamais su, je me demande si ce silence ne couvrait pas quelque origine vénérienne!), l'avait expédiée chez des amis à la campagne, parce qu'à Saint-Pierre l'atmosphère polluée devenait irrespirable : preuve tout de même qu'on craignait quelque chose. Mais lui-même était resté, comme tous les hommes, pour participer à une élection disputée. Ils furent tous pris au piège. Ma famille, qui était royaliste (tout au moins traditionaliste ou conservatrice), exploita cette circonstance aggravante : sans la priorité électorale, on aurait évacué la ville, ou bien beaucoup plus de gens seraient partis d'eux-mêmes et auraient été sauvés, comme ma vieille tante Lahon. C'était donc la faute de la République. Et le plus surprenant, je m'en aperçois maintenant en lisant sans passion les chroniques, c'est qu'ils avaient probablement raison.

On imagine le choc que fut pour l'enfant d'une quinzaine d'années la destruction du monde où elle avait vécu jusqu'à peu de temps. Quel contact brutal avec la Mort ! Elle ne l'oublia jamais.

Elle quitta Bordeaux pour suivre mon père dans les déplacements de sa carrière d'ingénieur qui les mena à Paris après la Première Guerre mondiale. Elle n'éprouva jamais pour Bordeaux le sentiment qui la liait à la ville détruite : l'une ne remplaça jamais l'autre. Elle n'eut pas — jusqu'à la fin de sa vie, comme nous allons voir — l'occasion de revenir à la Martinique. Les voyages étaient longs et coûteux. Mais elle gardait le souvenir. Elle l'entretenait avec les créoles de passage à Paris. Elle ne cessait de vivre à l'écoute des années de son enfance, les treize premières, disparues sans métaphore avec leur cadre physique.

Son attachement à son passé était tel que mon père, sur leurs vieux jours, ne trouva pas d'autre cadeau qu'un pèlerinage aux lieux toujours rêvés de son enfance. En 1953, alors qu'elle avait soixante-sept ans, il lui offrit un voyage à la Martinique. Il ne pouvait l'accompagner, encore retenu par ses affaires. Elle partit en bateau le 19 mars, elle revint le 26 mai : une période lourde de souvenirs, car le 21 avril était l'anniversaire de la mort d'un fils, tué à la fin de la guerre, et le 8 mai... J'ai sous les yeux, mêlé aux photos de la Martinique avant la catastrophe, le journal qu'elle tint régulièrement à notre intention. Je ne pense pas la trahir en citant quelques passages qui révèlent son émotion. Le 24 mars, elle est encore sur le bateau : « A six heures, l'approche du "pays" m'a réveillée. J'ai couru au hublot — ma cabine était du bon côté — pour apercevoir la pointe du nord de la Martinique. Le bateau a passé tout près. La montagne Pelée, Saint-Pierre [des ruines], le Carbet avec ses pitons, Fort-Saint-Louis [presqu'île qui commande la baie de Fort-de-France] et rentrée en rade de Fort-de-France. Impossible de décrire ma joie et mon émotion. »

Elle est indignée qu'on ne devine pas d'entrée sa qualité d'enfant du pays : au contrôle de police, « un employé m'a demandé ce que je venais faire à la Martinique. J'ai trouvé cette question par trop forte ». (Il n'y avait pas alors de tourisme comme aujourd'hui.)

C'était le 24 mars au matin. L'après-midi à cinq heures elle se mettait en route pour Saint-Pierre, le pèlerinage aux sources : « Départ avec Victor [V. Depaz, un vieil ami qui avait perdu tous ses parents dans la catastrophe, mais qui était resté dans la région de Saint-Pierre : ses enfants préparent toujours un excellent rhum, réputé, qui porte leur nom] pour "la Montagne" [le nom de la propriété Depaz, sur les pentes du volcan, au milieu des plantations de canne à sucre] par la nouvelle route de la Thrace, une merveille. [Elle écrit "la Thrace", mais c'est la "trace" qu'il faut lire, le vieux chemin "tracé" à coups de machette en pleine végétation tropicale, qui réunissait difficilement par terre Saint-Pierre à Fort-de-France.] Sacré-Cœur, vue admirable [ma mère avait été élevée au Sacré-Cœur de Bordeaux et elle avait gardé toute sa vie une dévotion particulière au Cœur de Jésus, dévotion aujourd'hui bien abandonnée]. Route en lacet. A droite et à gauche des ravins ou des torrents. Dans le fond, végétation luxuriante, fougères arborescentes, six ou sept mètres de haut. Balisiers, des fleurs de toutes couleurs s'enchevêtrent dans toutes les plantes. C'est admirable. Température exquise. » « Passons au Morne-Rouge. [Villégiature de Saint-Pierre où on allait respirer un air rafraîchi par l'altitude. Elle y était allée à plusieurs occasions. Le village, éloigné de treize kilomètres de Saint-Pierre (qu'on faisait en voiture à cheval), avait échappé à l'éruption du 8 mai, mais il fut en partie détruit par une autre éruption, le 29 août, où son curé trouva la mort. Ma mère était émue par un autre souvenir, très fort, celui d'un cyclone de 1891 qui aurait bien pu aussi l'emporter.] Passons devant l'église, le couvent de la Délivrande [toujours au Morne-Rouge]. J'ai reconnu, entre l'église et le couvent, le chemin de la propriété Depaz [celle du père de son hôte de ce jour-là, disparu à la catastrophe], que nous avions louée en 1891 et où nous avons subi le cyclone du mois d'août (ah! ce cyclone! combien de fois en avons-nous entendu le récit, mais nous voilà maintenant sur les lieux) et d'où nous avons été tirés des décombres par les soldats de l'infanterie coloniale, venus déblayer. La maison entière s'était écroulée. Maman a eu une légère écorchure à la tête et papa au pied.

« Continuons la route et arrivons à "la Montagne" [la propriété actuelle des Depaz] à la nuit tombante, avec les lucioles qui éclairent par-ci par-là, et le bruit de tous les insectes [sa première nuit à la Martinique depuis cinquante-quatre ans : elle retrouvait les cris et les chuchotements de la nuit tropicale]. Accueil des plus affectueux à "la Montagne" par Marie-Thérèse [Mme Depaz], notre maison confortable où je retrouve le souvenir de Perinelle [l'ancienne résidence des Depaz près de Saint-Pierre], les jardins ravissants, la vue merveilleuse. » Elle ne nous dit rien de plus, mais elle revit certainement alors son enfance, la vie de tous les jours, ses départs au petit matin pour la pension Rameau, où, vers dix heures, une servante lui apportait — le plateau sur la tête — une tasse de café. Le dimanche, les parties de rivière, ou encore les bains de mer, le cercle des parents et des amis.

Le lendemain 25 mars, journée historique! « Visite de Saint-Pierre. [Je l'ai faite, quasi sur ses traces, une dizaine d'années plus tard, pour la première fois, guidé par le fils de celui qui avait accompagné ma mère alors.] La cathédrale du Mouillage [l'un des quartiers de Saint-Pierre) où j'ai retrouvé l'emplacement de notre banc, la place de la pension Rameau, rue Lucy [la pension fondée par mon arrière-grand-mère paternelle, dont j'ai parlé plus haut]. La place Bertin [la grande place] avec l'emplacement de la chambre de commerce, des bureaux de la maison Émile et Charles Ariès [Émile était mon grand-père et Charles était son frère, d'où est issue une branche aujourd'hui nombreuse et brillante ; un troisième frère — ils étaient sept garçons —, Henri, était le père de ma mère ; j'espère que mes lecteurs se retrouveront ; les généalogies des familles créoles sont toujours très compliquées], la rue Caylus [sa rue, celle de la maison Ariès, son émotion lui interdisait d'en dire plus], avec la mairie au même emplacement que l'ancienne [la ruelle qui y menait commençait presque vis-à-vis de la maison Ariès). La rue Petit-Versailles [la rue Caylus débouchait, vers le nord, dans cette rue], la maison aux deux lions de tante Laure [Laure Lahon, la jeune femme qui était arrivée chez eux à Bordeaux et qui vécut d'abord chez nos grands-parents à Bordeaux, ensuite chez mes parents à Paris jusqu'à sa mort en 1940]. La pension Rameau avec son perron, qui est restée à côté des entrepôts de Massias. Les ruines du théâtre. L'après-midi, nous sommes allés à Pécoul en jeep avec Raoul [le fils de Victor qui épousa ma cousine et qui nous accueillit en 1965, ma femme et moi, sur les mêmes sites]. Pécoul : propriété Lahon [sa mère était née Lahon] où j'ai fait tant de séjours... Visite du Fort [un autre quartier de Saint-Pierre avec le Mouillage], la Consolation. Montons la rue des Bons-Enfants [un nom d'Ancien Régime, un nom d'hôpital d'enfants trouvés ou orphelins], sur l'emplacement du collège des pères du Saint-Esprit où Henri [son frère] a été élevé. Sur la plaque des pères disparus [à la catastrophe] j'ai relevé les noms de P. Le Gallo, du P. Fuzier du temps d'Henri. Des bénédictins y sont installés et reconstruisent la chapelle. Visite du musée de Saint-Pierre [fondé par un vulcanologue américain : les Français se sont peu occupés de Saint-Pierre], très intéressant, où nous avons signé le livre des visiteurs. La "fifine" et le "grain" nous ont empêchés d'aller jusqu'au Parnasse. Nous nous sommes abrités sur l'emplacement de l'ancienne propriété Derien [elle avait le plan de Saint-Pierre comme son *Bottin* dans la tête], sous un manguier détruit, tombé et repoussé après la catastrophe. Rentrés à "la Montagne" en passant derrière le cimetière du Mouillage, par les "Boulevards", promenade que nous faisions avec notre Da [la bonne d'enfants, la servante de confiance], et nous sommes rentrés en passant devant le jardin des Plantes où nous allions aussi enfants. La belle cascade est restée. Il y avait aussi un musée qui a disparu. »

Le 26 mars on revient encore sur les lieux, la banlieue de Saint-Pierre : « Traversée de Saint-Pierre. "La Galère", où papa avait sa scierie et son bureau, relié à Saint-Pierre par un tram à cheval. Fond-Coré : l'emplacement de l'ex-voto à l'entrée, la route de Perinelle, la villa de mes amis Deschamps qui habitaient aussi rue Caylus [l'une d'elles, Élodie Jourdain, a publié une remarquable thèse de doctorat sur la langue créole ; je l'ai bien connue, elle était une femme remarquable].

« Face à la mairie de la petite commune de banlieue, la villa Émile Ariès [son oncle, qui serait devenu son beau-père s'il n'était mort peu de temps après la naissance de mon père], juste avant la rivière Blanche, sur la mer.

« L'emplacement de l'usine Guérin, ensevelie par un torrent de boue et de lave avant le 8 mai. [Exactement le 5 mai. Il y eut vingt-cinq morts, les premières victimes du volcan, qui inquiétèrent sans avertir.] Toute cette partie était au niveau de la mer. Elle est maintenant à trente mètres au-dessus, élevée par les apports du volcan. »

Ensuite ma mère et ses compagnons s'éloignent : au gré du voyage, les souvenirs du pays l'emportaient sur ceux du volcan : on arrive au Prêcheur, « où se trouve le tombeau de Duparquet [le premier gouverneur en 1638, l'un des pionniers avec Belain d'Esnambuc et notre ancêtre Guillaume d'Orange — sic], qui est arrivé à bout, à cet endroit, des derniers Caraïbes. [En réalité, ceux-ci lui ont fait la vie dure. Ils furent finalement exterminés, soit par les armes, soit par les maladies, comme la plupart des indigènes américains des îles, et remplacés par une main-d'œuvre d'esclaves noirs amenés d'Afrique par la traite. Mes parents n'appréciaient pas beaucoup cette histoire-là. Ils lui préféraient une autre.] On y trouve aussi une pierre qui rappelle le souvenir [plus plaisant] de Mme de Maintenon. »

Mais le volcan ne cesse pas de rappeler sa présence redoutable : [« Cette partie de l'île a été encore ravagée par une autre éruption du mont Pelée en 1929. Un torrent de roches, boues, laves, descendant de la montagne jusqu'à la mer où il tomba en ébullition, donnant à ce coin l'apparence d'un autre volcan.

« Visite aux Henri Depaz dont la maison est bâtie sur l'emplacement de celle de Duparquet, disparue à la catastrophe. Mais le carrelage ancien est resté, en particulier dans le hall. »

Enfin ma mère regagne Fort-de-France... Son voyage s'est poursuivi pendant quelques jours et elle est rentrée. Mais elle n'est pas rentrée la même qu'elle était partie. Quelque chose avait changé au fond d'elle-même. Jusqu'alors le temps de son enfance, de la Martinique, le temps de Saint-Pierre survivait dans sa mémoire, dur comme une pierre précieuse, mais mis entre parenthèses. Son retour aux sources a eu pour effet d'ouvrir la parenthèse et le passé a reflué dans le présent. Désormais, jusqu'à sa mort, en 1964, elle vécut comme envoûtée. Dans son rêve éveillé, les choses de Saint-Pierre avaient pris autant de densité et plus de fraîcheur que celles qui l'entouraient d'habitude.

Ainsi les anciens Pierrotins vécurent dans le souvenir de leur ville, peut-être parce qu'elle n'avait pas été reconstruite : Lisbonne le fut, mais ni Herculanum ni Pompéi. Nous avons de la peine, dans Paris, à imaginer Lutèce sous les manteaux successifs qui l'ont détruite et recouverte. Le pouvoir d'évocation des ruines romaines d'Afrique provient de ce qu'elles n'ont pas été relevées. Le désert ou la steppe les ont protégées et les archéologues les dégagent dans leur fraîcheur.

Saint-Pierre, aujourd'hui, nous présente la noblesse austère et nostalgique d'une fouille antique. Le petit bourg dérisoire qui s'est niché à l'intérieur souligne plus l'opulence des ruines qu'il ne les cache. Rien n'empêche le regard de repérer les points d'ancrage d'une ville fantôme de la fin du XVIIIe et du XIXe siècle : le port, l'église, la place, le théâtre, la mairie. Quelle importance sociale le théâtre possédait-il alors, si l'on en juge par ce qu'il en reste — importance qu'il a perdue depuis cinquante ans ? En ramenant la ville au ras du sol, la destruction l'a réduite à un schéma simplificateur et suggestif.

Pourquoi Saint-Pierre n'a-t-il pas été reconstruit ?

Parce que, croit-on, sa rivale Fort-de-France était prête à prendre la succession. Jusqu'alors ville de fonctionnaires, comme disaient avec dédain les Pierrotins, elle devint la ville, la seule de la Martinique. Mes parents avaient cependant une explication un peu différente : ils pensaient que le noyau vital de la société blanche de la Martinique avait été détruit en même temps que Saint-Pierre : avant la catastrophe, les Blancs, venus de France, dominaient toute l'activité de l'île à partir de Saint-Pierre. Ils y tenaient les fonctions de médecins, avocats, notaires, professeurs, négociants, banquiers, etc. La catastrophe a décimé et décapité cette société, qui n'a pu se reconstituer comme auparavant : elle a certes conservé la plus grande partie de la terre cultivée, mais elle a perdu les carrières libérales et la plupart des moyens d'une activité urbaine complexe, au profit d'une bourgeoisie nouvelle, de Noirs et surtout de mulâtres. Ces derniers étaient dans beaucoup de cas des enfants illégitimes de Blancs qui pratiquaient souvent une polygamie de fait : ils avaient une femme légitime blanche et une ou plusieurs concubines noires, dont d'ailleurs ils élevaient les enfants, préparant ainsi une classe d'hommes instruits et pauvres, capables et ambitieux, prête à leur succéder. La succession s'est faite sans violence grâce à la disparition d'un seul coup des héritiers privilégiés. Voilà du moins ce qu'on pensait dans mon milieu et que je rapporte d'après mes souvenirs, sans vérifier.

Dans la série des problèmes que me pose la destruction de Saint-Pierre j'arrive au dernier, celui qui devrait frapper le plus le lecteur contemporain. Aujourd'hui, quand la terre menace de trembler, quand un volcan qu'on croit éteint ou endormi montre par quelques signes qu'il se réveille, les administrateurs et les savants s'agitent, on s'efforce de prévoir, de prévenir, tout au moins d'éloigner les hommes des aires menacées.

Il est de toute évidence stupéfiant qu'on n'ait rien tenté de ce genre à Saint-Pierre.

Ce n'est pas que les signes aient manqué : coulées de boues et de lave qui détruisirent l'usine Guérin, raz de marée, pluies de cendres, éclipse de soleil, élévation de la température. Quelques-uns ont bien compris le danger. Dans ma famille, on assurait que Fernard Clair, le « bon » candidat aux élections législatives, avait tout fait pour obtenir du gouverneur l'évacuation de Saint-Pierre. Mais l'évacuation aurait compromis les fameuses élections et l'administration y répugnait, appuyée d'ailleurs par une partie de l'opinion. Aussi le gouverneur inclinait-il à minimiser le danger. Il se serait cependant décidé à évacuer : étant allé à Saint-Pierre le 7 mai — trop tard dans ce but —, il fut avec sa femme victime de son atermoiement. Les deux journalistes anglais G. Thomas et M. M. Witts, qui ont restitué l'histoire de ces journées dramatiques, ont adopté cette version et sont très sévères pour le gouverneur [2]. De toute manière on est frappé par la légèreté des experts comme des administrateurs, qui ne peut s'expliquer que par un fond irrationnel d'optimisme, un refus d'imaginer la possibilité d'une catastrophe. A-t-on fait de grands progrès aujourd'hui dans ces sciences ? Pas au point, sans doute, de pouvoir prévoir avec une précision suffisante. Ce qui a changé, c'est la conscience du danger et le sens d'une responsabilité — une réaction quasi bureaucratique : en prévoyant le pire, on est couvert. Mais aussi, on pense que le pire arrive souvent, à la différence des mentalités libérales et optimistes du début de ce siècle. Toutefois, les auteurs très bien informés d'une plaquette publiée en 1972 par le docteur Domergues (pour le soixante-dixième anniversaire de la catastrophe) ont un autre avis.

Ils réhabilitent le gouverneur Moutet, dont la photo et celle de sa femme illustrent la page de couverture. Leur idée est que personne ne pouvait envisager une évacuation parce que, affirment-ils, « personne jusqu'au 7 mai ne désirait fuir la ville ». Personne, c'est peut-être beaucoup dire, mais enfin il n'y a pas eu de panique collective, rien qui ressemblât aux grandes peurs qui jettent les gens sur les routes, comme l'Histoire en a connu, comme nous en avons nous-mêmes connu au moins une, en 1940, quand la moitié nord et nord-est de la France a fui et s'est déversée dans l'autre moitié méridionale, un mouvement d'une extraordinaire ampleur et que rien ne pouvait faire prévoir.

« Le souvenir des éruptions anciennes de 1851 et de 1892, écrivent les auteurs, avait ancré dans l'opinion générale l'idée d'un mont Pelée inoffensif. Les dégâts qu'il pouvait causer avaient toujours été minimisés : pluie de cendres, plantations endommagées. Pourquoi en aurait-il été autrement cette fois ? »

A vrai dire, la situation s'était aggravée sans modifier la passivité de la population. Il me semble qu'il y a là un cas très curieux de réaction — ou plutôt de non-réaction devant des phénomènes qui auraient pu aussi bien engendrer une folle panique. Un cas à soumettre à l'analyse de l'historien de la peur, Jean Delumeau [3].

J'ai déjà dit que certains avaient éloigné de Saint-Pierre leurs femmes et leurs enfants. Peut-être craignaient-ils moins la solution finale que les inconvénients d'une atmosphère polluée et surchauffée. Mais le danger d'une intoxication respiratoire pouvait être aussi grave que celui d'une coulée de boue, de lave ou de pluie de cendres. Des commandants ou des officiers des vaisseaux qui étaient mouillés en rade ou qui s'approchaient ont écouté leur instinct plutôt que la science des experts ; ils ont regagné le large, et c'est d'ailleurs par eux et par leurs équipages que nous savons quelque chose de précis du déroulement des faits ainsi observés aux limites de la vie.

Passe encore que des notables aient pu être tranquillisés par les savants et les administrateurs qui parlaient leur langage d'hommes de raison. Mais la grande masse du peuple, des Noirs, secoués par ce qu'ils voyaient, et moins sensibles aux arguments de l'autorité ? Ils étaient pourtant déjà dans l'angoisse : le 5 mai, le volcan avait déjà tué six cent dix-sept personnes, un nombre qui aurait dû être encore amplifié par la clameur publique. Une sorte de raz de marée avait ravagé le front de mer. Une poussière de cendres chaudes recouvrait la ville, pénétrait à l'intérieur des maisons, ensevelissait les meubles de la cathédrale, allumant ici et là de petits foyers d'incendie. Il n'y avait plus d'électricité.

Des pêcheurs décidèrent alors d'abandonner leurs maisons dès le 4 mai, embarquèrent leurs familles à bord de leurs bateaux et partirent vers Fort-de-France. Mais il semble bien que ces fuyards aient été peu nombreux. La foule se concentrait plutôt autour de la cathédrale, en habits de deuil, se rassemblait dans les cimetières. La cathédrale était pleine de gens qui y passèrent la nuit en prières. Les journalistes anglais Thomas et Witts décrivent ainsi la scène : « La boue s'était accumulée à l'extérieur contre les murs et atteignait près d'un mètre d'épaisseur par endroits. Les rues avoisinantes étaient obstruées de charrettes et de petites voitures à bras [qui, je suppose, avaient servi à venir jusque-là]. A l'intérieur de la cathédrale, une poussière épaisse flottait dans l'air. Elle avait par endroits étouffé les cierges et terni les candélabres. Elle obstruait les tuyaux de l'orgue et recouvrait l'autel et les statues. »

Des gens de la campagne, épouvantés par les manifestations atmosphériques du volcan, étaient descendus se réfugier à Saint-Pierre. La ville se décomposait : l'eau ne pouvait s'écouler et bouchait les égouts. Les cadavres qui n'avaient pas encore été enterrés infectaient l'air. Les épidémies menaçaient. La nuit du 7 au 8, il était encore temps de fuir. Le 8 au matin, la foule pourtant assiégeait la cathédrale comble, mais elle attendait patiemment le signal du gouverneur, qui devait ordonner l'évacuation ; on ne se pressait pas, comme s'il n'y avait pas d'urgence.

Au moment de l'explosion, à huit heures, les fidèles entassés dans l'église ont dû se précipiter à l'extérieur, car on a retrouvé leurs corps entassés autour des ruines du monument.

Quand on lit le récit des cinq derniers jours de Saint-Pierre, et malgré la faiblesse de l'information, on est moins frappé par l'aveuglement et l'optimisme de l'élite comme de l'administration que par le mélange d'angoisse et d'inhibition qui paraît avoir paralysé les masses populaires et les avoir réduites à attendre passivement d'autorités qu'elles auraient pu défier le moment d'une décision remise de jour en jour, d'heure en heure.

NOTES

[1] Philippe Joutard, *La Légende des camisards. Une sensibilité au passé*, *op. cit.*

(2) Gordon Thomas et Max Morgan Witts, *Le Volcan arrive. L'éruption de la Montagne Pelée, 8 mai 1902*, Paris, Robert Laffont, 1970.

(3) Jean Delumeau, *La Peur en Occident (XIVe-XVIIIe siècle). Une cité assiégée*, *op. cit.*

II

RACINES

Les traditions sociales
dans les pays de France*

Introduction

Il n'est pas de société humaine qui puisse exister sans un corps, une structure matérielle. Ou bien on considère des individus isolés formant un tout à eux seuls, indépendants les uns des autres, et alors ils subissent peu la contrainte de l'espace : ce sont des cas psychologiques libérés du milieu. Ou bien les individus se sentent les membres communs d'un même groupe social, et alors ce groupe prend figure matérielle, possède du sol, des biens meubles et immeubles qui exigent une administration, des cadres, une hiérarchie. Il s'inscrit dans l'espace, il se voit, il a ses monuments.

Sans cette charpente matérielle, les individus échapperaient vite à la contrainte du groupe, parce qu'ils seraient incapables de se représenter à eux-mêmes ce groupe comme une unité durable. Une société n'est pas en effet la réunion éphémère de quelques individus. Elle existe à partir du moment où ses membres ont la sensation d'une véritable solidarité.

Structure matérielle et conscience collective sont les deux conditions d'existence d'une société.

Si une somme d'individus ne parvient pas à se représenter en un groupe sous forme physique, leur assemblage est éphémère : c'est un simple mouvement d'opinion.

L'histoire des religions est remplie de ces élans de spiritualité

* Ce texte a été publié dans le premier volume des « Cahiers de la restauration nationale », Paris, Éd. de la Nouvelle France, 1943, p. 7-159.

nés à la même époque, chez un certain nombre d'hommes. Combien sont demeurés à l'état de système métaphysique ou de rêverie collective, parce qu'ils n'ont pu donner naissance à des Églises, mais à de simples mouvements d'idée ou de sentiment.

Ils n'ont pu agir sur les faits, entrer dans l'Histoire politique, que dans la mesure où ils se sont approchés d'un état social. Il a fallu qu'à un moment donné tous les prosélytes éprouvent un sentiment d'identité. Autrement leur élan mystique fût resté ignoré de l'histoire politique, pour trouver sa place dans l'histoire des idées, l'histoire de la philosophie. Un historien politique ne s'intéresse en effet à un penseur que s'il n'est pas resté un isolé, que s'il a eu des lecteurs.

Pas de religion sans Église, et une Église n'est pas une pure conception de l'esprit. Il n'y a pas d'Église, si zélée soit-elle, sans temple, sans paroissiens, sans liturgie, sans pasteurs. Ainsi le confucianisme n'est pas une religion. Le catholicisme, les confessions protestantes, l'islam sont des religions, parce que ce sont des Églises.

De même, un parti politique n'est pas seulement la somme d'hommes épousant les mêmes idées sur tel ou tel point de la constitution de l'État. Non, c'est un groupe d'hommes lisant le même journal, suivant les mêmes réunions, participant aux mêmes manifestations. Ils tendent à se retrouver ensemble, oh ! pas seulement pour parler politique — parle-t-on tellement politique entre gens du même parti ? c'est une activité de propagande, à usage externe — mais, simplement pour causer entre gens du même clan.

Et vite le prosélytisme d'un parti bien organisé cesse d'être individuel. L'évangélisation individuelle, par l'action personnelle, par la discussion en tête à tête, n'existe guère qu'au début de la vie d'un parti. Il dure le temps qu'il faut pour réunir le noyau essentiel de fidèles. Dans la suite, ce noyau ne variera guère : il a une taille optimale qu'instinctivement il ne tend pas à dépasser. Parvenu à ce stade — c'est-à-dire définitivement groupé —, il agit par la propagande collective, les manifestations de tribunes ou de rues. On aurait tort de croire que l'importance de la doctrine a décliné. Elle demeure toujours la sève qui fait vivre. Mais parce qu'il vit, le parti a ses institutions bien inscrites dans l'espace.

Une société existe au moment où les personnes qui la constituent se considèrent non plus comme des individus, mais comme des membres de groupe. Cette représentation, si elle est assez forte, tend à créer des habitudes concrètes, physiques, qui dans la suite la sous-tendent et la renforcent par une sorte de jeu de va-et-vient.

Maurice Halbwachs a bien posé les principes de cette « morphologie sociale [1] ». « Reconnaissons dit-il, qu'il existe dans les groupes sociaux des arrangements, des dispositions, qui tendent à subsister, à demeurer tels quels, et qui opposent une résistance à tout changement. Toutes les fois que les institutions se modifient, elles se heurtent à cette résistance. Il faut qu'elles s'adaptent à une structure antérieure et aux habitudes qui lui sont liées dans les groupes qui sont ou doivent être le support des institutions [...]. D'où vient cette force propre aux arrangements durables des groupes humains, force d'inertie le plus souvent mais aussi, quelquefois, force d'évolution ? [...] Elle s'explique par deux conditions qui s'imposent à tous les groupes humains. Bien qu'une société soit faite avant tout de pensées et de tendances, elle ne peut exister, ses fonctions ne se peuvent exercer que si elle s'installe et s'étend quelque part dans l'espace, si elle y a sa place. Il faut qu'elle soit liée dans son ensemble et ses parties à une certaine étendue — de telle position, de telle grandeur, de telle figure — du sol matériel. D'autre part, faite d'unités humaines juxtaposées, qui sont les organismes voisins, elle a aussi un corps organique avec un volume et des parties qu'on peut dénombrer ; elle peut s'accroître, diminuer, se diviser, se reproduire. En d'autres termes, de même qu'un corps vivant est soumis en partie aux conditions de la matière inerte, parce que par tout un aspect de lui-même il est une chose matérielle, une société, réalité psychique, ensemble de pensées et de tendance collectives, a cependant un corps organique, et participe aussi à la nature des choses physiques. C'est pourquoi elle s'enferme, à certains égards, elle se fixe dans des formes, dans des arrangements matériels qu'elle impose aux groupes dont elle est faite. Elle dépose ainsi en quelque sorte ses habitudes dans les parties de la population auxquelles elle s'étend, elle les leur confie. »

Parmi ces types de sociétés ainsi écrites dans l'espace, il existe plusieurs degrés. C'est le degré élémentaire qui retiendra notre attention.

« Les groupes, dit toujours Halbwachs, les masses agglomérées, en mouvement, en reproduction, se représentent à leur manière la place qu'ils occupent dans l'espace, leur volume, leur accroissement suivant quel ordre leurs parties sont disposées, dans quelles directions elles s'écoulent. »

Supposons donc un certain nombre d'hommes dans un certain espace. Ils se représentent comme liés avec leurs voisins par des voisinages, des habitudes communes, etc. A un certain degré d'éloignement matériel ou moral, ces hommes n'ont plus conscience de cette liaison. Là s'arrêtent les limites de leur société. Mais à l'intérieur de ce groupe, il n'existe plus d'autre différenciation, si ce n'est la famille. Cette société élémentaire, supérieure à la famille, nous l'appellerons la *région* ou le *pays. C'est le plus petit lieu géométrique des hommes qui se reconnaissent entre eux une relation autre que consanguine.* Le plus petit lieu géométrique, parce qu'au-delà de ce premier cercle d'autres représentations collectives très puissantes peuvent exister ; mais elles ont un caractère plus général, et par conséquent ne se suffisent pas à elles-mêmes. Elles présupposent une société-base, une cellule initiale. Ainsi la nation, l'Église sont des représentations sociales qui créent des sentiments d'union très forts, mais affectés d'une certaine discontinuité. Au contraire, dans le cas d'une société élémentaire, un petit « pays », les habitudes quotidiennes agissent sans interruption pour créer ce climat de solidarité, même si les circonstances extérieures agissent comme des ferments de dissociation de ce groupe trop restreint.

Si une représentation de solidarité sociale doit, dans des collectivités évoluées, déborder le cadre exigu du « pays », la nature des choses impose une limite à cette extension. Cette limite au-delà de laquelle toute représentation devient confuse et sans dynamisme est la nation. Les efforts pour substituer à la nation une société plus étendue ont jusqu'à présent avorté ou, mieux, ont déclenché une violente réaction des sentiments nationaux. Ce n'est pas un hasard si « le siècle des nationalités », comme on a coutume d'appeler le XIXᵉ siècle, est précédé de l'internationale des Lumières et de la langue française. Il y a relation de cause à effet. Au-delà d'une certaine limite, les forces de particularisme l'emportent. « Plus j'ai voyagé, écrivait Paul Bourget, plus j'ai acquis l'évidence que, de peuple à peuple, la civilisation n'a pas modifié les différences radicales où réside la race. Elle a seulement revêtu d'un vernis uniforme les aspects extérieurs de cette différence. Le résultat n'est pas un rapprochement. »

De même à l'intérieur d'une nation, les diversités ont subsisté malgré ce « vernis » uniforme des mœurs contemporaines. On a longtemps cru que les variétés régionales étaient des survivances en voie de disparition sous l'effet de la centralisation, conséquence des techniques et des doctrines modernes : le chemin de fer et la démocratie. Aujourd'hui une analyse plus poussée, un sens plus affiné de la différence, dû au remarquable développement des sciences humaines, en particulier de l'Histoire et de la Géographie, permettent de redresser ce jugement trop rapide. De nombreuses monographies régionales, les progrès de la connaissance du droit coutumier, de la statistique et des études économiques, rendent sensible la persistance des régionalismes, non plus comme des témoins du passé, mais comme des éléments indispensables à l'intelligence du présent.

Expliquons-nous tout de suite sur ce mot de régionalisme : ce n'est pas nécessairement un caractère, une tonalité communs à une même région au cours des âges. Sans exclure d'ailleurs une telle constante, il ne s'agit pas de dire que les Bretons sont tristes, les Provençaux gais, etc. Mais des sociétés ont présenté à certains moments des traits communs, moraux et sociaux, et surtout ces traits ont évolué à l'intérieur d'une certaine limite, de la même manière, alors qu'au-delà ils obéissaient à d'autres tendances. Ainsi une région n'a pas tel ou tel caractère, mais elle a changé de structure en même temps, comme un groupe homogène. C'est du moins le trait de sa personnalité qui la détermine avec le plus de précision et permet d'écarter des généralités sans valeur.

Nous nous proposerons de déceler quelques-unes de ces constantes, nous tenterons de les découvrir parmi les phénomènes sociaux, littéraires, religieux, politiques et économiques. Sous une évolution compliquée, rapide, nous rechercherons les éléments permanents qui distinguent, à l'intérieur du territoire national, une société d'une autre société, un type social d'un autre type, ceux qui conservent à un « pays » sa singularité et le rendent souvent semblable à lui-même, en dépit des changements.

Dans ce but, nous examinerons successivement comment des types sociaux très différents ont pu se localiser en France : dans le Nord et l'Est, communautés villageoises où les maisons se groupent, serrées autour de l'église et de la mairie, où chaque habitant se sent solidaire de ses voisins ; dans l'Ouest, un individualisme farouche de familles paysannes terrées dans leurs métairies, dispersées dans le bocage ; dans le Sud-Est, gros bourgs plus urbains que ruraux, où persistent de très anciennes traditions de vie citadine. Nous verrons comment ces états sociaux stables peuvent être troublés par des influences extérieures, l'attraction des grandes villes, mais ces influences elles-mêmes agissent avec une telle périodicité qu'elles constituent un élément de différenciation permanent et permettent de singulariser des types sociaux bien définis.

Nous examinerons enfin comment les grands mouvements de l'Histoire générale, littéraire et religieuse, politique et économique, dépendent en partie de la psychologie et de la répartition de ces groupes sociaux, comment, à leur tour, ils agissent sur ces petites communautés.

Les sociétés villageoises du Nord-Est

Le voyageur qui vient du sud-ouest vers le nord-nord-est est frappé du changement qui intervient dans le paysage, au passage de la Loire par exemple. L'impression est particulièrement forte, si c'est au printemps, à l'époque où les arbres fruitiers sont en fleurs. Du Midi, il quitte un vaste jardin avec des arbres disséminés partout, non pas une forêt, car il n'y a guère de vraies forêts, mais des arbres domestiqués, organisés par l'homme. Ils s'alignent autour des champs ou des prés qu'ils clôturent, le long des chemins ; ils se multiplient au milieu des prairies, des plants de vigne. De près on les distingue, car leur peuplement n'est jamais très dense, mais de loin ils donnent l'impression d'une vaste région boisée : c'est le *bocage*, où les maisons se dispersent, blotties dans la verdure.

Au-delà de la vallée de la Loire, le voyageur aborde la Beauce : les arbres ont disparu, ou bien à la frontière forment une masse sombre et compacte, une vraie forêt. On traverse de vastes étendues monotones, où les champs s'étendent jusqu'à l'horizon, sans arbres, sans chemins, avec seulement, de loin en loin, de gros villages denses, agglomérés. Cette région sans arbres et sans chemins, c'est une *campagne*.

Du bocage à la campagne, il n'y a pas simplement une différence de paysage, mais de types de sociétés. Ou plutôt, c'est bien parce que des sociétés différentes se sont installées au nord-est et à l'ouest que les paysages se sont distingués. L'aspect dénudé des campagnes est dû au mode d'exploitation collective du sol : les propriétés y étaient divisées en parcelles allongées qui étaient réparties en trois groupes, les trois soles.

Dans la première sole, on cultivait uniformément la céréale d'été, la céréale riche, le froment. Dans la seconde, les céréales de printemps, avoine, orge, appelées aussi « petits blés » ou « menus grains ». La troisième était laissée en jachère. Chaque année on substituait, sur chaque sole, une culture à une autre culture ou à la jachère, par permutation circulaire ; c'est la rotation des soles qui, en s'étendant sur trois ans, définit le système classique de l'exploitation des pays du Nord et de l'Est, l'assolement triennal. A l'intérieur de chaque sole, les façons et les récoltes avaient lieu aux mêmes époques, selon un ordre, un « ban » que la coutume du village imposait à chaque exploitant. Sur les champs, après la moisson, et sur la jachère, tout le bétail du village, réuni en un troupeau commun, sous la conduite du berger communal, avait le droit de pâture — la vaine pâture —, sans souci de la division des parcelles. Tout le finage cultivé se comportait comme une vaste propriété indivise.

L'assolement triennal et la vaine pâture sont les traits essentiels d'une vaste aire de civilisation agraire qui a longtemps couvert le Nord et l'Est de la France, la Belgique, l'Angleterre — à quelques exceptions près, comme les Flandres. Il ne s'agit pas ici d'en discuter la très lointaine et très obscure origine. Il suffira d'en dégager les conséquences sociales, sans chercher à savoir si c'est le type d'exploitation qui a entraîné le type de société, ou bien si c'est la réciproque.

Dans cet ouvrage récent, *Le Régime rural de l'Ancienne France*[2], Georges Lizerand a bien exposé la conclusion qui s'impose : « L'usage en commun de la vaine pâture obligeait les communautés à instaurer un rudiment d'administration. Tous les animaux étaient rassemblés, en même temps, au son de la trompe, par le pâtre, le porcher ou le berger communal. Il les conduisait à la pâture et les ramenait au point de rassemblement d'où ils rentraient chez les usagers. Le salaire du pâtre était l'une des charges de la communauté. En quelques endroits, c'était même la seule, si on omet l'entretien et les réparations de l'Église et du presbytère.

« La pratique de l'assolement triennal, des soles, de la vaine pâture, qui sont étroitement liés, n'est pas restée sans influence sur les hommes. Elle a imposé aux cultivateurs un certain rythme d'activité qui les a réunis en corps. Ils ont fait durant des siècles, sur la jachère, aux mêmes moments de l'année, les mêmes labours. Ensemble, à l'automne et au printemps, ils ont ensemencé ; ensemble, en été, ils ont récolté. Tous les jours, à la même heure, ils ont délié leurs bêtes à l'appel du pâtre communal, et tous les soirs ils les ont recueillies à leur retour. Cette communauté de vie n'a pas supprimé l'individualisme forcené, l'égoïsme, les querelles que l'enchevêtrement des parcelles pouvait favoriser. Mais par-dessus les heurts et les frictions quelque chose de commun rapprochait les hommes. De cette activité commune est sorti le germe d'une administration, la désignation des gardes messiers, du pâtre communal, le paiement de leur salaire, la réfection des chemins communs par corvées volontaires, la fixation des bans de récoltes, librement ou par entente avec le seigneur [...].

« C'est de ce mode de vie séculaire que sont sortis les caractères particuliers de beaucoup de villages de France. Il ne s'agit pas seulement de l'ensemble des maisons de culture, des ''édifices'', mais aussi de la communauté villageoise, être moral et collectif, composé de tous les individus, mais les dominant tous, les encadrant, les modifiant, les pétrissant même, par la pression des us dont il était le gardien. Ainsi s'est formé, différent du paysan de l'Ouest, le villageois français : un homme sociable et curieux, accueillant mais peu hospitalier, cordial mais secret ; défenseur souvent hargneux de ses droits, mais serviable en même temps, plein de causticité pour ses "voisins", pris chacun à part, faisant corps avec eux pris ensemble, débordant d'amour-propre et glorieux de son clocher. »

Ainsi, en fonction de contraintes collectives exigées par l'usage des communaux et par l'assolement triennal, des sociétés élémentaires se sont créées, du type que nous tentions de définir dans notre introduction. L'individu ne se représente pas comme un atome isolé, mais comme un élément d'un groupe, le village.

De cet état de fait nous avons d'autres preuves que celles qui tombent sous le sens de l'observateur, et qu'a exposées Georges Lizerand dans les lignes citées plus haut. Sur l'aire villageoise de la France, au nord et à l'est, les noms de pays ont une précision, une originalité qu'on ne trouve pas toujours par ailleurs : la Beauce, la Brie, le Vexin, le Valois, etc. Des noms qui ont traversé sans changement bien des siècles et conservent encore une terminologie gauloise. Ils sont plus vieux que le mot « France » : Vexin, ancienne cité des Veliocasses. Ce sont des noms de cités ou de *pagi* galloromains que nous ont transmis les comtés mérovingiens.

Cette stabilité, que révèlent l'antiquité des noms de lieux et leur persistance, se retrouve dans les limites territoriales de la paroisse et de son héritière après 1789, la commune. Ces limites existent sans contestation, avec la même précision que des frontières politiques. Chacun, au village, les connaît et elles n'ont pas varié depuis bien des générations. Il n'en est pas de même dans d'autres régions, dans le Sud-Ouest, où le territoire communal ne correspond pas à une réalité sociale ancienne, mais simplement à un découpage administratif récent. Une délimitation aussi nette implique un degré très avancé d'organisation dans la communauté villageoise dont elle circonscrit le terroir : au centre, le village, autour du village, les trois soles ; au-delà des campagnes assolées, les bois et landes pâturées, et, au-delà encore, commence un autre finage. Cette antique répartition du sol exploité a fixé les limites de la communauté rurale, et ces limites ont survécu aux usages agraires qui les ont déterminées. Devenues fictives, elles existent toujours pour les villageois, habitués de génération en génération à les respecter avec autant de précision que si elles étaient jalonnées. La portion de sol qu'elles définissent est la figure matérielle de la société villageoise qui s'y est organisée, son support dans l'espace.

Au-dessus de la commune, il y a l'arrondissement. Or, dans les campagnes du Nord et de l'Est, l'arrondissement présente le même degré de cohésion. Il n'est pas seulement, il s'en faut de beaucoup, une simple circonscription administrative, sans vie propre.

C'est une véritable société, homogène, consciente, bien ordonnée autour de sa petite ville comme autour d'une capitale. Cet arrondissement est bien souvent l'ancien bailliage royal ou ducal, et ce bailliage s'est installé dans le cadre d'une plus ancienne seigneurie, d'un fief important. Les limites du fief correspondaient à celles d'une société locale bien vivante. Ainsi l'arrondissement plonge très loin dans l'Histoire : c'est qu'ici, au moins, il correspond à une réalité que les efforts des hommes politiques n'ont pu détruire. Lorsqu'ils ont, au beau temps de la « proportionnelle », tenté de substituer le scrutin de liste au scrutin d'arrondissement, les forces d'inertie enracinées au cœur des petites sociétés locales ont joué dans l'obscurité, et ont triomphé.

On remarquera d'ailleurs que l'aire géographique de ces solides communautés rurales, paroisses et bailliages, communes et arrondissements, coïncide avec les régions considérées comme le berceau de la féodalité au sens strict. C'est là, dans les pays entre Seine et Meuse, que le régime féodal s'est épanoui dans toute sa pureté. Plus à l'est, sous l'influence du Saint-Empire, il se dégage avec peine des survivances, des institutions carolingiennes. Plus à l'ouest et au sud, c'est une simple terminologie qui n'a pas pénétré profondément dans les mœurs. Ainsi en Normandie, en Aquitaine, le terme de fief s'applique indistinctement à plusieurs types de tenure, même à des tenures roturières. Dans notre région, au contraire, le fief désigne exclusivement une tenure militaire, à charge d'hommage. La solidité de la charpente féodale vient ici renforcer, semble-t-il, la cohésion de la structure rurale.

C'est seulement dans les régions consolidées par les contraintes collectives nées de l'assolement triennal que, pendant la révolution de 1789, la masse paysanne a paru assez organisée pour réussir des mouvements collectifs. Ailleurs, on a affaire à une poussière de paysans, incapables d'une action commune, si ce n'est en Vendée pour des raisons très particulières de prosélytisme religieux. Les plaines de Beauce et de l'Ile-de-France apparaissent comme des centres de résistance villageoise.

D'abord la Grande Peur de 1789 commença dans l'Ile-de-France. Puis les troubles agraires de l'hiver 1791-1792 se développèrent surtout en Beauce et dans la vallée de l'Oise, en particulier sur les marchés de la Beauce, dans les petites agglomérations de sa périphérie, qui jouèrent, semble-t-il, un rôle actif d'organisation, de points de rassemblement où affluèrent des populations flottantes des forêts voisines, plus individualistes, bûcherons et cloutiers des forêts de Conches et Breteuil. A Étampes, le maire Simoneau, un riche tanneur qui employait soixante ouvriers, fut tué pour avoir tenté de résister à la taxation.

Des troubles de même nature reprirent quelques mois plus tard, à l'automne 1792, en novembre et décembre, à la veille du redoutable hiver ; ils reprennent chaque fois que la situation du ravitaillement menace d'empirer. C'est encore de la Beauce, de la plaine de Versailles, d'Étampes, de Rambouillet, que part le mouvement, pour ensuite gagner de proche en proche les provinces voisines. « Les trois commissaires, nous dit Mathiez, que la Convention avait envoyés en Eure-et-Loir, Birotteau, Maure et Lecomte-Puyraneau, se virent environnés le 29 novembre, au gros marché de Courville, par six mille hommes en armes qui menacèrent de les jeter à la rivière ou de les pendre s'ils ne sanctionnaient pas la taxe non seulement du blé et de l'orge, mais de la chandelle, du bœuf, de la toile, des souliers et du fer [3]. »

La Beauce a été un centre de résistance moins connu que la Vendée, moins politique et confessionnel aussi, mais qui vaut la peine d'être noté et commenté. Une bande de six mille paysans représente une certaine organisation qui a sans doute sa racine dans l'organisation du village.

On comprend alors l'importance de ces régions dans la genèse des idées socialistes ou communautaires en France. Les petits-bourgeois cultivés qui vivaient en contact de ces sociétés rurales, curés, feudistes, conçurent très tôt un système, sinon de propriété commune, du moins d'exploitation collective, avec redistributions périodiques pour maintenir une certaine égalité, et ce système s'inspirait de très anciennes pratiques de leur vie agraire. Ainsi le curé de Mauchamp, Pierre Dolivier, dans une pétition à l'Assemblée législative, réclame l'amnistie pour cinq paysans arrêtés à l'occasion du meurtre du maire d'Étampes, Simoneau. « Ce socialisme-là, note déjà Mathiez, ne puise pas seulement sa source dans l'extrême philosophie et le droit naturel, il est dans un sens très archaïque. »

Ce socialisme traditionnel n'est pas resté sans postérité. L'ancêtre en France des théoriciens socialistes du XIXe siècle, Gracchus Babeuf, exerçait, avant la Révolution, la profession de commissaire à terriers en Picardie. Son métier consistait à dresser le cadastre des seigneuries dans des régions d'assolement triennal et d'usages collectifs. L'observation forcément approfondie des solides structures villageoises et de leurs coutumes d'exploitation collective pouvait l'amener à concevoir avec moins de difficulté, sinon lui suggérer, la possibilité d'un régime où le droit de la communauté primerait celui de l'individu, où la propriété cesserait d'être personnelle pour devenir collective.

Avant d'être recouvert par les alluvions marxistes, le socialisme français plonge ses origines dans notre plus vieux droit agraire.

Les régions à pénétration urbaine : le Vexin

Cette économie traditionnelle strictement rurale n'a pu se maintenir là où s'est manifestée l'influence de la grande ville, c'est-à-dire des grands marchés d'hommes, d'idées, de capitaux, de services, d'objets de consommation et de produits manufacturés.

Cette transformation de la campagne par la ville n'est pas un phénomène contemporain, lié à la spécialisation industrielle. On a trop tendance à opposer les sociétés d'Ancien Régime, surtout rurales, et les sociétés d'aujourd'hui, surtout urbaines. Ce n'est pas exact en général, c'est surtout faux pour la France, dont l'histoire ancienne est incompréhensible si on écarte le rôle joué par la ville et son rayonnement. Le cas est différent pour l'Angleterre, presque exclusivement urbaine de nos jours, mais, jadis, beaucoup plus rurale que la France d'Ancien Régime.

Dès le Moyen Age, l'Histoire connaît des exemples de régions substituant à l'économie archaïque et traditionnelle des campagnes une vie plus complexe, associant le bourgeois et le paysan : la Flandre, la Lombardie, avec leur pépinière de grandes cités. Là sont nées des méthodes de culture inconnues de pays plus reculés, comme l'usage des cultures dérobées, la suppression de la jachère.

La France n'est pas restée étrangère à des phénomènes de ce genre, quoiqu'ils y aient été moins étudiés. Ils ont cependant constitué des sociétés très particulières, caractéristiques de certaines régions et de certaines classes.

Observons l'un de ces pays, le Vexin normand.

A l'origine, il faut se représenter le Vexin, ainsi que les autres cités gallo-romaines, comme une clairière dans la forêt, la forêt dont seuls subsistent aujourd'hui quelques témoins isolés : le Bray au nord, les bois de la vallée de la Seine au sud. Les sites habités se cantonnaient sans doute dans les vallées à la terre plus légère, plus facile à travailler, dominées par des lieux sacrés, comme le temple ou théâtre déblayé sur le versant nord des Andelys, d'où l'on domine un vaste panorama. Au cours des défrichements se sont constitués des villages, tels qu'ils sont aujourd'hui : villages-rues, allongés, mais agglomérés. Aucun trait du paysage n'est plus émouvant que ces figures de village, héritées de passés souvent si lointains. Aucune étude, aussi, n'est plus passionnante que l'onomastique du terroir, avec ses noms lourds de tant d'histoire, de tant d'humanité. Ici les noms rappellent d'anciennes exploitations seigneuriales, formés avec les radicaux « ville » ou « mesnil » (Anfreville, Le Mesnil Ballanguet). Plus au nord, le Bray, défriché plus tardivement, n'a pas connu les villages en rue, mais seulement les maisons dispersées dans le bocage.

Or, très tôt, le Vexin est tombé sous l'influence de Rouen, comme en témoigne encore ce gros village du plateau, isolé aujourd'hui au milieu des champs de betteraves : Fresnes-l'Archevêque. L'archevêque, c'est l'archevêque de Rouen, seigneur de la plus grande partie du pays, mais qui inféoda ses seigneuries à des nobles laïcs, vassaux du duc de Normandie.

Très tôt, on assiste ici à une transformation sociale, plus tardive ailleurs, parfois même escamotée. On sait qu'au XVIe siècle la société française a été complètement bouleversée. Pour avoir une idée de cet ébranlement, sans doute faut-il descendre jusqu'à nos jours. La classe dirigeante, l'ancienne noblesse, épuisée, appauvrie, raréfiée, a disparu, et une nouvelle classe l'a remplacée comme détentrice des emplois publics et des propriétés privées ; cette classe est l'ancêtre de la noblesse moderne, celle de l'Ancien Régime, issue de la bourgeoisie des villes, à une époque où les villes avaient pris un essor remarquable dont témoignent encore de vastes ensembles architecturaux. Cette transformation a pu tarder jusqu'au XVIIe, XVIIIe siècle même pour certaines régions, voire XIXe en quelques endroits. Dans le Vexin, au contraire, elle a été très prématurée, et c'est un trait remarquable de la région, qu'elle conservera toujours : *l'évolution sera plus rapide, plus précoce aussi.*

Dès la fin du XIVe siècle, les anciennes familles seigneuriales disparaissent et la terre passe aux mains des bourgeois des chefs-lieux de bailliage : magistrats des Andelys, de Vernon, de Gisors, détenteurs d'offices royaux. C'est donc une bourgeoisie locale, mais qui doit sa richesse à des interdépendances plus lointaines, en particulier aux relations avec Rouen.

A Rouen sont nés en effet les grandes administrations modernes : l'Échiquier normand, modèle de notre Cour des comptes. A côté de ces hommes de robe, le grand commerce avec l'Angleterre, les pays scandinaves, puis le Nouveau Monde, développait une classe active de négociants. A une époque où l'industrie est uniquement artisanale, les bourgeois de la ville placent leurs capitaux dans la terre ou dans les offices, achètent des seigneuries qui leur apportent, outre les revenus du sol et les rentes seigneuriales, le prestige social : ils s'assimilent aux nobles. Mais cette haute bourgeoisie est animée d'un esprit nouveau que n'avait pas l'ancienne noblesse. Elle tient à assurer à ses enfants une éducation soignée et crée des collèges dans les petites villes comme les Andelys. Elle contribue ainsi à créer un climat dont profite la plus petite bourgeoisie ; ces petites villes, aujourd'hui bien démunies de toute activité intellectuelle, ont fourni des humanistes comme Turnèbe, des peintres comme Poussin, nés aux Andelys, d'assez modeste extraction. Alors se forme au-dessous du monde de grande robe une classe sociale encore modeste, mais avide de jouer un rôle, et qui trouve un débouché à son besoin d'activité dans les multiples charges de la vie municipale, dans les innombrables carrières de petite robe.

Les magistrats des Andelys, de Gisors, de Vernon, dès qu'ils l'ont pu, ont tenté de sortir du cadre local pour jouer un rôle à Rouen. Ils ont acheté des offices des grandes cours de Rouen, qui les plaçaient au sommet de la hiérarchie de la robe française. Mais ils n'ont pas cessé de jouer un rôle sur place. Ils restent les seigneurs du Vexin, y résident souvent et, au XVIe siècle, à la faveur des guerres de religion, où les forces de l'État se relâchent, où les particularismes locaux s'affirment, ils tentent de se tailler une sorte de principauté. C'est un seigneur du Vexin qui, en 1580, s'empare de Château-Gaillard, cette puissante forteresse construite par Richard Cœur du Lion pour garder la frontière française de Normandie, et le tient au nom de la Ligue.

Cette noblesse de robe, à la fois locale et rouennaise, est animée d'un esprit capitaliste qui transforme le Vexin et l'ouvre à des préoccupations plus lointaines. Dès cette époque, le Vexin cesse de vivre sur lui-même et devient un gros producteur de blé qui, par la Seine, participe au ravitaillement de Rouen et de Paris.

Les paysans des villages profitent de cet élargissement du commerce, ils s'enrichissent, arrondissent leurs terres, et bientôt s'établissent dans la petite ville voisine où ils achètent une charge d'huissier ou de bas officier fiscal. Ils se débarrassent aussitôt de leurs attaches rurales. Ainsi Pierre Lécuyer, dans sa maison des Andelys, vend à « Joseph et Thomas Lécuyer, ses cousins germains, journaliers demeurant à Villers-sur-Andelys (un village voisin), une masure relevant de M. Le Roux [une grande famille de robe de l'endroit], à cause de son fief du Plessis, par telles rentes seigneuriales qu'elle peut devoir ». Il vend, mais bientôt, lui ou son fils, il rachètera, car il n'est pas de bonne fortune qui ne soit assise en terre. Ainsi, grâce à l'influence de Rouen, qui s'est d'abord fait sentir sur quelques familles bien nées, les classes sociales évoluent plus vite qu'ailleurs, le paysan quitte plus vite son village pour devenir un bourgeois.

Au XVIIIe siècle, la même évolution se poursuit dans le sens d'un élargissement toujours plus vaste des relations. A l'influence de Rouen est venue s'ajouter celle de Paris et de la Cour.

En 1704, le président du présidial des Andelys est un La Tour, une famille qui avait aussi fourni des conseillers au parlement de Rouen. Or son fils, avant de lui succéder, est avocat au parlement de Paris. C'est vers Paris que se tournent maintenant les grandes familles du Vexin. Enfin, à la fin du siècle, un La Tour, propriétaire aux Andelys, est chevalier de Saint-Louis, capitaine au régiment d'Anjou. La famille de robe est devenue famille d'épée. C'est l'apogée.

Mais c'est aussi la fin. Les événements vont vite ici, très vite, et, dès les dernières années du XVIIIe siècle et au XIXe siècle, tous ces noms de magistrats et seigneurs du Vexin disparaissent complètement, comme avaient disparu, au XIVe siècle, les vassaux du duc de Normandie et de l'archevêque de Rouen, leurs prédécesseurs.

Le phénomène est frappant. Il n'y a pas beaucoup de régions de France où, en cherchant bien, on ne trouve aujourd'hui encore une vieille famille dont le nom se lit sur les vitraux ou sur les pierres tombales de l'église paroissiale. Ici, il n'en est rien, toute une classe sociale a disparu. La concurrence était plus sévère qu'ailleurs ; d'autres classes plus jeunes et plus rapaces attendaient le moment d'évincer les anciens possesseurs du sol. Ces hommes nouveaux sont ou bien des étrangers fortunés, ou bien de petits-bourgeois du cru, suffisamment évolués grâce à l'enrichissement général. Les étrangers viennent maintenant de Paris. Les uns sont de grands personnages ; ainsi le chancelier Maupeou, qui prendra sa retraite dans un château près des Andelys, où il achètera de nombreuses terres, soit avant la Révolution, soit pendant la Révolution, car il a été un des gros acheteurs de biens nationaux. En effet,

106

l'histoire sociale ne connaît pas de coupure et la Révolution dépossède beaucoup moins qu'elle n'accélère un transfert de fortune déjà très avancé. Les autres, parmi ces riches Parisiens, sont de grands financiers, receveurs généraux, ou fermiers généraux, des parvenus, des nouveaux riches. L'un d'eux, Philippe Cuisi, vers 1770, possédait presque toute la région. Il était le fils d'un humble sergent, commissaire des tailles, qui exerçait aussi la chirurgie.

Enfin, à côté de ces fortunes avides de s'investir dans la terre, apparaissent des industriels des fabriques où l'on tisse le coton, la soie.

Mais la modeste bourgeoisie locale, de petite robe, ne reste pas en arrière. Elle participe à l'ascension générale. D'abord, les Parisiens installés dans le pays découvriront des petites paysans astucieux, se chargeront de leur éducation, en feront des ingénieurs. Ceux-ci seront perdus pour le Vexin, ils feront souche ailleurs dans les grandes villes, qui subissent alors une poussée de croissance.

Ensuite, les notaires, les élus, les collecteurs de tailles commencent à acquérir des seigneuries. L'un d'eux deviendra subdélégué, c'est-à-dire le représentant de l'intendant, un notable. Cette classe nouvelle, celle que plus tard décrira Balzac, car elle perce partout en France aux XVIIIᵉ et XIXᵉ siècles, envahit les fonctions publiques et accapare la terre, en concurrence avec les capitaux parisiens. C'est elle qui profitera de la Révolution. La Révolution sera sa chose. Ici, malgré la proximité de la Normandie girondine et fédéraliste, il n'est guère question de lutte entre les Girondins et Montagnards. On profite, sans autre souci, de l'occasion qui s'offre de consacrer une ascension sociale déjà avancée. Le notaire des Andelys reste maire jusqu'en 1795, pendant toute la Terreur. L'un commande une légion de la garde nationale du district, l'autre est président de l'administration municipale du canton, toutes situations qui permettent de consolider les positions acquises.

Sous le premier Empire, cette petite bourgeoisie subit une éclipse. Elle a perdu la mairie, désormais occupée par un riche industriel installé avant les événements de 1789, et qui d'ailleurs n'a pas boudé la Révolution. Si Napoléon essaie de s'appuyer sur les grosses fortunes, il préfère sans doute les fortunes terriennes, plus conservatrices. Ici, pourtant, c'est un industriel à qui il confie la municipalité des Andelys, jadis occupée par un notaire qui fait dès lors figure d'opposant, on dira bientôt de libéral.

Par contre, avec la Restauration, tout le personnel de petite robe, qui s'était développé à la fin de l'Ancien Régime et avait profité de la Révolution, prend sa revanche. Après 1815, les mêmes noms reviennent, qu'on lit sur les documents de 1770, de 1790. C'est cela, la Restauration, le triomphe de cette petite bourgeoisie éloignée des affaires, inquiète de la politique impériale.

Comme au jeu de cache-cache, la monarchie de Juillet ramène les gros industriels un moment éclipsés. C'est « l'enrichissez-vous » de Guizot. La mairie des Andelys revient à celui qui l'avait occupée sous l'Empire.

Ainsi apparaît la transformation sociale qui s'est consommée au tournant du XVIIIᵉ siècle. Ce n'est pas encore la dernière qu'ait connue le Vexin normand. Une telle mobilité est assez caractéristique.

A l'époque contemporaine une dernière évolution a fixé les traits actuels de ces sociétés.

D'une part, l'industrie textile à domicile, sous l'influence des marchands et manufacturiers des villes, a disparu du Vexin, alors qu'elle s'est conservée en Picardie. Sauf dans l'Ouest, comme dans la vallée de l'Andelle, elle n'a pas donné naissance à un paysage industriel. Elle n'a pas réussi à se localiser dans les villes, ni aux Andelys, ni à Vernon. Dès lors, privé d'un travail complémentaire, et sollicité par l'appel de la grande ville, très sensible dans cette région si ouverte aux influences extérieures, le paysan a émigré. Il est parti, soit à Rouen, soit à Paris, soit aussi dans les petites villes voisines où sont nées de nouvelles fonctions (chemins de fer, administration publique, entreprises de distribution d'énergie, banques, etc.). Cet exode des paysans a rendu la petite propriété moins résistante qu'ailleurs, cette petite propriété déjà battue en brèche par les concentrations capitalistes de la fin de l'Ancien Régime.

D'autre part, au moment où la petite propriété paysanne menaçait de disparaître, faute de paysans, le Vexin apparaissait comme une terre favorable aux placements des capitaux nés de la Révolution industrielle. Comme les hommes de robe du XVe siècle, les capitalistes de Paris, de Rouen, de la région du Nord ont investi leurs revenus dans le Vexin, comme un placement à gros rendement. C'était une terre libre ou à peu près, dégagée des suzeraine-tés des grandes familles traditionnelles. Les propriétaires, venus il y a peu de temps, n'avaient pas eu les loisirs de s'enraciner. On vendait facilement. Les communications étaient par tradition aisées et depuis longtemps utilisées.

Ainsi s'est constitué le régime des grandes propriétés et d'exploitation intensive qui domine aujourd'hui, basé sur deux cultures industrielles, placées longtemps sous la dépendance du marché mondial : le blé et la betterave. Les exploitations sont scientifiques, avec des tracteurs, l'usage de la force motrice : c'est la grande culture.

Seulement toute la terre n'appartient pas à ces capitalistes. Elle échappe pourtant toujours aux paysans locaux. Une classe nouvelle s'est constituée, rurale sans doute, de fermiers des grandes exploitations ou de propriétaires d'exploitations analogues. Mais ceux-ci ne sont pas des « paysans ». Souvent passés par des écoles agronomiques, ils savent user de méthodes hardies, de machines modernes, ils ont une comptabilité, suivent des cours. Ce sont des directeurs d'usines rurales. D'ailleurs ils débordent les cadres du « pays » et se recrutent dans une vaste aire géographique qui recouvre les plaines limoneuses du Bassin parisien, l'Ile-de-France, la Brie... Ils entretiennent entre eux des relations de parenté, passent parfois d'une région à l'autre. Comme les propriétaires des villes dont ils sont souvent les fermiers, c'est une classe de capitalistes riches et audacieux. Ce sont eux, maintenant, les seigneurs du pays.

L'influence des grandes villes a pu, très tôt, disloquer des formes sociales bien homogènes. Des principes nouveaux ont été injectés dans les mœurs routinières des campagnes. Aussi les sociétés ainsi constituées sont-elles riches, évoluées, ouvertes au progrès, mais instables. Les gens ne restent pas en place, paysans ou propriétaires, ils changent tout le temps. A chaque tour de roue de l'Histoire, il y a une substitution de sociétés.

Ainsi, une région peut se caractériser non pas par la permanence de certains traits moraux et sociaux, mais par la diversité de ses aspects dans le temps.

Les sociétés paysannes et individualistes de l'Ouest

Quand on quitte vers l'ouest ou le sud les régions à sociétés villageoises décrites au chapitre premier, le paysage change, avons-nous dit déjà. Les gros villages concentrés disparaissent, les maisons s'éloignent les unes des autres, s'éparpillent. Les cartographes découragés ne savent où situer sur leur schéma le signe distinctif de la commune : est-ce l'église, est-ce la mairie ? Et pourquoi ces édifices symboliques isolés eux aussi ?

En même temps que l'habitat, le paysage a changé ! Les campagnes ailleurs dénudées par les pratiques de l'assolement triennal se hérissent ici de lignes d'arbres, de haies qui clôturent chaque champ, chaque prairie, chaque maison. Pour circuler à travers cette marqueterie, il faut emprunter de petits sentiers en contrebas derrières les haies qui les cachent : les chemins creux. Il est difficile alors de trouver un point de vue qui découvre une large perspective : haies et lignes d'arbres interceptent le regard, ferment l'horizon. Quelquefois une fumée qui s'élève d'un bouquet d'arbres permet seule de situer la présence humaine : une chaumière tapie dans la verdure, isolée et farouche.

Un simple coup d'œil permet alors de mesurer la différence entre ces sociétés de paysans isolés et les sociétés à villages concentrés où la fréquentation quotidienne crée une opinion publique, un esprit de groupe, une conscience de collectivité ; c'est un autre monde.

Il correspond à une autre économie, à d'autres genres de vie. Dans le Nord et l'Est, le village s'était installé au centre du finage qu'il exploitait collectivement. Ici il n'y a pas de finage. Chaque maison, chaque « borde », comme on dit dans le Sud-Ouest, est une unité complète, une cellule essentielle. Elle s'est installée au centre de son domaine, qui répète, mais à très petite échelle, tous les aspects du terroir villageois du Nord-Est : champs à céréales, prairies d'élevage, taillis pour les litières du bétail et le bois de chauffage. Tout cela, au lieu d'être réparti autour du village par grandes masses, entoure par petites fractions les bordes, les métairies. Le paysan n'a pas besoin de sortir de son domaine. Rien ne le sollicite au-dehors.

Aussi n'y a-t-il pas de communaux, ni de troupeaux communaux, sauf quand il existe de grandes landes incultes. Les forêts sont peu nombreuses : elles sont comme fractionnées en taillis annexés à chaque domaine.

Ou bien ce sont des pays de culture arriérée, des « segalas » où dominent les céréales pauvres, les façons culturales archaïques ; ou bien, des pays de polyculture riche mais variée, avec vignes, maïs et fruits par exemple. Souvent c'est la vache qui tire la charrue.

Dans les formes avancées comme dans les formes reculées, rien ne rappelle les traditions agricoles des campagnes, champagnes ou campanies. Formes arriérées dans l'Ouest : cultures individuelles de sarrasin à la bêche ou à la houe, qui s'opposent au labourage par grande sole des finages de l'Est. Formes avancées dans le Sud-Ouest : l'élevage, la viticulture soignée, la culture des fruits et primeurs combinés avec le tabac, le maïs, l'élevage de basse-cour qui s'opposent à la grande monoculture industrielle basée sur le blé et la betterave du Nord-Est.

Il n'y a pas sans doute, pour expliquer cette opposition, que des différences de climat. Mais aussi des différences de races et de sol.

Le bocage, dans sa forme primitive (parce qu'il y a un bocage moderne, comme le bocage anglais, issu de la révolution agraire du XVIIIᵉ siècle et de la lutte contre la jachère et les pratiques communautaires, considérées comme des obstacles au progrès), le bocage semble lié à une occupation du sol moins complète que dans les terroirs soumis à l'assolement triennal, en relation avec des formes extensives de l'élevage.

Les champs familiaux et permanents auraient été isolés, espacés, sur les meilleurs sols ; tout autour, de plus vastes espaces auraient été redistribués périodiquement pour être, les uns cultivés, les autres abandonnés au parcours des troupeaux individuels.

Sont-ce des régimes de clan ? Mais le clan, société consanguine, est quelque chose de très différent de la communauté paroissiale.

Cette très ancienne organisation, on la pressent dans l'Angleterre celtique, avant sa conversion au système des trois soles ; on la retrouve encore dans le pays de Galles au XVIIIe siècle ; quelque chose de voisin existait en Bretagne. Dans le Sud-Ouest, où les influences viennent d'ailleurs, où elles sont ibériques plus que celtes, le régime n'est pas très différent, du moins si on l'oppose à celui du Nord-Est : dans le haut Moyen Age, l'économie reposait sur l'élevage et se caractérisait aussi par un semis d'exploitations dispersées. Dans la suite, peut-être à cause d'une colonisation plus poussée, la priorité de l'élevage a disparu. Mais les modes de vie agricole ont persisté, se sont perpétués sous d'autres formes.

Ainsi l'apparition des deux civilisations agraires, à bocage et à campagne, laisse pressentir des différences ethniques, peut-être germaniques ici, peut-être celto-ibériques là.

Des différences de races, mais aussi de peuplement. Les régions de l'Ouest ont été très bouleversées, et ces bouleversements n'ont pas été sans influence sur la formation des sociétés rurales. Au haut Moyen Age, la Bretagne a subi l'invasion des Celtes refoulés d'Angleterre, qui imposèrent leur langue à l'Armorique alors romanisée. Un royaume se créa, suffisamment puissant pour conquérir les marches gallo-romaines de l'Est, dessinant ainsi les limites de la Bretagne historique, qui ajoute à un noyau bretonnant des satellites français : Bretagne bretonnante et pays Gallo. Il est vrai qu'à partir de cette date le peuplement reste stable en Bretagne.

Il n'en est pas de même des pays d'Aquitaine, « pays sans cesse repeuplés », dit Deffontaines en parlant des pays de la Moyenne Garonne [4]. Mais c'est vrai de toute la région. Les mêmes phénomènes ont été étudiés dans l'Entre-Deux-Mers, c'est-à-dire pour la région située entre Garonne et Dordogne, par Robert Boutruche, dans un article des *Annales d'histoire économique et sociale*, dont le titre est à lui seul très suggestif : « Les courants de peuplement dans l'Entre-Deux-Mers. Étude sur le brassage de la population rurale [5]. » Un cartulaire de 1085 environ fait dire au fondateur de l'abbaye de Sauve : « Longtemps après que j'eus commencé les édifices de notre monastère, comme un peuple nombreux rassemblé de diverses contrées s'était construit des habitations sur nos terres, je résolus de bâtir une église en l'honneur de saint Pierre Apôtre.» On voit que les habitudes de colonisation sont anciennes; les fondations de villages créés de toutes pièces, remarquables par leur configuration géométrique, sont alors nombreuses.

Les dévastations de la guerre de Cent Ans exigent, au XVe siècle, un nouvel appel de peuplement; il ne se fait plus, cette fois-ci, par création de gros villages à clause de défrichement. Le fait est significatif. La colonisation du XIe et du XIIe siècle, par bastides ou sauvetés (c'étaient les noms de ces villages), ne correspondait pas aux types de vie locaux. Ces créations artificielles tombèrent vite en décadence. Au XVIe siècle, le repeuplement se fit par contrats individuels de métayage. On revenait aux types traditionnels de l'habitat dispersé. Les nouveaux venus sont originaires, pour la plupart, des zones plus peuplées du Nord : Angoumois, Saintonge, Poitou, Vendée. Les indigènes les appellent, avec une pointe de mépris, les Gavaches, ceux qui parlent le gaulois, la langue d'oïl. Aujourd'hui encore, à l'est de l'Entre-Deux-Mers, il subsiste une gavacherie. Ils vinrent aussi, ces colons, des Pyrénées, attirés par la transhumance dans les plaines de Gascogne, d'Auvergne, même d'Angleterre : «un nommé Robin Ataunle, Anglais d'Angleterre».

Aux XVIIe et XVIIIe siècles, les courants de peuplement se ralentissent sans cesser complètement : «une infiltration lente, sporadique», dit Boutruche. Mais on n'a pas besoin de main-d'œuvre étrangère parce que les conditions démographiques sont excellentes; l'Aquitaine, fait exceptionnel dans son histoire, est riche en hommes — effet sans doute de cet élargissement des horizons de travail qu'a décrit Deffontaines. Aux ressources de l'agriculture se joignent celles de l'artisanat et de la batellerie.

Le resserrement de ces horizons de travail amène à nouveau, au XIXe siècle, une raréfaction de la main-d'œuvre. Le Sud-Ouest, fidèle à son ancienne tradition, redevient terre d'immigration. Aux anciens courants de peuplement d'autres encore viennent s'ajouter : Espagnols, Italiens.

Ces régions, constamment brassées, pourraient-elles atteindre à la stabilité des sociétés du Nord?

Aussi, et c'est là le fait essentiel que nous voudrions signaler, *il n'existe pas dans l'Ouest de sociétés rurales*. Le paysan n'est pas le frère de son voisin ; il n'a pas de prochain. Il n'a pas de conscience de groupe. C'est un individu isolé à côté d'autres individus isolés.

Par conséquent, toutes ces formes sociales dont nous avions noté la vigueur dans les villages du Nord-Est n'ont plus ici qu'une vie artificielle, administrative. La commune et l'arrondissement ne correspondent à aucune réalité, aussi leurs limites ne sont-elles pas stables. Il est arrivé, à plusieurs reprises, à l'administration de les modifier, sans parvenir à des résultats bien satisfaisants. Parfois, on ne sait même pas quel nom donner à la commune ; parmi tous les lieux-dits, dans les écarts, comment deviner, pourquoi choisir ? « La commune est sans liaison avec le peuplement, observe Deffontaines, souvent de petits hameaux sont partagés en plusieurs communes. »

L'organisation ecclésiastique elle-même n'est plus associative ; ce qui est étrange, parce que l'Église n'aime pas, d'instinct, la dispersion, le désordre. Née dans les cités romaines, elle se plie mal à d'autres formules et tend à réagir contre elles, comme dans la vieille Irlande monastique. Pourtant, dans l'Ouest, l'organisation paroissiale est lâche. Souvent il n'y a pas une église paroissiale, mais une poussière de petites chapelles, dispersées comme les habitations.

En 1698, en Moyenne Garonne, pour 191 paroisses, il y avait 373 clochers. Et, dès cette époque, la commune ne coïncidait pas avec la paroisse : ces 191 paroisses correspondaient à 133 juridictions communales. Or, toute la solidité de la commune villageoise du Nord dérive de la superposition exacte de la commune à la paroisse.

Enfin, comment ne pas remarquer que, dans tout le Sud-Ouest, en Bretagne et en Normandie, le terme de fief désigne à la fois la tenure concédée à charge de service noble (ost, conseil, plaid) et la censive roturière ? Il y a là une vaste région qui n'a pas connu l'opposition entre fief et censive, fondamentale dans le Nord-Est. C'est une indication, que la féodalité, *stricto sensu*, n'a pénétré dans l'Ouest que sous des formes bâtardes ou transformées. Encore une preuve de l'originalité de ces régions, qui coïncide avec le caractère spécifique de son habitat et de ses modes de vie. La féodalité a joué un rôle organisateur qui manque dans l'Ouest. Les vieux noms de pays, héritage de la nomenclature gallo-romaine, sont rares. Les noms de fiefs aussi. Toujours la même impression d'incertitude dans la géographie administrative, conséquence des carences de l'organisation sociale.

La société primaire, il ne faut pas la chercher ici dans le village ou le pays. Elle existe pourtant, si l'on veut, mais réduite à la famille. Et alors, elle ne répond plus à la définition que nous avons adoptée dans notre introduction : le premier groupe conscient formé par des hommes au-delà des liens consanguins.

Il est bon, cependant, de souligner l'importance traditionnelle de la famille dans ces régions, qui, si elle venait à se relâcher, sombrerait dans un individualisme anarchique, atomique.

Dans le Sud-Ouest, la famille fait corps avec son domaine : c'est normal, puisque le domaine est ramassé autour de l'habitation familiale. Souvent le nom patronymique s'efface devant le nom du domaine. Faut-il voir dans cette coutume des traces de l'ancien matriarcat ibérique ? Ce n'est pas le fils qui hérite, mais la fille. L'homme « va gendre » chez son beau-père.

La solidité de la famille était jadis protégée par l'habitude d'assurer la succession à un seul héritier. Aussi la propriété était-elle moins morcelée qu'ailleurs. Dans les villages du Nord, on pouvait diviser à l'infini les lots, puisque les pratiques de l'assolement triennal permettaient d'assurer les façons culturales quelle que soit l'étendue des propriétés individuelles. Dans les borderies du Sud-Ouest, au contraire, le morcellement du domaine pouvait le rendre inutilisable. Aussi, dans ces régions où, sous l'Ancien Régime, on « faisait un aîné », l'obligation du partage égal, étendu par le Code civil à toute la France, rencontra-t-elle une vigoureuse résistance. Les cours de justice appuyèrent les revendications locales et tentèrent d'atténuer par leur jurisprudence l'application rigoureuse de la loi. Il fallut l'intervention de la Cour de cassation pour arrêter cette curieuse résurrection du droit coutumier.

Si la seule société est la famille, la seule autorité est le château.

Entre ces familles juxtaposées il n'y a aucune relation. L'autorité est imposée, du dehors, par le château.

Dans les campagnes du Nord, le château n'a pas la même importance. Souvent le manoir seigneurial se distingue mal des autres maisons du village, si ce n'est par son matériau : il est bâti en dur, en pierre — et surtout par son colombier. Mais dans ces communautés égalitaires, l'influence du noble a toujours été réduite.

Au contraire, dans l'Ouest, le château domine toute la vie rurale. Il existe à peu près partout, même dans les régions à fortes pénétrations urbaines. Nous avons décrit le Vexin normand, tout à l'heure. Or, si ce pays était transporté dans le voisinage de Bordeaux, au lieu de Rouen, les grandes fermes-usines en brique mécanique auraient été remplacées par de confortables châteaux. Les parlementaires bordelais plaçaient leurs capitaux en vignobles, mais près de ces vignobles ils vivaient la vie de château : on retrouvera plus loin l'importance de ces châteaux, dans le chapitre consacré à la vie littéraire.

D'ailleurs, la noblesse a continué à vivre sur ses terres. Aussi est-ce là que nous trouverons les plus vieilles familles. Elles remontent plus haut, ont persisté plus longtemps que dans d'autres régions. Dans les campagnes isolées de l'Ouest vendéen, manceau et angevin, la substitution de la bourgeoisie parlementaire à l'ancienne noblesse est ou bien plus tardive, ou même beaucoup moins apparente que dans le Vexin.

C'est le château qui commande. Seulement son autorité peut être acceptée, ou au contraire subie et même rejetée. En tout cas, c'est autour de lui et par rapport à lui que s'organisent les paysans. On est pour lui ou contre lui. C'est à peu près le seul lien social. En Vendée, Anjou, Maine, on est pour lui. Il domine un peuple de fermiers, métayers, petits commerçants. Par crainte de l'éviction ou du boycottage, tous lui sont soumis. Aux élections, sa pression était plus efficace que celle du préfet. A côté du châtelain, le fonctionnaire paraît un étranger qu'on tolère, presque un inutile. S'il n'y a pas de société rurale, il y a une société aristocratique que la démocratie n'a guère entamée.

Ailleurs, au contraire, le château est puissant, mais son autorité est tournée, traversée. Ceci arrive bien souvent dans la région des vignobles. La grande propriété y est moins accaparante que dans les régions d'élevage. Il existe toujours, à côté du grand cru du château, de petits propriétaires qui cultivent quelques complants. Or le viticulteur est épris d'indépendance, généralement évolué. Sans doute il dépend du château qui l'emploie, mais tous ses efforts sont tendus vers une exploitation systématique du grand propriétaire. Ce n'est pas ici le château qui exploite les paysans, mais les paysans qui exploitent le châtelain. Le mécontentement s'en mêle parfois, si le châtelain résiste. On comprend alors pourquoi les viticulteurs choisissent leurs députés dans les rangs avancés du radicalisme, ou chez les socialistes, de préférence chez des socialistes dissidents.

Il existe, dans notre littérature, une description épique de cette guerre à mort contre le châtelain : *Les Paysans*, de Balzac. L'histoire ne se passe pas dans nos régions de l'Ouest, mais sur la bordure du Morvan. L'état social de cette région n'est pourtant pas si différent de celui qui retient ici notre attention. Avec une différence toutefois, on a affaire à un peuple qui vit de la forêt, cas rare dans l'Ouest. C'est la possession et l'usage de la forêt que se disputent le château et les paysans. Finalement, ce sont les paysans qui l'emportent. L'histoire pourrait se passer ailleurs, avec quelques variantes. En tous les cas, Balzac met admirablement en lumière l'alliance de tous ces ruraux contre le châtelain, seul élément de coordination de ses ennemis.

Ainsi la vie de ces paysans de l'Ouest tourne autour de deux axes sociaux : la famille en bas, le château en haut. Pas de sociétés rurales, pas de pays, pas de vie régionale bien autonome, si on entend par une vie régionale non pas une vie isolée, ni même la soumission à l'ombre du château, mais la conscience d'une origine commune, d'intérêts communs, de sentiments communs, le besoin d'une solution trouvée en commun.

Il existe cependant une exception, très significative, la Vendée. La Vendée n'existait pas avant le soulèvement de 1793. L'Ancien Régime ne connaissait ni province, ni région, ni pays, ni lieu-dit qui s'appelât ainsi. La Vendée, c'était un département, taillé comme les autres, suivant le même compromis entre les partisans d'une division géométrique, d'un simple quadrillage de la nation, et les réalistes, enclins à éviter de trop grandes perturbations dans la vie locale. Ce compromis donne pour la Vendée un résultat ni meilleur ni pire qu'ailleurs ; un département comme les autres.

Mais ce département est devenu une région, à la suite du soulèvement contre la Convention : il n'y eut plus seulement une circonscription administrative, il y eut des Vendéens. Voilà presque le seul département qui ait donné naissance à un qualificatif d'origine ; on dit « Vendéen » comme on dit « Breton » ou « Normand » ; l'assimilation est légitime, car c'est bien une région historique et vivante qui est née. Une région vivante parce qu'elle supporte dans l'espace une conscience collective réelle : la lutte en commun a transformé ces paysans individualistes du bocage en une société bien caractérisée, avec son tempérament, son organisation, sa structure.

Les sociétés à paysans-bourgeois en Provence

Aux gros villages agglomérés du Nord, aux métairies égaillées de l'Ouest s'oppose également le bourg méditerranéen.

Au-delà du défilé de Donzère, on découvre d'autres paysages humains, sans relations avec les précédents, qui suggèrent des origines, une évolution, une histoire toutes différentes.

Il y a pourtant un habitat concentré et un habitat dispersé.

On trouve de nombreux mas isolés dans les plaines alluviales en Camargue, dans les plaines littorales, comme Hyères, dans les Cévennes.

C'est rarement, toutefois, la note dominante du paysage. Il existe partout de gros villages perchés, comme des forteresses, des acropoles. Seulement ils sont souvent vidés de leur population et tombent en ruines, envahis par le maquis, parfois complètement abandonnés, comme les Baux.

Mas dispersés, villages perchés sur des sites défensifs sont les formes extrêmes et instables du peuplement.

Au cours des siècles d'insécurité et de piraterie, dans ces régions qui n'ont connu que tard un pouvoir central fort, une police efficace, les hommes se groupèrent en des endroits inaccessibles, faciles à interdire, et ce malgré les difficultés économiques de cette concentration. Dès que la paix revenait, que les relations s'affirmaient plus sûres, la population tendait à descendre de son nid d'aigle pour se rapprocher de ses cultures. A peine le danger menaçait-il à nouveau qu'elle reprenait le chemin des sommets.

A partir du XVIe siècle, lorsque la sécurité s'établit de manière définitive, les fermes commencèrent à s'égailler sur les pentes. Ce mouvement de dispersion fut accentué là où il y eut défrichement des bas-fonds, des bois, des zones encore incultes, sous l'influence de capitaux urbains qui cherchaient un investissement. Mais l'extrême dispersion n'est pas un cas général, c'est un cas limite.

En somme, ni l'habitat aggloméré à la manière du Nord-Est, ni l'habitat dispersé de l'Ouest ne se retrouvent ici, parce que les formes de civilisation agraire qui leur ont donné naissance dans leurs aires d'extension respectives n'ont pas pénétré le Sud-Est. Le rythme de l'assolement triennal était inconnu : en Provence, comme en Italie, on pratiquait l'assolement biennal, celui des Romains, qu'on retrouve en Alsace. Les champs ne sont pas répartis en parcelles rectangulaires tout autour du village. Ils occupent les meilleurs sols sans former une trame continue, et leur forme est carrée. Ici, d'ailleurs, on utilisait l'araire, et non la charrue à roue des campagnes du Nord. D'autre part, aucune tradition comparable aux antiques coutumes d'isolement du paysan de l'Ouest, au cœur de son domaine. La propriété y est plus morcelée, l'exploitation moins concentrée. Le type original et spécifique du Sud-Est est ailleurs.

D'une manière générale, la descente de l'acropole ne relâche pas les liens de la communauté rurale. Même quand cette descente se fait par mas isolés, ceux-ci continuent à graviter autour d'un noyau central. Le plus souvent, le déplacement se fait en bloc, vers le bas de la colline, et le paysage actuel marque encore les deux étapes : l'acropole et le bourg inférieur. La solidarité des villageois persiste malgré les transformations économiques : la vie de relations ne cesse jamais.

On continue toujours à se retrouver sur le « cours », planté jadis d'ormes, de tilleuls, de micocouliers, aujourd'hui ombragé de platanes. Là, on se repose dans la verdure : cette verdure si rare dans les pays méditerranéens, qui est pourtant un besoin indispensable à la vie humaine, qui transforme chaque bourg en une oasis, sous l'aride soleil de l'été.

Là on fait la sieste, là on bavarde le soir, on boit le pastis en échangeant les impressions de la journée ; là on joue aux boules, et c'est une fonction essentielle de la vie municipale.

Par conséquent, quoique le village ne soit pas né des obligations d'une culture en commun du finage, quoique la terre soit travaillée selon des coutumes individualistes, les seules propres au jardinage, aux productions arbustives des pays méditerranéens, la vie municipale, la conscience collective reste très forte. Le Provençal n'est jamais un isolé, comme le Breton ou le Vendéen, il est l'homme d'un bourg, où l'attachent ses intérêts, ses plaisirs, surtout ses habitudes.

Habitudes collectives hors d'un pays de contraintes collectives, traditions de vie communautaire dans des régions de cultures individualistes, comment lever cette apparente contradiction ?

Elle aurait dû embarrasser les géographes qui se sont intéressés à la question. L'un d'eux, pour expliquer l'opposition des pays à campagne et des pays à bocage, suggérait que c'était une conséquence de l'antagonisme de deux civilisations, l'une germanique dans le Nord, l'autre latine dans l'Ouest et le Sud. Mais, si le Latin était individualiste d'instinct, pourquoi, dans les régions de France qui subirent le plus profondément son influence, la vie de relations est-elle si tenace qu'elle résiste à toutes les sollicitations de l'évolution moderne ? Depuis que les grandes voies de circulation passent par le sillon rhodanien, les forces d'attraction des grands centres auraient pu avoir des foyers de vie locale. Cependant, le prodigieux particularisme de ces petites cellules provençales a persisté avec une vigueur qu'on ne trouve nulle part ailleurs en France. Le Provençal va de temps en temps à Avignon, chaque fois qu'il a une chose un peu extraordinaire à acheter, une affaire à traiter. Il compte sur les doigts de la main les voyages qu'il a dû faire à Marseille. Marseille, c'est déjà le bout du monde, une ville étrangère d'ailleurs, bruyante et mal famée, où on ne va que si l'on y est obligé, mais Paris, ou même Lyon, cela jamais, et pourtant, une heure d'autocar l'amène sur le passage de la grande ligne du P-L-M. Comptez les gens de Poitiers ou d'Angoulême qui ne sont pas allés à Paris, et plusieurs fois, vous verrez la différence ! Non, le bourg provençal se suffit à lui-même.

Sa vie de relations est assez animée pour contenter ses habitants, qui n'éprouvent pas l'envie de changer d'horizons, malgré toutes les tentations que multiplient la facilité des transports, la pénétration du tourisme. Un tel particularisme est dû à de très anciens modes de vie qui résistent à vents et marées. Un tel amour de la petite patrie, assez exceptionnel à ce degré, réclame quelques explications.

A vrai dire, le foyer de la vie commune n'est pas, comme dans la France du Nord, le village, au sens où on entend ce mot en général. « Village » évoque tout de suite une prédominance de la vie rurale, une priorité des fonctions agricoles. Quand on traverse un village lorrain, tout rappelle l'importance exclusive des travaux des champs : le tas de fumier, les instruments aratoires, devant la porte de chaque maison.

Rien d'équivalent dans ce bourg provençal. Ce n'est pas un village. Aux yeux de l'observateur le moins averti, c'est une ville, une petite ville, quel que soit le nombre des habitants. Apparemment rien, ou presque, ne rappelle que tout ce monde vit de la terre. Les maisons sont à deux étages, bien propres, comme des asiles de petits rentiers ou de retraités. Les commerçants sont nombreux, et avec de vrais étalages, comme à la ville : les coiffeurs vendent des produits de beauté, sont un peu parfumeurs ; il y a des maisons de couture, les pharmaciens ont une devanture très savante ! Ce ne sont pas des apothicaires !

Entrez dans une épicerie d'un village du Nord : c'est une paysanne qui vous déballe son arsenal hétéroclite et mal présenté. Ici, c'est une dame qui vous reçoit et qui vous offre une marchandise bien conditionnée, avec un réel souci de la présentation. D'ailleurs, partout, au café, à l'auberge, chez le marchand de tabac, le réparateur de vélos, on respire une atmosphère assez déliée, de gens qui ont l'habitude de la clientèle. Oh ! rien d'américain, pas de grandes affaires ; mais pas non plus de petite boutique étriquée. Dans ces gros bourgs, on ne se croit pas au village : on est en ville, une ville en miniature, avec son quartier cossu, quelques maisons de grande apparence occupées par les vieilles familles du pays. Ici, les châtelains habitent « en ville ».

Ainsi le Midi méditerranéen ne connaît guère le village à physionomie rurale, mais la cité, à fonctions urbaines apparentes. C'est là le fait capital. L'atmosphère sociale qu'on respire, le goût des relations communes, de la vie en commun, viennent de très anciennes habitudes urbaines. Ici, on a toujours vécu dans le cadre de la cité. Depuis Rome, la Provence, une des premières colonies romaines, a profondément subi l'influence latine, comme l'Italie, avec laquelle elle présente tant de ressemblances, avec laquelle elle n'a cessé, au cours des temps, d'échanger gens, choses, idées.

La vie romaine est une vie urbaine. Partout où sont allés les Romains, ils ont commencé par construire un forum ! Leur activité politique, même sous l'Empire, se développait dans le cadre de la cité ! Les régions les plus romanisées sont celles où la cité a remplacé ou laissé dans l'ombre d'autres cadres politiques ou sociaux. C'est le cas de notre Midi, le cas aussi de l'Italie.

Dans le reste de l'Occident, l'organisation en cité n'a guère résisté aux troubles du haut Moyen Age. Les villes ont disparu ; elles furent remplacées par des domaines ou villas, par des châteaux. Une économie presque exclusivement rurale se développa, avec des échanges raréfiés ; la puissance publique se fractionna pour s'éparpiller dans chaque château, chez chaque justicier. La ville n'avait plus de raison d'être. Le nom seul de cité survécut, mais pour désigner le petit groupe de clercs qui entourait l'évêque : l'ancienne ville s'était réduite à la cathédrale et à ses dépendances !

Dans le Midi, cette évolution ne parvint jamais jusqu'à son terme : la ville ne disparut pas. Elle survécut aux transformations médiévales, comme elle triomphe de la centralisation moderne.

La puissance publique a bien été partagée entre les seigneurs. Ceux-ci ont pu asseoir leur puissance sur des fiefs hors les murs, à la campagne, dans le *contado*, dira-t-on en Italie, y construire des forteresses où, en cas de troubles, ils pourront se cantonner, mais, et c'est un fait très significatif, ils n'ont jamais cessé de résider à la ville, d'y jouer un rôle politique et social. *Dans le Midi, la féodalité a été urbaine.* Aussi les villes n'ont-elles pas péri : elles se sont adaptées aux nouveaux types de vie, moins rustiques qu'ailleurs. Telle était la force de la tradition urbaine, reçue de la colonisation romaine.

L'histoire de la France du Nord et de l'Ouest est une histoire de châteaux, de fiefs ruraux. Dans le Midi, c'est une histoire municipale : des guerres de rues plus que des chevauchées !

A l'intérieur de chaque ville, il y a une classe dominante politiquement et socialement : la noblesse, les coseigneurs, disait-on, à L'Isle-sur-la-Sorgue, délicieuse petite ville, enfouie sous les platanes, que baignent les eaux glacées de la fontaine de Vaucluse. Ces coseigneurs choisissaient dans leur rang les trois, puis les six consuls qui étaient les chefs de la commune. Comme en Italie, en cas de conflit trop aigu entre les groupes de la noblesse, on confiait le pouvoir à un seigneur étranger à la cité : un podestat.

Au XIIe siècle, lorsque les villes renaissent dans l'Europe du Nord, sans aucun rapport de parenté avec les anciennes cité gallo-romaines, ce sont des formations uniquement bourgeoises, constituées contre les nobles, ou tout au moins en dehors d'eux. Les chartes spécifient que les « milites », les nobles ou chevaliers, sont exclus de la commune.

Les villes récentes se révèlent comme des corps étrangers enkystés dans l'armature féodale, destinés à la faire éclater.

Dans le Midi au contraire, la ville qui prend aussi vers la même époque un nouvel essor ne s'oppose toujours pas à la féodalité puisque sa classe dirigeante est une caste féodale. Seulement, les grands négociants, les « prud'hommes », dont l'avènement est la grande révolution du siècle, obtiennent de partager le pouvoir avec la noblesse. Ici, le condominium noblesse-grande bourgeoisie gardera le pouvoir pendant presque tout l'Ancien Régime. Là, il devra réserver une place au quatrième état, celui des artisans d'industrie, même des paysans. A L'Isle-sur-la-Sorgue en 1778, les consuls étaient élus par trois « mains » : la noblesse formait la « première main », les « prud'hommes » la « seconde main », les artisans et paysans la troisième.

On voit qu'il a toujours existé dans ces bourgs une vie municipale (et non pas villageoise), avec des systèmes de suffrage souvent très complexes, afin de décourager les fraudes électorales — rien de comparable aux institutions sommaires et primitives des assemblées de paroisse, dans le Nord-Est.

Il s'était donc de tout temps perpétué, dans ces villes du Midi, une classe dirigeante. Je dis : une, parce que, quelles que soient les distinctions subtiles et mal respectées du droit, la démarcation a toujours été difficile entre les nobles et les grands bourgeois qui « vivaient noblement ».

Cette classe n'a jamais péri, elle a toujours réussi à se renouveler, et dans les petites cités méridionales, avec un peu d'attention, on retrouvera les différentes strates de noblesse et de bourgeoisie que le temps a déposées.

Il y aura d'abord les trois ou quatre grandes familles héritières de la très ancienne classe dirigeante. Ce sont des dames d'œuvres, quelques notaires, quelques riches propriétaires ou, simplement, quelques oisifs finissant de vivre au milieu des meubles et objets de musée qui se sont accumulés dans la demeure familiale. Quand on visite la ville, on vous la montre : « C'est la maison de Mlle de X... un vrai musée ! »

Ensuite, on trouvera la bourgeoisie artisanale du XVIIIe siècle, celle qui faisait tourner les moulins sur les eaux descendues de la montagne et tissait de beaux draps pour la consommation nationale, mais aussi pour le Levant. Le Levant n'est pas bien loin : il commence à Marseille. Tout cela est fini d'ailleurs et cette bourgeoisie ne fait plus guère marcher de métiers. L'industrie moderne exige une initiative, une promptitude, une activité toujours en éveil, une tension de l'esprit que ces familles ne peuvent plus donner : elles ont jadis amassé une petite fortune, bien placée en maisons à la ville, en mas à la campagne. Pourquoi chercher à l'accroître ? N'est-on pas heureux ainsi ? S'il fallait vivre ailleurs, à la grand-ville, à Avignon par exemple, sans doute faudrait-il se préoccuper d'accroître ses revenus. Mais il n'en est pas question. Personne ne songe à s'installer ailleurs que dans la petite cité où ses ancêtres ont vécu, où il fut élevé. On fait ses études secondaires — car on est cultivé — dans un collège religieux, parfois en Italie, où les frères des écoles chrétiennes, chassés de France, s'étaient installés près de la frontière. On ira, s'il le faut, compléter son instruction dans une ville universitaire, jusqu'à Montpellier, très loin... mais on n'y restera pas. On y vivra sans peine, sans nostalgie, parce qu'on est gai, et l'avenir est sans nuage, avec de joyeux camarades, parce qu'on est bon garçon, mais vite, aux vacances, on rentrera à Cavaillon, à L'Isle-sur-la-Sorgue, en attendant de s'y installer comme notaire ou comme huissier, comme médecin ou comme pharmacien, parce que, évidemment, il n'y a pas beaucoup de choix.

Imagine-t-on tout cela dans un gros village de la Beauce !

Au-dessous de cette bourgeoisie, d'origine industrielle, mais devenue rentière ou officière, suivant les traditions de l'Ancien Régime, on trouvera une classe plus directement en contact avec la terre : des paysans, si l'on veut, mais ces paysans ne sont pas des culs-terreux. On comprend cette expression — bien un peu littéraire ! — de prince-paysan quand on songe que ces cultivateurs sortent de ce milieu urbain façonné par une si vieille tradition.

Ici, ce n'est pas le paysan qui quitte la campagne pour aller à la ville. Au contraire, le paysan vient de la ville et reste en contact avec elle. Il y va jouer aux boules et discuter, car il y a toujours eu une vie politique locale, avec des clans et, en miniature, des guelfes et des gibelins, des noirs et des blancs. C'est un citadin détaché au service de la terre, dirait-on en forçant un peu les termes.

D'ailleurs, il ne viendrait pas de la ville que la ville viendrait à lui : la campagne, depuis le XVIe siècle, appartient en partie aux gens des villes, des grandes, mais aussi des petites, aux parlementaires d'Aix, aux armateurs de Marseille, mais aussi à cette bourgeoisie dont nous parlions à l'instant. Aujourd'hui encore, quel est le Marseillais ou le Toulonnais qui n'a pas quelque part son « cabanon » ? Et ces citadins s'intéressent à leurs terres : ils y descendent fréquemment pour jardiner eux-mêmes ou surveiller leur fermier.

Nulle part le paysan ne peut oublier la ville ; elle le presse de tous les côtés — mais une ville traditionnelle, bon enfant, vite touchée d'un cachet d'archaïsme : car si les générations ne s'usent pas ici, elles perdent vite leur âpreté de parvenues, pour prendre un air comme il faut, c'est-à-dire celui de gens qui ne gagnent pas trop d'argent trop vite.

Aussi ces paysans — dirions-nous mieux : ces jardiniers ? — sont-ils très évolués, assez raffinés, sans cette couche de rusticité qui caractérise leurs cousins de l'Ouest ou du Nord, même et surtout enrichis. Ce sont des commerçants autant que des cultivateurs, en général.

Leurs productions : aujourd'hui vins, fruits, légumes, primeurs, jadis huile d'olive, garance pour les « pantalons rouges » sont des productions commerciales, dépendant du marché national et même mondial, exigeant un conditionnement, des évacuations très étudiés. Ils sont au courant du cours des fruits à Londres, des transports par avion.

Sur eux, les productifs, repose toute la structure économique de ces délicieuses villes de Provence qui ont toujours l'air un peu endormi, l'été, sous le feu du soleil — ils sont hardis, entreprenants. Avec leurs bénéfices de maraîchers, ils montent des usines d'industries alimentaires. Et, tandis qu'achèvent de mourir les dernières industries textiles héritées du XVIIIe siècle, une nouvelle économie, jeune, bien vivante, se crée.

Mais qui sait si cette nouvelle couche ne suivra pas le sort de son aînée ? Si, à la seconde ou troisième génération, une fois satisfaits les derniers besoins que peut concevoir un citoyen de Cavaillon ou de L'Isle-sur-la-Sorgue, elle n'ira pas doucement se reposer, dans une belle maison, à la ville, acheter un commerce paisible pour son aîné, faire du second un fonctionnaire ? Ainsi se déposent peu à peu, dans les demeures de la ville, les alluvions sociales.

C'est partout ainsi, mais ailleurs, les plus anciennes, les plus faibles, disparaissent. Ici, au contraire, chaque classe sociale ne pousse jamais jusqu'au bout son avantage dans la lutte pour la vie, jamais assez pour éliminer les autres, à côté desquelles elle vient se ranger bien sagement, pour vivre en paix *in æternum*.

Cette modération, peut-être cette médiocrité, dans la poursuite des richesses dépend de la facilité avec laquelle est atteinte la limite supérieure des besoins, et ces besoins ne sont jamais très élevés parce que les gens vivent dans un espace restreint, où les occasions de dépense sont réduites, où les revenus se capitalisent vite, espace dont, à aucun prix, personne ne veut sortir. On reste sur place.

Une fois enrichies, les familles ne partent pas, elles se contentent de cesser de travailler et d'acquérir ou de créer une sinécure — qui est aussi un placement. D'où ce pullulement de fonds de commerce, d'offices de notaires, de petites fonctions libérales, d'où cette physionomie urbaine qui frappe dès le premier coup d'œil.

Économiquement, ce sont bien des villages, rien de plus. Mais, par suite des persistances tenaces des traditions urbaines, les habitants de ces villages sécrètent sans cesse des fonctions urbaines, délicieusement inutiles, qui les recouvrent d'un vernis citadin et les transforment en d'authentiques petites villes.

Régionalisme, région et littérature

La région n'est pas seulement une unité sociale ou économique, historique et politique : c'est aussi une circonscription littéraire. On a pu écrire une *Géographie des lettres françaises*.

Toute étude de localisation de l'activité littéraire doit répondre à deux problèmes, très distincts l'un de l'autre.

Il y a d'abord le régionalisme, c'est-à-dire un mouvement littéraire conscient, caractérisé par une inspiration issue du terroir. Dans ce sens, on parle couramment de littératures régionalistes. Mais il y a aussi, à côté de l'histoire du régionalisme, l'histoire de la vie littéraire d'une région, qu'on pourrait étendre d'ailleurs à l'ensemble de son activité intellectuelle. Une région capable de produire et de former des hommes de lettres, des poètes, des auteurs dramatiques, existe réellement, représente une société bien vivante et parvenue à son degré supérieur d'évolution. Si, pour une raison ou pour une autre, une région n'a pas réussi à constituer une élite originale et intellectuelle, elle n'est pas terminée, sa configuration manque d'une certaine précision.

Il convient d'insister sur ce point. On a trop tendance à mesurer la vitalité d'une région non pas à la densité de sa production, dans les hautes activités de l'esprit, mais au degré de rémanence des coutumes et des traditions primitives, témoins d'un passé lointain et archaïque. Or si de telles survivances ont pu se continuer jusqu'à nos jours, c'est que l'évolution naturelle a été suspendue, que le pays s'est isolé en vase clos. Ces sociétés se sont fossilisées, elles ont avorté. On ne peut les donner comme des types de régions vivantes : elles sont mort-nées.

Essayons d'abord de dessiner une schématique histoire du régionalisme. Nous verrons ensuite quelles peuvent être les conditions de la vie littéraire des régions.

Sans vouloir remonter trop haut, on peut toutefois faire remarquer que les variétés linguistiques ont, dans le vieux Moyen Age, accusé des différences régionales : les dialectes d'oïl et les dialectes d'oc. Pourtant, la carte des langues littéraires s'est assez tôt simplifiée, bien plus tôt que les langues parlées, qui, abâtardies, survivent aujourd'hui sous la forme de patois. Les premiers poètes ne sont pas des sédentaires, ce sont des mendiants, des pèlerins, des artisans en quête de travail, bref, des vagabonds. Ils constituent des facteurs d'unification du langage qui ont joué selon les tendances politiques du moment, tantôt en faveur de la langue d'oc, quand Poitiers était la grande capitale du Sud-Ouest, tantôt en faveur de la langue d'oïl, à l'époque de la formation de la puissance royale autour des pays de France. La littérature échappe vite ainsi à la préoccupation régionaliste, à la conscience du terroir. C'est un trait propre au Moyen Age que le lointain brassage de certaines catégories de population, nobles, clercs, marchands, à côté d'un cantonnement très particulier. Marc Bloch a fait remarquer qu'à cette époque on pouvait ignorer les lieux distants d'une centaine de kilomètres, mais que l'on connaissait Rome et Saint-Jacques-de-Compostelle [6]. Dans sa *Géographie des lettres françaises*, Auguste Dupouy cite un trait caractéristique : « A Orthez, en 1388, Froissart est l'hôte de Gaston Phébus, il nous dit que le comte faisait devant lui volontiers ses clercs chanter et déchanter, chansons, rondeaux et virelais. » En langue d'oïl ? Probablement, non, mais il demande aussi à Froissart de lui lire *Meliador*, qu'il fait écouter en grand silence, bien que rédigé en un picard mêlé de wallon. Et il en discute avec l'auteur, « non pas en son gascon, mais en bon et beau franchais » [7].

Ainsi la langue d'oc disparaîtra prématurément du sud-ouest du bassin d'Aquitaine, qui fut, au XVIᵉ siècle, son aire favorite, parce que ces pays étaient traversés par de grands itinéraires, comme celui de Saint-Jacques-de-Compostelle, parce qu'ils entretenaient d'étroites relations avec la Normandie et l'Anjou, sous les Plantagenêts. Au contraire, les dialectes persisteront dans des régions plus isolées quoique moins riches en termes littéraires.

Remarquons enfin que toute une catégorie sociale, et la plus cultivée, longtemps la seule instruite, la seule qui savait lire et écrire, était bilingue : les clercs écrivaient en latin. Les langues littéraires romanes se sont développées autour des écoles où se conservaient et s'écrivait le latin, au moins autant que le long des routes de pèlerinage. Dès son origine, notre littérature nationale s'est trouvée sous l'influence de traditions étrangères au terroir, de caractère universel.

Ainsi l'usage d'une langue morte comme langue de culture, l'ampleur et la fréquence des déplacements chez les classes instruites expliquent comment la littérature française, dès ses débuts, a rompu avec les traditions populaires et régionales, maintenues seulement dans le folklore rural. Tout de suite, notre littérature tend au classicisme, c'est-à-dire à l'universalité, libérée des contraintes de temps et de lieu.

Le terroir entre dans la littérature, et par la grande porte, au XVIᵉ siècle. La Renaissance humaniste, gréco-latine, fut aussi régionaliste. « La Boétie offre sa gloire à la Dordogne, du Bartas la sienne — en gascon — à la Baïse. On signe Magny Quercynois, Ronsard Vendômois, du Bellay Angevin. Ce sont des régionalistes avant la lettre [8]. » C'est remarquable aussi chez Rabelais, chez Montaigne, qui se réserve de faire appel au gascon quand le français lui fait défaut. Un poète de Chambéry, Marc de Buttet, dans son Apologie pour la Savoie, plaide, en bon français, il est vrai, la cause du patois local.

« Nous qui sommes Gascons, écrivait Montluc, en parlant de la vertu de prudence, en sommes mieux pourvu qu'aucune autre nation de France, ni peut-être de l'Europe. »

Cette curieuse poussée de régionalisme, dans une littérature si savante, si pédante même, soucieuse de reconstitution archéologique, se retrouve dans la vie politique. Les guerres de religion caractérisent en France une époque de cantonnement, de décentralisation, où le pouvoir de l'État s'est affaibli au profit des particularismes locaux. Il s'en est fallu de peu, au fond, que les pays protestants de l'Ouest ne se « cantonnent » en une République indépendante et fédérale, à l'instar des Pays-Bas. En Languedoc, les Montmorency se sont taillé une principauté héréditaire. Lesdiguières est seigneur en Dauphiné. La Bourgogne, ligueuse, menace de se séparer. Et ce mouvement de décentralisation ne s'arrête pas à de grandes aires provinciales. Il se fait sentir à l'échelle de la région, du pays, où le seigneur du cru retrouve une influence que ses prédécesseurs avaient négligée.

Ces phénomènes se relient à la grande transformation sociale du XVIᵉ siècle, dont on a déjà parlé. Une classe nouvelle, une noblesse nouvelle s'est formée, proche encore de ses origines bourgeoises. Or, à la suite des bouleversements économiques causés par l'avènement du grand commerce et du capitalisme, par la découverte des pays d'outre-mer et l'invasion de l'argent américain, la monnaie a perdu de son pouvoir d'achat, au profit des biens en nature, en particulier des fruits de la terre. Les classes rentières ne peuvent plus se contenter de revenus fixes en espèces. Elles reviennent à la terre avec des préoccupations de propriétaire rural qui veut tirer de ses biens un revenu à rendement croissant : ce souci capitaliste était inconnu du baron féodal, qui se contentait de percevoir ses droits seigneuriaux, fixés par la coutume. C'était un guerrier, il n'avait rien d'un campagnard et sa vie de château, de guerre, de tournois, ignorait le rythme des travaux rustiques. Au XVIᵉ siècle, au contraire, une noblesse de campagnards, de *gentlemenfarmers*, s'est créée. Ils arrondissent leur « réserve », c'est-à-dire le domaine qu'ils cultivent directement et qu'aux siècles précédents les seigneurs avaient souvent laissé aux paysans, à charge de cens. Ils résident sur leurs terres, comme Montaigne et Montluc après sa blessure. Ils écrivent d'après leur expérience d'exploitants, comme Olivier de Serres, dans son domaine du Pradel, en Velay, comme Noël du Fail avec ses *Propos rustiques*. Noël du Fail, ce parangon de gentilhomme campagnard, est conseiller au parlement de Rennes.

Ainsi le retour à la terre d'une noblesse de nouvelle souche n'est pas sans expliquer l'importance du terroir dans la littérature au XVIᵉ siècle.

Au contraire, le XVIIᵉ est caractérisé, à notre point de vue, par une éclipse de la conscience régionaliste dans la littérature. Celle-ci est encore sensible dans la première moitié du siècle, mais curieusement localisée, semble-t-il d'après l'étude d'Auguste Dupouy, à la Normandie. Saint-Amant est pleuré à sa mort comme « cet illustre et fameux Normand ».

Sarrasin chante :

> Le pays à pommiers des fidèles Normands.

Il écrit une ballade sur le pays de Caux :

> Je le dirai, disant pays en normand :
> Le pays de Caux est un pays de Cocagne.

Segrais se plaît à décrire la ville où il s'est retiré :

> Caen, qui par son assiette est commode et plaisante,
> Par son air toujours pur, sa demeure riante [etc.].

Mais cette source d'inspiration se tarit à mesure qu'on s'avance dans le siècle. On a l'impression que c'est une survivance de l'âge précédent. Désormais les campagnes, et même les villes de province, perdent leur importance. Elles deviennent ridicules.

Deux nobles campagnards, grands lecteurs de romans... Boileau « laisse la province admirer le Typhon », cette province qui envoie dans la capitale ses précieuses ridicules. Non pas que les hommes du Grand Siècle aient perdu le goût de la nature, mais il y a une véritable concentration intellectuelle autour de Paris, et surtout de la Cour. C'est la première fois que la France connaît une Cour somptueuse, à l'espagnole, comme les derniers Valois, surtout Henri III, s'y étaient essayé. Mais il serait trop simple de rendre Versailles et la centralisation louis-quatorzième les seuls responsables de cette disparition du régionalisme littéraire. Ou plutôt, ce sont deux effets de la même cause. Entre les deux premières moitiés du siècle s'est opérée une transformation profonde de l'esprit et des mœurs dont la vie de la Cour fut à la fois le moyen et la conséquence.

La clarté française, on peut le dire sans paradoxe, date à peu près de cette époque. Elle se répand dans un plus large public, alors qu'elle était jadis le monopole de quelques chefs-d'œuvre, comme *L'Institution de la religion chrétienne* de Calvin. Mais son public est encore limité, il se cherche, tout naturellement il se trouve à la Cour, fuyant certains milieux parisiens, héritiers du salon de Mme de Rambouillet, restés attachés à des traditions précieuses, plus subtiles et plus compliquées — ces milieux plus ou moins réfractaires, d'où sortiront par transitions insensibles les beaux esprits du XVIIIe siècle.

De même que le goût s'est épuré, les mœurs se sont affinées. On est devenu plus difficile sur le chapitre des convenances. On n'eût pas toléré à la Cour de Louis XIV des écarts fréquents à celle de Louis XIII. Mais ici encore le progrès n'est sensible que dans le cercle d'une élite assez restreinte, qui tend à se retrouver, à se fréquenter. Cette élite forme une société bien distincte de ce qui n'est pas elle, et le siège de cette société est la Cour.

Ainsi, la Cour est devenue, par une évolution des méthodes de penser et de vivre, plus encore que par centralisation politique, la seule source d'activité littéraire, éliminant les sources d'inspiration régionale.

La littérature française retrouve sa grande tradition qu'elle n'avait d'ailleurs jamais abandonnée, mais plus décantée. Plus que jamais cette littérature classique a une valeur internationale; grâce aux qualités de simplicité, de clarté, qu'elle vient d'acquérir, elle réussira la conquête de l'Europe cultivée, la conquête et l'éducation. Le français devient désormais une grande langue de civilisation, parlée et écrite dans toutes les capitales, bientôt jusqu'à Moscou. Il joue au XVIIIe siècle le rôle tenu au Moyen Age par le latin. On conçoit qu'une littérature européenne s'écarte de sources d'inspiration trop localisées. Elle tend à se faire comprendre des hommes les plus divers par leur naissance. Elle se réduit à un certain type d'humanité, l'homme classique. Elle refait ce que fit la Grèce du Ve siècle.

Cet état de choses va durer jusqu'au XIXe siècle, mais il est remarquable, en Histoire, qu'une valeur internationale ne parvienne pas à s'imposer définitivement. A peine a-t-elle atteint et dépassé une certaine limite que des facteurs de différenciation, jusqu'alors silencieux, apparaissent avec une force croissante.

Dès la fin du XVIIIᵉ siècle, Auguste Dupouy le fait remarquer, « au temps même où le cosmopolitisme se répand, apparaît l'aurore du régionalisme ». Les dialectes abandonnés se réveillent : Florian s'amuse à écrire en langue d'oc, l'abbé Faure à mettre en patois *L'Odyssée* et *L'Énéide*. Diderot n'hésite pas à rappeler ses origines de Langres. Restif de La Bretonne s'attache à décrire les mœurs des paysans bourguignons de son village natal.

Cette évolution des mœurs littéraires s'accompagne, comme il est naturel, d'une évolution parallèle de la société et des tendances politiques. Sous l'effet de l'enrichissement général, des progrès des transports, et par conséquent du développement des relations, sous l'effet d'une longue paix intérieure, la province, c'est-à-dire les villes sortent de leur torpeur et participent à la vie intellectuelle jusqu'alors confinée à Paris et à Versailles.

C'est l'époque où nos villes appliquent de vastes plans d'urbanisme, sous la direction de grands intendants : Tourny à Bordeaux, Blossac à Poitiers, où les évêques se révèlent d'excellents administrateurs, construisent des routes.

On tend à s'orienter vers des formes de *self-government* par des notables : les assemblées provinciales. Dès avant la Révolution, les vieilles communautés de villages sont réformées, dotées d'un statut plus moderne qui les achemine vers le régime municipal actuel. Cette poussée régionaliste, fédéraliste, dira-t-on sous la Révolution, s'affirme dans la Constitution de 1789, qui décentralise à l'extrême et instaure un véritable gouvernement local par les notables, gouvernement quasi indépendant du pouvoir central : c'est l'idéal rêvé par cette bourgeoisie, si développée au cours du siècle, qui a de fortes attaches provinciales et veut jouer un rôle. Cette bourgeoisie est une classe instruite. Dans chaque ville un peu importante, il y a une académie, des sociétés de lecture, on y reçoit les journaux de Paris, qui sont destinés surtout à cette clientèle provinciale. La France n'est plus réduite à sa capitale, comme elle en donne parfois l'impression au XVIIᵉ siècle, elle vit intensément partout, Nancy, Rennes, Bordeaux, Aix, Arras, etc.

Du point de vue littéraire, cette évolution sociale n'aurait sans doute créé qu'un climat favorable au régionalisme sans la révolution morale consommée dans l'émigration, fourrier du romantisme.

Les émigrés, avant leur exode, participaient évidemment au même climat moral que tous leurs contemporains : c'étaient des cosmopolites qu'intéressait l'homme selon la nature, et non pas l'homme de tel endroit bien particulier.

L'exil, le séjour sur la terre anglaise, loin de leur patrie, loin de la terre des pères, a fait surgir au fond de leur conscience des nostalgies jusqu'alors inconnues. Baldensperger, dans son livre sur l'histoire des idées dans l'émigration, fait remarquer qu'un terme nouveau bien significatif s'introduit alors dans la langue littéraire : « le mal du pays », la grande maladie des émigrés [9]. Ce n'est pas un sentiment général, métaphysique, c'est une nostalgie très particulière, très localisée. Dans son exil, l'émigré regrette d'abord sa petite patrie, le « beau pays de ma naissance », qu'il se plaît à décrire et à chanter dans de nombreuses complaintes, comme celles de Chateaubriand, la plus célèbre :

> Le cœur de l'homme aux lieux de sa naissance
> Est enchaîné par un charme secret

Et Mme de Genlis :

> Lieux chéris qui m'avez vu naître
> Vénérable, antique château
> Où le sort plaça mon berceau
> O séjour paisible et champêtre
> Pourquoi le destin rigoureux
> M'entraîne-t-il hélas, loin de vos bords heureux ?

Dans un des *Entretiens de Saint-Pétersbourg*, le chevalier se plaît à rappeler la vie quotidienne au manoir natal. Ainsi naît un courant d'inspiration que l'on peut suivre tout au long du XIXe siècle jusqu'à nos jours.

Depuis le *Milly ou la terre natale* de Lamartine jusqu'à *L'Étang de Berre* de Maurras : c'est la grande époque de la littérature régionaliste. Alors que le français perd son rôle européen et international, il se replie sur lui-même et se retrempe aux sources vives du terroir. Il est inutile d'insister plus longuement sur un phénomène contemporain et bien connu : il suffira d'en suggérer une explication et maintenant de l'illustrer d'un exemple.

Comme exemple, nous prendrons *Sylvie*, la nouvelle de Gérard de Nerval. Dans *Sylvie*, Nerval raconte en somme deux voyages qu'il a faits dans le Valois, ou plutôt dans le massif forestier (forêts de Chantilly, d'Ermenonville) qui sépare les plaines de France au sud de la plaine de Senlis et du Valois proprement dit au nord.

Cette forêt est une véritable zone d'isolement qui a longtemps intercepté, vers le nord, les influences envahissantes de Paris. A son premier voyage, le jeune citadin s'est retrempé avec délices dans le milieu archaïque, où vivaient encore les traditions de l'ancienne France, les rondes sous les grands arbres, les arbres des fées, le vieux folklore, les tirs à l'arc, les anciens métiers : les poteries, les fines broderies de l'artisan à domicile. Il retrouve tout ce qui lui manque à Paris, et que la littérature contemporaine avait déjà répandu : la saveur des mœurs antiques, des costumes régionaux. Sylvie, son amie d'enfance, qu'il a retrouvée au cours de ce premier voyage, symbolise cette nostalgie des temps passés, ce regret du terroir. Puis quelques années se passent avant que Nerval retourne au pays de Sylvie, mais quelles années ! Le rythme du progrès technique s'est précipité, les premiers chemins de fer ont fait leur apparition. L'industrie, le commerce se sont développés sous des formes nouvelles, plus concentrées. La pression de la grande ville se fait de plus en plus forte sur les régions périphériques, les arrache à leur isolement, les oblige à entrer dans sa sphère économique. Et le pays de Sylvie n'a pas échappé à cette rapide transformation. Quand Nerval y retourne, il ne reconnaît plus l'image délicate et archaïque qu'il s'en était faite. Ainsi une chambre où flottaient de délicieuses odeurs de vieux bois, de vieilles choses, lorsqu'on a grand ouvert portes et fenêtres.

Les coutumes ancestrales ont disparu. On ne brode plus à domicile de fins travaux, mais on travaille à la fabrique voisine qu'a installée un capitaliste parisien. Le paysan renonce à ses travaux rustiques pour prendre un petit commerce, pour gérer une boulangerie ; Sylvie est devenue une petite employée banale, standardisée. C'est au moment où les pays s'ouvrent aux influences du dehors et perdent leur archaïsme que les citadins se plaisent à évoquer le fantôme évaporé d'une vie patriarcale, repliée sur elle-même. Cette tendance s'accentuera au fur et à mesure que le progrès économique pénétrera les campagnes et chassera des survivances dues à un long isolement.

Trop souvent le régionalisme s'est exprimé comme le regret ou la recherche, la résurrection d'un archaïsme stérile, une fantaisie de touristes et de dilettantes.

Dans quelle mesure maintenant chaque région de France a-t-elle contribué à la production littéraire de la nation ?

La carte de la page 137 essaie de répondre et de donner une idée approximative et grossière de la densité littéraire des régions françaises. On a ombré de signes divers selon les époques les régions qui ont produit une quantité approximative d'hommes de lettres, en tenant moins compte de la naissance que de la formation. On s'est arrêté à 1815, soit au XIXe siècle, car à partir de cette date les résultats d'une tentative de localisation géographique sont faussés. Les écrivains pullulent par suite des progrès de l'instruction, de la diffusion des villes, de la concentration urbaine. Puis ces auteurs, illustres ou obscurs, venus d'un peu partout, tentent tous leur fortune à Paris. Dès lors, la carte se noircirait à l'excès, et certains blancs persisteraient avec une remarquable permanence. En même temps que les régions productrices se multiplieraient sans grande signification relative, une région traditionnelle, et la plus importante, disparaîtrait, du moins, comme entité originale : la région parisienne, désormais colonisée par les provinciaux. A part quelques responsabilités isolées, comme Baudelaire ou Mallarmé, il n'y a plus d'auteurs parisiens, mais des provinciaux de Paris.

A la lecture de cette carte, on sera confondu de l'inégalité de la répartition : de toutes petites taches dispersées, réduites, ramassées, sur un vaste fond désertique. Sans doute, certains parmi ces blancs se rempliront au XIXe siècle, mais pas complètement, et sans combler des lacunes qui semblent définitives. En somme, nos auteurs sont presque tous issus des mêmes régions. La France littéraire représente un très faible pourcentage de la France géographique.

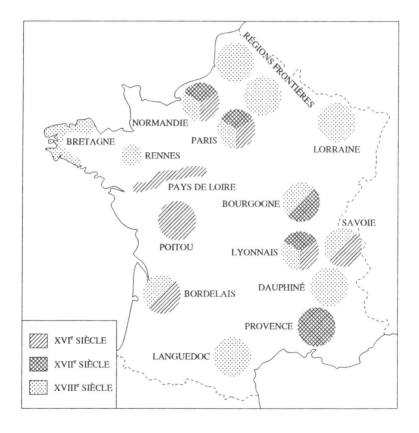

N.B. : La surface des secteurs grisés n'est pas proportionnelle à l'importance de la production littéraire de la région représentée. On s'est proposé seulement de suggérer une localisation.

D'une manière générale, la France littéraire est la France des grandes villes. Parmi les taches de densité, trois seules ont persisté du XVIe au XIXe siècle, et même en deçà et au-delà : la Normandie, la région parisienne, avec une frange qui marque la bordure occidentale de la Champagne, la région lyonnaise. C'est-à-dire les régions urbaines où les villes ont été les plus importantes et les plus constamment florissantes. Même au XVIIIe siècle, la Normandie garde son originalité et son recrutement, en face de la ville et de la Cour.

Sous les querelles du Grand Siècle, Anciens contre Modernes, Racine contre Pradon, Molière contre Corneille, La Bruyère contre Fontenelle [10], Auguste Dupouy a cru trouver une rivalité de Normands et de Parisiens.

Les trois régions que nous avons signalées correspondent à trois centres urbains : Rouen, Paris, Lyon. Rouen, l'une des capitales de l'empire anglo-angevin au Moyen Age, ville de grands armateurs, négociants, parlementaires. Paris, tête de la centralisation monarchique. Lyon, ville de capitaux et d'industries à la porte des couloirs qui conduisent à la Méditerranée par la Provence et surtout l'Italie.

Si les Lyonnais n'ont guère donné d'étoile de première grandeur, ils ont entretenu une vie littéraire active et ininterrompue, avec une tonalité constante, obscure et mystique, depuis Maurice Scève et Louise Labé jusqu'à Ampère et Ballanche. Joseph de Maistre n'est-il pas autant lyonnais par ses relations que savoyard par sa naissance ?

Quand la vie littéraire a été tardive, en Bretagne par exemple, où elle a commencé au XVIIIe siècle, époque d'une véritable pré-renaissance bretonne, d'où sortira le trio Chateaubriand, Lamennais, Renan, elle accompagne l'essor des villes nées du grand trafic maritime.

Alors, ne l'oublions pas, la France a été sur le même pied que l'Angleterre, une grande puissance maritime. Toute sa façade atlantique et méditerranéenne s'est intensément animée. A Saint-Malo naissent Duguay-Trouin, le corsaire, La Bourdonnais, le grand colonisateur, mais aussi Maupertuis, Gournay, Chateaubriand et Lamennais. Les deux pionniers de l'exotisme viennent de Saint-Malo et du Havre, Chateaubriand et Bernardin de Saint-Pierre.

Au XVIIIe siècle, des villes qui jusqu'alors avaient vécu d'une vie retirée s'animent ; elles ont leurs académies, dont on ambitionne les prix, leurs sociétés de lecture, où on lit les journaux parisiens, destinés à une clientèle provinciale : Arras, Nancy, Chambéry et la Savoie, Dijon, Grenoble. C'est pourquoi des taches nouvelles apparaissent sur la carte, non pas des villes nouvelles, mais des villes qui deviennent des centres intellectuels.

Pourtant il y a de grandes régions urbaines qui sont représentées par des blancs, comme la Flandre, l'Alsace, avec sa pépinière de cités prospères et sa riche capitale, Strasbourg. Le Sud-Est n'a participé à la littérature française qu'à une date très tardive, si on songe à son développement social, économique, à l'intensité de sa vie urbaine et de sa vie de relations, à ses rapports avec l'Italie. Alors que Dieppe, Le Havre et Saint-Malo, Bordeaux même ont tant produit, Marseille, l'une des plus grandes villes de l'Ancien Régime, est à peu près désertique ; elle s'inscrit au même rang que des coins isolés du Centre ou de l'Ouest. Les grands noms de la Provence apparaissent au XVIIe siècle, mais ce sont presque exclusivement des orateurs, tradition constante dans le Midi, des orateurs de la chaire : Fléchier, Massillon.

Malgré Bayonne, le Pays basque reste muet. De même la Flandre. Tous ces pays — alsacien, basque, flamand, pays de langue d'oc — sont bilingues, ou l'ont été longtemps. Si le bilinguisme n'a pas tari l'activité intellectuelle, scientifique ou technique, qui pourrait s'exercer en n'importe quelle langue, en latin par exemple, il a freiné l'essor de l'inspiration littéraire, celle qui dépend de la musique des mots.

Il a joué ce rôle de frein tant qu'il y a eu lutte entre les deux idiomes. Au contraire, il a pu jouer le rôle stimulant à partir du moment où il a cessé d'être un bilinguisme parlé pour devenir un bilinguisme écrit, en particulier pour la langue d'oc et aussi le celte de Bretagne bretonnante. On tendait à abandonner le parler populaire provençal lorsque est né le félibrige, forme atténuée de ce nationalisme linguistique qui caractérise l'Europe du XIXe siècle, de la Bohême à la Catalogne et à l'Irlande.

Les langues peuvent alors se développer parallèlement, sans se nuire, au contraire. Il est curieux de constater d'abord que le provençal est redevenu une langue littéraire quand il cessait d'être une langue parlée vulgairement, et que la Provence a participé en quantité et en qualité à la littérature française, à l'époque du félibrige.

Pourtant, il existe des régions urbaines qui, quoique à l'écart des régions bilingues, n'ont pas eu une activité littéraire proportionnelle à leur importance sociale : ainsi la Bourgogne malgré Bossuet, la Lorraine, qui doit attendre le mécénat brillant mais surimposé de Stanislas Leczinski, l'Artois, la Champagne. Ces régions pauvres sont des régions frontières, on s'y est constamment battu, en particulier au XVIIe siècle, depuis la guerre de Trente Ans jusqu'à la guerre de Succession d'Espagne, période troublée où le territoire fut souvent envahi.

Un sol trop souvent foulé par les troupes n'est pas un terroir fertile en poètes ! Si l'Artois, la Picardie, la Lorraine renaissent au XVIIIe siècle, c'est que la France a connu, de 1710 à 1792, une prodigieuse période de paix, durant laquelle le territoire est demeuré à l'abri de l'invasion, de l'occupation, de son cortège de malheurs.

Autour des centres urbains, foyers de l'activité littéraire, s'étendent sur notre carte de larges taches blanches, vastes déserts sans vocation. Le Massif central, l'Ouest, le Maine, la Vendée, les Alpes, sauf Grenoble et Chambéry, en kilomètres carrés, la plus grande partie de la France. C'est la France rurale et paysanne, surtout celle de l'Ouest et du Centre, aux familles dispersées dans la campagne, au bout des chemins creux, séparées par des haies, des fossés, à la vie plus rétrécie que dans les gros villages des campagnes du Nord, les bourgs-cités du Midi méditerranéen. En somme, la vie littéraire est fonction de la vie sociale, elle exige non pas l'isolement romantique, mais les relations nombreuses et diverses, les collèges ou universités, les salons où l'on cause. Il lui faut une atmosphère de discussion, de controverses, de concurrence, qui se trouve seulement là où sont réunies des humanités denses, où la division du travail permet qu'une classe puisse se décharger sur des manœuvres des soucis quotidiens de l'existence, pour se consacrer exclusivement aux jeux raffinés et inutiles de l'esprit.

Les intellectuels sont des improductifs, et les improductifs ne peuvent vivre que si d'autres travaillent pour eux. C'est pourquoi les campagnes sont si pauvres en ouvriers littéraires.

Pourtant certains pays ruraux ont connu une activité hors des grandes villes : pays de la Loire, du Bordelais et, à partir du XVIIIᵉ siècle, le Languedoc. Cependant, si l'on y regarde de plus près, ces campagnes n'ont pas été seulement des campagnes, des campagnes de paysans ou de nobles, différents socialement, mais égaux dans leur rusticité. Ce furent des pays tout pénétrés de vie urbaine ou courtisane.

La vallée de la Loire au XVIᵉ siècle est une pépinière de châteaux où des gentilshommes grands voyageurs, qui connaissent l'Italie, mènent une vie de cour, prolongement de la vie urbaine. De même en ce XVIᵉ siècle, et plus tard au XVIIIᵉ, dans le Sud-Ouest, avec Montluc et Montaigne, puis Montesquieu. En Bordelais, les châteaux, qui ont donné leurs noms à des crus fameux, sont des résidences de parlementaires. Si on y écrivait, on y lisait, on y recevait, et sur un grand pied. Quelle différence entre ces pays où les travaux ruraux s'arrêtent à la porte des parcs, à l'entour des châteaux, véritables hôtels transportés hors des villes, et d'autre part ces campagnes où le fumier pénètre dans la cour seigneuriale, distinguée seulement par son pigeonnier, et parfois par l'usage dans la construction de matériaux nobles, comme la pierre.

Les premiers sont déjà des banlieues urbaines, les autres demeurent fermés aux influences de la ville. Et la ville est un facteur de civilisation. Il ne faut pas se lasser de le redire, pour lutter contre un relent de romantisme, toujours latent dans les grandes civilisations urbaines, forcément urbaines, la Rome antique ou le Paris moderne. Toute reconstruction régionale se stériliserait si elle voulait éviter à la campagne la bienfaisante influence de la ville. Pour qu'une région vive, il faut qu'elle pense et qu'elle chante. Elle ne peut penser et chanter sans une élite, et cette élite exige, pour sa formation, une densité et une intensité d'humanité que seule la ville peut procurer.

Cette ville n'est certes pas possible sans un arrière-pays qui l'alimente constamment en hommes, en main-d'œuvre manuelle, intellectuelle et spirituelle. C'est la campagne qui fournit à la ville ses bourgeois, et ceci de tout temps. Mais la ville reçoit ses paysans, elle les transforme en deux ou trois générations. Ainsi se crée l'originalité de chaque ville, qui, à part certaines exceptions comme Marseille ou Paris, forme, avec son *contado*, un ensemble où la vie circule et s'échange. On ne devrait pas parler, dans ce cas, de villes ou de campagnes, mais de « complexes villes-campagnes », qui ont chacun leur visage particulier. Une région est complète, vivante, si seulement elle s'ordonne autour d'un organisme de ce type.

Les sociétés religieuses

Le sentiment religieux n'est pas le même chez un paysan breton, un campagnard du Nord ou du Massif central, un Alsacien.

Chez le Breton, c'est la préoccupation eschatologique qui domine. L'inquiétude de l'au-delà répand sur ses gestes, son comportement, ce caractère spécial, difficile à définir, que la littérature s'est complu à décrire.

Il a peur de ce que cache la mort, et il cherche à s'assurer contre ce terrible inconnu : il a le prêtre qui possède le pouvoir de lever la malédiction suspendue sur la vie future ; il a aussi beaucoup de recettes, moins orthodoxes, mais non moins efficaces.

Ailleurs, au contraire, dans d'autres populations catholiques et pratiquantes, cette inquiétude eschatologique est moins vive ; l'au-delà passe au second plan. Des soucis plus moraux, moins mystiques, l'emportent : la nécessité d'assurer une bonne éducation, de vivre dignement. La religion devient un prolongement, anobli sans doute, de la vie sociale, c'est presque une condition du bonheur ici-bas : souvenir des beaux temps de l'humanisme chrétien, avant que se fissent jour les prodromes du jansénisme.

Dans ce cas, le curé est moins redouté, mais plus aimé, il est moins sorcier, mais plus pasteur. Il agira avec moins de rigueur, mais avec plus de profondeur.

A côté de ces types de dévotion rurale, il y a les citadins. Ici, la pratique religieuse est une des manifestations du conformisme social, guère plus : la marque extérieure qu'on appartient à une certaine classe. Là, au contraire, la dévotion est active et rayonnante. Des petits groupes se créent, de véritables Églises, sociétés particulières, bien différenciées. Elles ont leurs réunions, leur activité, leur tempérament. De ces groupes partiront les missionnaires, les vocations qui évangéliseront les milieux proches, banlieues ouvrières, mais aussi campagnes indifférentes. Et, par un phénomène assez naturel, ces groupes seront d'autant plus vivants qu'ils seront isolés dans un milieu hostile.

Ainsi des émigrés dans un pays très étranger gardent plus longtemps la conscience de leur solidarité, de leur origine. Ainsi les minorités religieuses sont toujours en défense. Dans ces campagnes indifférentes que Le Bras appelle des «déserts d'infidélité [11]», les villes, ou plutôt les foyers actifs de ces villes, exercent une action suffisante pour éviter une désaffection totale, pour maintenir un niveau minimal de religion. Elles organisent des œuvres modestes, alimentent de rares vocations, mais suffisantes pour que subsiste une tradition. Sans elles, les églises rurales n'auraient plus qu'à fermer leurs portes, faute de fidèles et de pasteurs.

Au contraire, dans les pays dévots, les campagnes suffisent à alimenter œuvres et vocations. Le rôle de la ville s'avère moins nécessaire. Aussi fut-elle le premier bastion emporté par la libre pensée, au XIXe siècle ; l'Église était sûre de sa force et se reposait sur ses fidèles campagnes. Elle était moins combative, ou bien moins souple, moins prête à la manœuvre, moins accessible aux idées nouvelles.

D'ailleurs les bourgeoisies, conservatrices au point de vue social, sont rétives au conformisme intellectuel.

Elles réagissent contre cette lourde armature : collèges de jésuites, couvents du Sacré-Cœur, sociétés pieuses, qui régissent avec rigueur les esprits. Ailleurs, dans les pays infidèles, ce même souci de liberté amène les esprits indépendants à fréquenter les cercles catholiques, où, d'ailleurs, on se tient au courant, on cherche à paraître moderne, voire même à admettre d'excessives concessions aux tendances nouvelles. Je ne serais pas étonné si le sillonisme, la démocratie chrétienne étaient particulièrement actifs dans des zones de faible religiosité. De même, les Homais sont nombreux dans les petites villes de la très chrétienne Vendée.

Seulement, là aussi, comme dans tous les phénomènes historiques, les choses ne meurent jamais complètement, les évolutions ne se poursuivent jamais jusqu'à leur terme logique.

Des témoins sont restés, qui ont maintenu la foi : les femmes, qui, dans certaines bourgeoisies, ont été longtemps les seules à pratiquer. Curieux trait de mœurs, d'ailleurs, que cette persistance de l'éducation religieuse des filles dans des familles de médecins, d'avocats, de fonctionnaires voltairiens et anticléricaux. Mais, justement, ces bourgeoisies étaient bien des « sociétés », très particulières, avec leurs lois propres. Le jour où l'évolution sociale les a désagrégées, elles ont perdu leur tempérament religieux original.

De même que l'abbé Birotteau ne se comprend qu'à l'ombre des tours cathédrales, dans le petit monde qui s'y agite en vase clos, ces Homais de Bressuire ou de Cholet sont des produits du cru, les produits d'une bourgeoisie qui résidait, qui voyageait peu, qui avait tous ses intérêts, ses plaisirs et ses souffrances sur place, d'une bourgeoisie de médecins, d'avocats, de notaires, de professeurs, de fonctionnaires, mais de fonctionnaires à une époque où on les déplaçait peu, où la machine administrative n'avait pas atteint cette perfection un peu inhumaine mais nécessaire, inévitable, quand les classes d'avancement remplacent les circonscriptions géographiques.

Au contraire, lorsque les fils de ces médecins, de ces avocats, sont devenus des officiers, de grands fonctionnaires, quand ils sont allés à Paris, ou à la grande ville universitaire, quand ils ont vécu hors de cette société, loin de ses whists, de ses conversations, de ses préjugés, les traditions d'incroyance se sont atténuées. Les héritiers d'une lignée de médecins et de notaires voltairiens deviennent colonel, directeur d'un séminaire illustre, prennent le voile.

Inversement d'ailleurs, lorsque ce phénomène d'élargissement social se produit dans une bourgeoisie fidèle, la même rupture de tradition peut se produire, et les enfants de pieux confrères de Saint-Vincent-de-Paul se révèlent de grands universitaires sceptiques, des hommes d'affaires détachés, de hauts fonctionnaires en coquetterie avec les radicaux.

Seulement, si dans les petites villes anticléricales la foi s'est à nouveau rallumée, cela n'est pas dû seulement à une évolution sociale, mais aussi à la présence tenace de ces femmes qui n'avaient jamais cédé. Il est parfois de bon ton de railler l'éducation étriquée des couvents, pourtant, c'est à ces couvents, un peu ridicules, que sont dus les grands intellectuels catholiques d'aujourd'hui. La vie religieuse est aussi une vie sociale, avec ses groupes distincts, concrétionnés suivant leurs lois propres, livrant à l'observateur une impression toujours différente. Voyons comment ces sociétés se répartissent dans l'espace.

Il y a d'abord en France l'aire d'indifférence, c'est, sinon la plus vaste, du moins la plus centrale. Elle occupe depuis le XVIIIᵉ siècle, et sans doute avant (si l'on écarte des époques de prosélytisme intense comme la première moitié du XVIIᵉ siècle), une place considérable — si considérable qu'on se demande, en la constatant, si vraiment la France a jamais été, en moyenne, catholique. Ses vieux pays, les plus vivants et les plus historiques, la plus vieille France, sont-ils chrétiens ? La vie religieuse semble refoulée à la périphérie, aux frontières (avec une importante réserve, il est vrai, le plateau central). Partout ailleurs, ce sont les villes où s'est réfugiée la vie religieuse — comme en pays de mission ! Mais une vie religieuse intense et de rare qualité. Seulement les campagnes en profitent peu.

Depuis la bordure nord du bastion central, et le pénétrant profondément par les limagnes, jusqu'à la région du Nord, sur les plaines, s'étale une vaste aire d'observance raréfiée que Le Bras appelle *le royaume du conformisme saisonnier*, entendant par là que la population, les chrétiens saisonniers viennent à l'église seulement à certaines dates, aux grands « passages » de leur vie : naissance, mariage, décès.

Ce royaume s'étend sur la plupart des gros villages agglomérés — à l'exception d'une marge à l'est et au nord — et sur les régions à pénétration urbaine.

A l'intérieur des groupes nés de l'assolement triennal et des pratiques communautaires, la vie sociale est active et égalitaire. Les villageois, habitués à s'associer pour leurs travaux, se rencontrent souvent, s'observent, discutent.

Depuis longtemps la communauté des paroisses était une force avec laquelle le seigneur devait compter. Elle pouvait ester en justice, et ne s'en privait pas, au prix d'un lourd endettement. En dehors du seigneur, cette communauté s'était organisée selon une formule égalitaire : égalité entre les familles des paysans aisés, des « laboureurs ». Aussi, ni le prestige du seigneur, ni celui du curé ne réussirent-ils à s'imposer complètement, même sous l'Ancien Régime. La population est trop nombreuse, les maisons sont trop voisines, les occasions de se rencontrer et de discuter trop fréquentes pour que la critique ne gagne pas une place de choix. L'esprit critique naît beaucoup moins de la recherche d'une réflexion solitaire que du feu d'une conversation. Plus il y a d'interlocuteurs, plus ils sont hardis, moins ils respectent les tabous sociaux.

Ce n'est pas tant Descartes que les salons du XVIIIe siècle qui sont responsables de l'irréligion de l'époque. Les palabres villageois, si fréquents dans ces régions d'habitat aggloméré, sont un équivalent rural de ces salons. Ils ont leurs orateurs, à la langue facile, leurs beaux exprits : l'instituteur, le receveur buraliste. Aucune situation acquise, aucun prestige ne résiste à ces clubs permanents du village. On y est facilement anticlérical, sans excès, si le curé est un brave homme et s'accommode de la situation : on tient même à lui, parce que si l'on évite toute supériorité, toute apparence de contrainte, tout souvenir féodal, on n'aime pas le changement. D'une part, conservateurs, d'autre part, méfiants de toute supériorité, en particulier de celle du curé, comment ne voteraient-ils pas radical ?

Sans doute expriment-ils ainsi sous la IIIe République parlementaire un tempérament social, beaucoup plus ancien. On se défend mal de l'impression que c'est eux qui ont assuré le succès des fabliaux, des grosses farces dont curés et moines faisaient les frais.

Ce royaume du conformisme saisonnier se ramifie vers le sud, de chaque côté du Massif central, en deux couloirs, l'un qui suit le Rhône et la Saône, l'autre vers le sud-ouest.

Celui-ci s'élargit même en un vaste boulevard qui s'étale sur toute l'Aquitaine, jusqu'à la lisière des Pyrénées, jusqu'au Pays basque. Ce ne sont pourtant plus des sociétés vigoureuses où la vie en commun développe l'esprit critique, le persiflage. L'habitat dispersé n'a pourtant pas joué un rôle de conservation, comme dans le Nord-Ouest.

Mais ce sont des zones de brassage, où les gens ne restent guère, où ils s'enracinent moins vigoureusement qu'ailleurs. Ils arrivent de la périphérie, riche en hommes : Pyrénées, Vendée, Limousin, Auvergne, et se réduisent aussitôt, perdant leur fécondité, pour laisser la place à d'autres émigrants. De grandes routes les amènent dans ces pays de communications faciles. Pendant des siècles, les pèlerins, les voyageurs, les commerçants ont passé, avec leur escorte de valets et de commis. Des soldats aussi, démobilisés, en quête d'argent, de travail et d'aventure. Tous, gens sans feu ni lieu, vagabonds de naissance ou de vocation, détachés de toute croyance et de toute tradition, sans souci de l'au-delà, comme du passé. Ils passent, mais il leur arrive de s'arrêter pour boire dans les cabarets, plus fréquentés que les églises, pour vivre auprès d'une femme qui leur plaît, là où ils ont trouvé du travail, pour faire des affaires et déballer leurs marchandises, pour acheter aussi, car, à part des pays trop reculés, ces régions sont riches, et les voyageurs y déposent encore de la richesse, sur leur passage, comme des alluvions.

On y cultive des produits qui, à des époques où les denrées alimentaires circulaient peu, où chaque région essayait de se suffire à elle-même, entretenaient un commerce lointain : la vigne, puis le tabac. Le viticulteur devient rapidement un homme aisé, même si sa propriété est menue.

Son horizon est plus large que celui du paysan en général. Il ne produit pas seulement pour lui et pour acquitter ses rentes et impôts : le vin se vend, et se vend loin, jusqu'aux Antilles. Le viticulteur a affaire à des négociants. Son travail aussi est plus délicat que celui du paysan : c'est un art que la culture de la vigne. On dirait ainsi que la vie matérielle, le souci d'un présent satisfaisant refoule toute préoccupation de l'au-delà, tout souvenir aussi du passé : le présent est trop important, il accapare trop pour laisser une place à des sentiments moins concrets. Un viticulteur se soucie peu du diable et de l'enfer si son vin est bon et se vend bien.

En Mâconnais, 16 % des enfants ne sont pas baptisés, 25 % ne reçoivent pas d'éducation religieuse, 90 % de la population meurt sans sacrement, 2 % seulement des hommes pascalisent.

Chez ces viticulteurs, jouisseurs, moqueurs, aucune autorité sociale ne réussit à s'imposer. Le propriétaire est un grand bourgeois de la ville voisine : toute cette démocratie s'accorde pour le rouler. Le curé reste sans influence, son église est déserte. Dans les belles églises romanes des Charentes, il n'y a parfois guère plus de deux ou trois femmes à la messe, et le curé trouve difficilement ses enfants de chœur.

Siegfried a bien remarqué que, plus au nord, la limite du pommier et de la vigne sépare des pays fidèles et des pays indifférents, voire hostiles [12].

Enfin, ces régions sont largement ouvertes sur l'océan. Les bandes littorales ne sont pas en général des régions fidèles : en Bretagne, les côtes ne partagent pas la ferveur de l'intérieur. Elles dessinent une bande de tiédeur.

En Aquitaine, cette bande s'élargit démesurément ; c'est qu'il n'y a pas ici cette opposition entre la côte et l'intérieur. Les grands ports, Bordeaux, La Rochelle, n'ont pas été les seuls à profiter du grand essor maritime. Au XVIe et au XVIIe siècle, les campagnes aussi ont été pénétrées par l'influence du Nouveau Monde. Elles ont adopté des plantes exotiques, comme le maïs, plus tard le tabac, qui ont fait leur fortune. On y tissait pour les Antilles. Même aujourd'hui, où ces régions n'ont pas connu la fortune des grandes monocultures des plaines septentrionales, comme le blé et la betterave, la richesse est diffuse, les guichets de banque sont plus nombreux qu'on ne s'y attendrait dans des pays ruraux, de petites propriétés, de métayage et de polyculture archaïque. Il y a plus de vingt-cinq guichets en Charente-Inférieure et dans la Drôme. La vie est facile, beaucoup moins âpre en somme en Aquitaine que sur les bords de la Méditerranée, où manquent si souvent le sol et l'eau. On y faisait moins d'enfants autrefois, on en fait aussi peu maintenant.

Ainsi se dessine un paysage moral où les traditions sont peu rigoureuses, où l'au-delà préoccupe peu, où le présent accapare les esprits, afin de le vivre le plus agréablement possible. C'est une atmosphère peu mystique, très terre à terre ; on comprendra que, pour des raisons différentes de celles du Nord, la vie religieuse y soit si pauvre. Elle semble se ralentir même dans les minorités, comme les protestants de Saintonge, alors que les minorités sont toujours, par réaction, plus ferventes. Dans certains villages, on aperçoit la porte fermée d'un temple, quasi désaffecté. Les protestants ne sont pas assez prolifiques, dit-on. Mais certainement pas assez zélés. Telle est une situation ancienne déjà bien dessinée au XVIIIe siècle.

Autour de ce royaume du conformisme saisonnier et de ses glacis méridionaux s'étendent les marches de pleine observance. Elles dessinent, tout autour de la France, le long de ses frontières, une bande plus ou moins large, qui s'arrête seulement au droit du Languedoc, et entre Saintonge et Pyrénées : un vaste cercle, tout à fait fermé, qui entoure et surveille les plaines indifférentes. Le Bras a remarqué qu'au nord le contact était jalonné par les grandes cathédrales : Amiens, Rouen, Reims. Une autre aire de ferveur s'étend sur les plates-formes du Massif central. Ainsi, d'une part, à la périphérie, d'autre part, au centre montagneux.

Mais toutes ces chrétientés n'ont pas le même tempérament.

Il y a les chrétientés les mieux assises, celles du Nord-Ouest. On rapporte dans *La Semaine religieuse* de Paris qu'en 1942, à la suite d'une mission en Bretagne, sur une population de mille âmes, il y a eu plus de huit cents communions, hors du temps pascal : l'unanimité des personnes au-dessus de six ou sept ans !

D'ordinaire, on explique cet entraînement des foules à la dévotion par l'isolement de ces régions, à l'écart des grandes voies de communication, fermées aux influences maritimes, sans grandes villes et sans industries. C'est vrai, sans doute, en gros, mais cela n'explique pas le détail.

D'abord, les régions les plus reculées ne sont pas pour autant les plus soumises. Ainsi, la montagne d'Arrée. « On s'attend, dit Siegfried, à trouver dans ces montagnes lointaines, solitaires et sauvages, des populations arriérées, superstitieuses et craintives de tout ce qui est l'avenir. Voici qu'on rencontre des gens ouverts, toujours en mouvement, prêts à toutes les hardiesses, ayant depuis longtemps affirmé leur indépendance à l'égard du prêtre et s'inscrivant sans crainte et réticence dans les rangs de la démocratie la plus avancée. »

La Bretagne bretonnante n'est pas la plus chrétienne : « les dissidents sont nombreux, ardents, souvent majorité », remarque Le Bras.

D'autre part, s'il y a partout en Bretagne une préoccupation aiguë de l'au-delà, sensible dans son folklore, la religion est peut-être plus caractérisée par la soumission que par la ferveur — si on laisse de côté des manifestations plus superstitieuses que dévotes. Transporté loin de son pays, il est rare que le Breton conserve sa foi, tout au moins sa pratique, à l'origine si régulière. Lorsque ces populations si ferventes ont alimenté un prolétariat industriel, celui-ci se révèle rapidement émancipé, hostile au prêtre, proie facile pour le socialisme et ses formules avancées : ainsi la population de l'arsenal maritime de Brest. Des métamorphoses aussi brutales sont suggestives. On se demande si la pratique religieuse est tradition très ancienne, si ce n'est pas quelque chose, en somme, d'assez récent.

On s'expliquerait alors non seulement le prestige du clergé : celui du conquérant, et les limites de son pouvoir — loin des yeux, loin du cœur —, mais aussi le zèle de certaines populations, zèle de prosélytes. C'est le cas de la Vendée, on le sait. La Vendée a été, au début du XVIIIe siècle, littéralement évangélisée par le Bienheureux Grignion de Montfort, qui avait entrepris ses conversions comme en pays de mission. Son action fut assez profonde et efficace pour transformer le pays, le marquer pour longtemps de son empreinte ; c'est à l'influence du Bienheureux Grignion de Montfort qu'il faut remonter pour comprendre le soulèvement de l'Ouest, sous la Révolution. Il y avait d'autres campagnes royalistes. La conscription n'était pas limitée aux départements de l'Ouest. Les nobles ne témoignaient pas tout de suite d'une volonté de résistance : il fallut les chercher dans leurs manoirs et les placer de force à la tête des bandes paysannes. Et, pourtant, c'est là, autour de la Vendée, que s'organisa ce foyer antirévolutionnaire, capable de durer au moins jusqu'à 1830 ! Pourquoi ? Parce que la Vendée était un pays profondément catholique, ce qui n'était pas chose courante dans la France du XVIIIe siècle, déjà très détachée. Aujourd'hui encore, le Vendéen émigré dans le Sud-Ouest reste attaché à sa foi et à sa pratique ; il est plus fidèle que le Breton. Voilà une tradition qui remonte au Bienheureux Grignion de Montfort, et guère plus haut.

Il a dû y avoir ailleurs — mais c'est une hypothèse — des reconquêtes partielles du même style qui auraient transformé, évangélisé des pays certainement très déchristianisés à la suite de la guerre de Cent Ans et des guerres de Religion. Il n'en demeure pas moins vrai que ces traditions, quelle qu'ait été leur origine, ont été protégées par l'isolement du Nord-Ouest, par l'absence de grandes villes et surtout de grands centres industriels. Je n'ai pas l'impression que le catholicisme breton eût résisté à l'influence perturbatrice d'un prolétariat ouvrier.

Ce n'est pas le cas du Nord, au contraire.

Ici, dans cette chrétienté qui fait suite à celle de l'Ouest, le long de nos frontières, le problème est tout différent.

Il ne s'agit plus d'isolement, c'est une des régions les plus actives de France, et même de l'Europe, et depuis longtemps ! Là sont nées les premières villes, les premières industries ; le grand commerce de mer pénétrait par les ports de Bruges, puis d'Anvers ; on prit très tôt l'habitude de tirer du sol une production ininterrompue, en supprimant la jachère, un plus haut rendement, par l'introduction des cultures dérobées. Voici un pays de progrès, de découvertes, de monuments, situé sur ce grand boulevard d'invasion de l'Europe du Nord, où les armées se sont succédé, sans en arrêter la prospérité. Aujourd'hui, aux XIXe et XXe siècles, c'est peut-être la région de France la plus industrielle : mines de charbon, hauts-fourneaux, métallurgie de transformation, industries chimiques et électriques, textiles : un prolétariat ouvrier, un grand patronat capitaliste, un énorme complexe urbain, Lille, Roubaix, Tourcoing.

Et, pourtant, voici une région très catholique.

Moins que l'Ouest, en valeur absolue ; on n'y trouvera pas les mêmes proportions de pascalisants.

Beaucoup plus, si on tient compte que l'ennemi est au cœur de la place, avec la propagande socialiste, communiste, facilitée par la concentration industrielle. Qu'un pays exclusivement rural persiste dans l'intensité de sa foi, ce n'est pas, il est vrai, tout naturel, et demande une explication, mais qu'un pays si profondément pénétré par les influences modernes, par la grande industrie, conserve une vie religieuse, combative, c'est plus étonnant encore.

Sans doute, les forces de déchristianisation sont puissantes ; mais

Lille pourrait être tenue, sans trop de paradoxe, comme la capitale religieuse de la France. Son université catholique est plus puissante, plus complète que celle de Paris ; tous les enseignements y sont représentés, même la médecine. La bourgeoisie y est riche, puissante, mais elle est restée fidèle et pratiquante, plus sérieusement qu'ailleurs : ses familles sont prolifiques, on ne se plaint pas, comme ailleurs en France, de la pénurie des vocations. Celles-ci sont suffisamment nombreuses pour alimenter, outre les cures paroissiales, les ordres religieux, dominicains, jésuites, surtout jésuites. Les œuvres sociales, promues par le patronat, furent toujours actives.

De l'autre côté de la barrière sociale, le peuple a subi l'influence socialiste, anticléricale, surtout après la chute du boulangisme — car les ouvriers du Nord ont été boulangistes —, mais il a désappris le chemin de l'église moins qu'ailleurs. (C'est aussi le cas de certaines agglomérations de la bordure ouest du Massif central, comme l'a noté Jacques Valdour [13]). En gros, il y a des pratiquants plus ou moins tièdes et des ennemis, alors qu'à Paris il y a quelques ennemis, peu ou pas de pratiquants et une majorité écrasante d'indifférents.

On pourrait, dans le Nord, comme en un laboratoire, isoler de la masse ouvrière les adversaires irréductibles, les meneurs, la déchristianisation serait arrêtée, la situation inversée. Faites la même expérience à Paris, qu'elle ne changerait guère la composition des églises, aux jours d'office. De plus, c'est du Nord — et aussi de Lyon — que sont parties, de nos jours, les entreprises de reconquête catholique de la masse ouvrière : syndicats chrétiens, Jeunesse ouvrière catholique. Des petites minorités, mais ardentes. Dans les conflits sociaux, le clergé n'a pas été toujours, ni tout entier, du côté de la résistance. Le cardinal Liénart n'a pas été sans témoigner sa sympathie aux grévistes. Si ce fut heureux, ce n'est pas ici le lieu d'en juger, constatons seulement que l'Église ne se tient pas hors du débat. Elle intervient, elle a une clientèle qu'il lui faut conserver.

Or, remarquons-le, ce paradoxe que présente cette chrétienté en plein pays noir est très circonscrit dans l'espace. Il est limité aux Flandres ; la Flandre historique, ou plutôt ce morceau de Flandre que les guerres de Louis XIV ont réussi à intégrer au territoire national. Un morceau de choix, avec Lille, la capitale. Quittez la Flandre et le paysage religieux changera, en même temps que le paysage naturel. La Flandre française ou belge est un pays de bocage, avec ses haies, ses lignes d'arbres, ses maisons dispersées dans la verdure. Au côté de la Belgique, comme de la France, il est limité par des pays à campagnes, avec de gros villages agglomérés. Cet aspect spécifique du paysage, dans la France du Nord, indique une originalité du genre de vie : les gens n'ont pas vécu là comme ailleurs. Ils le savent et ne peuvent guère vivre ailleurs. Quand, pendant la guerre de 1914, on a transporté des ouvriers du Nord en Normandie pour travailler dans les usines de matériel de guerre, ils se sont ennuyés. Aucun ne s'est fixé : ils ont vite rejoint le pays du P'tit Quinquin. Leur tempérament religieux fait partie de cette individualité flamande.

Lorsque l'industrie minière, glissant le long des gisements houillers, a créé des entreprises hors du pays flamand, le prolétariat ouvrier qui s'y est concentré n'a pas présenté les mêmes caractères de persistance religieuse. On est bien là en pays païen.

Si, d'autre part, on quitte les Flandres au Sud, vers Cambrai et Valenciennes, réapparaissent, dans ces pays de campagne, les aspects révélateurs du « conformisme saisonnier », comme nous avons essayé de le dessiner plus haut. La vie religieuse y est tarie, tant à la campagne qu'à la ville.

On a donc affaire à une chrétienté bien localisée, une chrétienté flamande, plus active encore peut-être de l'autre côté de la frontière, en Belgique. Le sentiment religieux y fut si profond et si solide qu'il a pu résister, sans trop de dommages, à la formidable perturbation morale et sociale introduite par le machinisme et la grande industrie. Ceux-ci ont été ici aussi révolutionnaires que dans d'autres régions. Mais là, il n'existait pas de tradition religieuse aussi tenace.

On saisit alors ce que je crois la vérité : au fond, la France n'est pas très chrétienne. Jadis, elle l'était surtout à la surface. Les campagnes elles-mêmes pratiquaient peu. Quand les ruraux sont arrivés à la ville, à l'usine, ils étaient déjà aux trois quarts détachés : il n'y eut guère de luttes.

Au contraire, dans le Nord. La résistance put s'y maintenir, parce que, dans ce pays très prolifique, la main-d'œuvre s'est recrutée localement, souvent sans rompre toute attache avec la terre. Dans certaines entreprises, on réduit, l'été, le nombre des heures de travail pour permettre aux ouvriers de vaquer aux travaux des champs. Le cas n'est plus le même dans les mines, à l'ouest, où il fallut faire appel à une main-d'œuvre extérieure, étrangère même, sans racines dans le pays.

Cette résistance fut aussi aidée par la structure sociale du patronat. Le capital est resté entre les mains des familles du pays, et n'est pas en général devenu complètement anonyme. Derrière la fiction des sociétés anonymes, il y a des associations consanguines, plus que des groupes financiers. Et cette grande bourgeoisie industrielle ou commerciale est restée très catholique. C'est une clientèle de choix pour les collèges de jésuites : on la trouve jusqu'à Saint-Louis-de-Gonzague, à Paris, jusqu'à Saint-Joseph, à Reims, forteresse avancée au sein des pays de vignobles. On trouve rarement des bourgeoisies aussi évoluées restées si fidèles.

Elles ont fortement subi l'influence belge : beaucoup de familles cousinent de l'autre côté de la frontière. La chrétienté du Nord est une avancée en territoire français de la chrétienté flamande.

C'est aux frontières de France que circule la vie religieuse, chez des peuples ouverts à d'autres influences : en Alsace, compartiment de ce couloir rhénan qu'on a appelé « la rue aux prêtres », en Pays basque, où le contraste est si fort, lorsque, venant d'Aquitaine aux églises désertes, on arrive un dimanche dans une chapelle aux tribunes garnies d'hommes.

Si la France a mérité son titre de fille aînée de l'Église, c'est surtout grâce à ses élites, plus qu'à sa masse. Et ce fait reste encore marqué sur la carte religieuse de la France.

Centralisation et arrondissement

La centralisation administrative est, quoi qu'on dise souvent, un phénomène récent. Les uns tentent de la justifier en la rattachant à l'absolutisme de Louis XIV, les autres s'efforcent de l'accabler sous une origine jacobine et césarienne. En fait, la cause est ailleurs et très proche de nous, si proche qu'elle n'a pas eu le temps de porter tous ses effets, puisque aujourd'hui déjà une réaction se dessine, où on prévoit des gouvernements provinciaux.

Au début du XIXᵉ siècle, sous le premier Empire et sous les monarchies censitaires, la France était soumise à un régime très décentralisé, elle était en fait gouvernée, ou administrée, par des notables, pour la plupart grands propriétaires ruraux. Cette situation était l'aboutissement d'une évolution commencée dans la seconde moitié du XVIIIᵉ siècle. A cette époque, le royaume se trouvait devant le dilemme suivant : transformer la monarchie de Louis XIV autoritaire et traditionnelle, mais sans moyens d'exécution, sans fonctionnaires, ou bien en une monarchie administrative, ou bien en un gouvernement de notables locaux, en un régime de *self-government*. La première formule, celle du despotisme éclairé, a été adoptée par la Prusse, l'Autriche de Joseph II, l'Espagne, etc. La seconde, celle de *self-government*, par l'Angleterre, avec ses squires, ses lords-lieutenants, ses juges de paix, tous nobles et grands propriétaires ruraux.

Dans le premier cas, on s'orientait vers un régime moderne de fonctionnaires, d'administrations bureaucratiques. Dans le second cas, on se contentait d'administrer le moins possible, en utilisant le prestige social des classes possédantes et d'une noblesse très ouverte, en consolidant aussi ce prestige par les fonctions politiques qui y demeuraient attachées.

C'est parce que l'Angleterre a été un pays de *self-government* qu'elle a tant tardé à s'engager dans la voie du fonctionnarisme bureaucratique.

Un autre grand pays européen a longtemps oscillé entre ces deux solutions : la Russie à tendance bureaucratique avec Nicolas II, s'essayant ensuite à un gouvernement de notables, par le moyen d'assemblées locales, les *Zemstvo*.

La France au XVIIIᵉ siècle n'a pas su choisir nettement. Elle a hésité, essayé de l'une et de l'autre formules sans se décider. Avec Maupeou, elle tendait vers un régime de despotisme éclairé, sous le règne de Louis XVI, au contraire, elle s'engageait vers un régime à l'anglaise, un régime de *self-government* régional. Parce qu'elle ne s'est pas décidée, elle a dû subir les secousses d'une révolution afin de retrouver son équilibre.

En 1789, les tendances décentralisatrices paraissent l'emporter, fruit d'une évolution dont nous avons déjà marqué un aspect lorsque nous avons dessiné l'histoire du régionalisme littéraire. La Constitution de 1791 transformait les départements en de véritables petits États souverains qui se gouvernaient eux-mêmes. Le pouvoir central n'avait presque aucun moyen d'action pratique pour leur imposer l'obéissance à ses décisions.

La Terreur, l'usage et l'abus de la « force coactive » des comités de la Convention suspendirent ces privilèges locaux, flétris sous l'épithète de fédéralisme. La Révolution apparaît alors comme le triomphe d'une centralisation énergique, de « salut public ». Mais, pour être comprimées, les aspirations vers une plus grande liberté provinciale n'ont pas disparu. Elles reparaissent sans cesse à chaque période d'accalmie. Napoléon Iᵉʳ leur donna plus de satisfaction qu'on ne croit en général, par l'institution des conseils de notables qui assistaient préfets et sous-préfets.

En fait, pendant toute la première moitié du XIXᵉ siècle, les deux cellules essentielles, la commune et l'arrondissement, étaient dirigées par deux notables, choisis parmi les familles les mieux connues de la région : le maire et le sous-préfet. Le maire est resté aujourd'hui ce qu'il était autrefois. Par contre, depuis, le sous-préfet a été assimilé par l'administration. Il est devenu un fonctionnaire, son grade une étape dans la hiérarchie administrative, qu'il faut traverser avant d'accéder à des postes supérieurs, mais où on ne s'arrête pas ; quelque chose comme sous-lieutenant dans l'armée.

Nous sommes tellement habitués à ce rôle administratif du sous-préfet que nous avons peine à imaginer qu'il n'a pas toujours existé. Et pourtant, le chef de l'arrondissement était, à l'origine, un notable semblable au maire. Imaginez alors quelle serait notre machine administrative si la hiérarchie des fonctionnaires s'arrêtait au sous-préfet ! Comment les consignes du pouvoir central pourraient-elles circuler dans tout le pays sans subir des déviations ? Ce n'est pas en effet le préfet qui exécute réellement, c'est le sous-préfet.

Si cet agent d'exécution est un homme puissant, dont l'autorité découle non pas de la délégation du pouvoir public qu'il a reçue et qui peut lui être enlevée, mais de sa fortune, de ses parents, de son château, de ses forêts, de ses champs, ses vignes, voire de sa fabrique, bref, si sa situation sociale ne dépend pas de sa fonction, comment peut-il déférer aux ordres reçus avec la passivité et la fidélité nécessaires ? Il interprète, il accélère ou ralentit l'exécution. Il ne craint guère une destitution, elle ne l'atteindra pas dans ses intérêts les plus importants.

L'autorité du préfet se trouvait alors paralysée, par rapport à celle du même fonctionnaire au XXᵉ siècle. Ainsi le pouvoir réel, celui qui règle en dernier ressort les conditions des hommes, celui que tous les citoyens rencontrent dans le détail de la vie, ce pouvoir appartenait à des notables du cru. La France connut alors un régime vraiment décentralisé, et qui n'est peut-être pas pour rien dans la prospérité de l'époque.

Ce régime fut, bien entendu, discuté. Il rencontra des partisans et des adversaires. De Bonald à La Tour du Pin, ses partisans touchaient en général à ce monde de grands propriétaires ruraux qui freinèrent longtemps l'industrialisation du pays. Qu'on se rappelle la critique de la notion de capital chez La Tour du Pin. Le capitalisme commercial ou industriel ne trouve guère grâce à ses yeux. Est seule légitime la grande propriété rurale quasi féodale, avec ses charges sociales, mais aussi ses droits et son pouvoir de patronage. La petite bourgeoisie des villes, celle qui ne possédait guère de terres, ou plutôt qui venait de les acheter après avoir fait fortune, dans le commerce ou la chicane, la bourgeoisie besogneuse et intellectuelle, les médecins, les avocats, attaquaient violemment cette autorité des notables dans leurs campagnes. Contre les notables, ils firent les révolutions de 1830 et 1848. Contre eux, ils firent le 16 Mai. On a déjà vu qu'ils ne réussirent pas partout, et qu'encore maintenant, dans l'Ouest intérieur, vendéen, angevin, manceau, le grand propriétaire reste le maître, qui tient ses tenants dans sa « sujétion ».

Cependant, ni les controverses de doctrine, ni les différences de classe n'auraient suffi à briser le solide pouvoir des oligarchies régionales. En effet, les partisans de la décentralisation se rencontraient dans tous les partis : les uns se réclamaient des États et communautés de l'ancienne France, c'étaient certains ultras, les autres invoquaient la Constitution de 1791, c'étaient les libéraux.

Au contraire, les apôtres de la centralisation se rattachaient ou bien à la tradition autoritaire de la monarchie des grands commis et des intendants, comme certains inspirateurs des ordonnances de juillet 1830, ou bien, au contraire, à la dictature jacobine et impériale, comme les premiers républicains, comme les bonapartistes, ancêtres des opportunistes, et des radicaux.

Cette distinction entre partisans ou adversaires de la centralisation, nécessaire pour la clarté de l'exposé, est en réalité artificielle. Il n'y avait pas de partis pour et de partis contre. Dans l'atmosphère raréfiée des parlements élus au suffrage restreint, cette question pourtant capitale, et sous-jacente dans toutes discussions, ne passionnait pas les débats.

On n'osait pas attaquer directement une structure sociale dont on ambitionnait le profit. Chacun, à cette époque d'enrichissement, espérait un peu jouir d'une parcelle de ce pouvoir. Et puis, dans ce monde d'orateurs cultivés, encore nourris d'humanités classiques, ces questions ne paraissaient pas assez nobles : on parlait des privilèges du Parlement, des droits de la Couronne, des grands problèmes de politique extérieure.

Depuis les philosophes du XVIIIe, comme Montesquieu, l'attention se portait surtout sur l'organisation de l'État par en haut. L'organisation par en bas intéressait beaucoup moins. Même ceux qui en profitaient n'y réfléchissaient pas.

En réalité, les partis changeaient d'idées sur la centralisation selon qu'ils passaient du pouvoir à l'opposition et inversement. C'est là le fait essentiel : quelles que soient leurs opinions, les partis au pouvoir favorisaient la centralisation, les partis exclus du pouvoir réclamaient la décentralisation. Il ne faut pas chercher de cause idéologique à cet état de fait, la raison est ailleurs, elle est dans le mécanisme du régime parlementaire.

De 1815 à 1940, la France a vécu sous des régimes d'opinion, à suffrage large ou restreint, parlementaires ou plébiscitaires. Pendant cent vingt-cinq ans, la consultation populaire est demeurée l'élément essentiel de la vie politique. Un parti ne restait au pouvoir que s'il réussissait les élections. Se rendre maître des élections, telle était sa seule possibilité de survivre. Or, en France, il n'existait pas pendant longtemps de grands partis organisés, comme en Angleterre les conservateurs et les travaillistes. La tendance a toujours joué vers une multiplication des partis. Le groupe au pouvoir ne pouvait pas compter exclusivement sur les agents de son parti. Trop jeune, ou pas assez répandu dans l'espace, il n'était pas assez puissant pour pénétrer partout. Dans ce cas, comment le gouvernement pouvait-il agir sur les notables ?

C'étaient des personnalités trop dispersées à travers le pays pour qu'on puisse les atteindre toutes sans le secours d'un grand parti, organisé à l'anglaise comme une fédération de notables. De plus, ces personnalités étaient trop indépendantes par leur situation sociale, trop riches, trop bien assises en prés carrés pour redouter la mauvaise humeur des ministres.

Il n'y avait pas moyen de les utiliser comme agents d'élection, comme instruments de pression sur les électeurs. Et pourtant, à cause de leur situation sociale et des fonctions publiques de maires, de sous-préfets qui s'y attachaient, c'est elles qui décidaient du sort des scrutins. Leur pouvoir se serait trouvé encore beaucoup plus grand si le droit de vote avait été moins restreint ; c'est pourquoi certains conservateurs, particulièrement perspicaces, réclamaient le suffrage universel.

Il fallait au gouvernement un moyen d'action électoral. Ce besoin devint bien plus aigu lors du suffrage universel, où il fallait, pour réussir, manipuler un grand nombre de voix. Or le parti au pouvoir disposait d'un admirable instrument de centralisation, encore mal utilisé, le préfet.

Parce que le préfet a été créée par la Constitution de l'an VIII, parce que Bonaparte a posé les éléments juridiques d'une forte administration, on a tendance à le rendre responsable, par définition, d'une centralisation en réalité beaucoup plus tardive. On présente le préfet comme le successeur de l'intendant ; mais qu'on y réfléchisse.

Si l'intendant, par ses pouvoirs de « commissaire départi », semblait tout désigné pour devenir un agent de centralisation administrative, il ne l'a pas été et, à la fin de l'Ancien Régime, il était devenu une sorte de gouverneur, représentant au moins autant la région que le pouvoir central. Le préfet de l'Empire n'avait pas de pouvoirs beaucoup plus grands que l'intendant, au contraire. Il n'était pas plus fatalement que lui voué à devenir un instrument de centralisation. Dans d'autres circonstances, il eût pu aussi bien se révéler l'homme du pays, s'assimiler aux notables, ou bien être le dernier terme d'une série administrative, plutôt qu'agent de transmission et de contrôle qu'agent d'exécution directe.

Il fut engagé dans la voie, où il réussit si bien qu'on a pu croire à une vocation, par les nécessités chroniques des manipulations électorales. Le gouvernement avait besoin, pour rester au pouvoir, qu'il fût puissant — d'où la nécessité d'accroître son autorité réglementaire et son aire d'intervention —, qu'il fût soumis — d'où la nécessité de le plier à une stricte discipline administrative.

On s'explique alors pourquoi les partis au pouvoir, quelles que soient leurs tendances doctrinales, exigeaient le maintien de la centralisation administrative ; la Restauration a gardé les préfets de Napoléon, elle n'a pas esquissé de retour aux États provinciaux, aux chambres corporatives, auxquelles pourtant Napoléon avait pensé et qu'il avait réalisées dans le royaume d'Italie.

Dans l'opposition, au contraire, ces mêmes partis revendiquaient instinctivement un desserrement du corset administratif, qui leur permît de résister avec efficacité aux candidatures officielles. On comprend ainsi pourquoi les régimes parlementaires ou plébiscitaires furent impuissants à décentraliser, malgré les désirs parfois exprimés par quelques-uns de leurs politiciens, mais avant leur accès au pouvoir.

A peine parvenus au gouvernement, ils oubliaient leur profession de foi et donnaient un nouveau tour de vis à la machine administrative, parce qu'il fallait bien durer. Le cas le plus typique, à ce sujet, est celui de Paul-Boncour, qui écrivit, dans son jeune temps, une brochure sur la nécessité de la décentralisation avec la collaboration de Charles Maurras. On n'a pas su que, par la suite, il ait profité de sa situation d'homme d'État, introduit dans les conseils de gouvernement, pour faire appliquer une politique régionaliste.

Ainsi, le vrai responsable de la centralisation administrative, ce ne sont pas les préfets, c'est l'élection.

Et, pourtant, cette centralisation administrative a beaucoup moins pénétré et transformé la réalité que le laisserait croire la solidité de son armature.

Qu'est-ce, en effet, que la centralisation ? C'est la substitution des fonctionnaires aux notables dans la direction des affaires du pays. Or cette substitution n'a pas été entièrement consommée, même sous la République opportuniste et radicale. Il y a toujours eu des notables, seulement ce ne sont plus les mêmes.

Le phénomène capital, sans lequel l'histoire de la IIIe République demeure incompréhensible, c'est moins l'extension de l'influence administrative que la substitution d'une classe de notables à une autre classe de notables.

Cette substitution s'est faite tout au long du premier entre-deux-guerres : elle était achevée en 1914, mais juste, et encore pas partout ; le Nord-Ouest est resté à l'écart de cette évolution et reste aujourd'hui tel qu'il était il y a un siècle.

Prenons un exemple de substitution. Il existait à Mussidan, en Dordogne, à la fin du XIXe siècle, une Société d'encouragement à l'agriculture, on l'appelait, dans le pays, le comice.

C'était le rassemblement des notables première manière, assez puissants parce qu'ils distribuaient des subventions, et surtout demeuraient en contact étroit et permanent avec le monde des agriculteurs. C'était le rempart de la conversation sociale, de la « réaction », mais d'une réaction plus ou moins acceptée, parce qu'elle ne s'affirmait pas sur le plan politique.

En 1902, le président du comice, le docteur de Labrousse, meurt. L'occasion était guettée par les nouveaux notables qui s'étaient déjà installés au conseil général, des « blocards », comme on disait alors. Un conseiller général posa sa candidature à la présidence du comice. Il fut battu et le candidat réactionnaire élu à une forte majorité. En guise de riposte, les républicains fondèrent un second comice, qui reçut les subventions officielles, au détriment du premier. Celui-ci put encore survivre grâce à la générosité de son riche président. Mais la situation devait n'avoir qu'un temps. Il disparut.

Voilà comment une société locale a succédé à une autre. Il y a eu sans doute pression politique, venue d'en haut, grâce à l'appui financier de l'État. Mais il y a eu aussi autre chose : une clientèle locale de petites gens, peu à peu enrichis, qui se sont emparés de l'autorité sociale dans le pays. On les voit déjà dans certains romans de Balzac, *La Rabouilleuse, Les Paysans*. Ceux-là sont les ancêtres des comitards radicaux, maîtres de la commune et de l'arrondissement, ces cadres essentiels de la vie française. Ils ont usé, pour leur ascension et leur enracinement, des avantages que leur procurait l'état parlementaire, hostile à l'ancienne aristocratie, après le 16 Mai. Réciproquement, ils ont formé ce régime selon leurs goûts et lui ont donné un aspect étroitement local, ils en ont fait une république de clocher.

Ce sont eux qui ont imposé à la France son système électoral. Au scrutin de liste, qui ne distinguait pas à l'intérieur du département, ils ont fait préférer le scrutin d'arrondissement, plus adapté à leur horizon habituel.

L'arrondissement, l'ancien bailliage, le vieux pays, c'est la cellule élémentaire, après la paroisse ou commune, c'est une unité très ancienne et très vivante, formée par l'Histoire. Nos nouveaux notables se sont organisés dans le cadre de l'arrondissement.

Alors que la Constitution reconnaît dans le député le mandataire de la nation, en fait, dans la réalité historique, le député est l'intermédiaire entre le groupe de notables qui l'ont fait élire et l'État, souvent l'État-providence. Il est à la fois le fondé de pouvoir et l'agent commissionnaire de l'arrondissement.

Chacun a son député, dit Maurras : « Son député pour présenter une réclamation à l'autorité militaire. Son député pour faire une demande aux finances, son député pour obtenir ceci, pour empêcher cela, à la chancellerie. Son député, vous dis-je, mais précisons, le sien. »

Ainsi, la région, chassée de la vie politique par la centralisation administrative née des nécessités électorales, y rentrait par la petite porte, avec l'arrondissement.

Finalement, la situation tendait à se renverser, et l'administration elle-même, préfets ou sous-préfets, faisait petite figure en face de cette coalition de notables, petits fonctionnaires, receveurs de l'enregistrement, agents de la perception, commerçants aisés, mais pas encore sortis du cadre local, tous bien retranchés dans la loge franc-maçonne.

A plusieurs reprises, cette organisation de l'arrondissement manifesta sa force dans la vie politique française.

Chaque fois qu'écœurés par les scandales parlementaires les hommes d'État réformateurs ont tenté de mettre une fin à ces marchandages de boutique que sont les élections au scrutin d'arrondissement, et ont essayé de leur substituer le vote uninominal, la représentation proportionnelle, ils se sont heurtés à une résistance massive, souvent implicite, peu exprimée, une force d'inertie insurmontable.

Pris un à un, en tant qu'hommes, les députés se seraient peut-être laissé convaincre des avantages de la proportionnelle, dans l'intérêt général, mais, derrrière eux, pesant d'un poids écrasant sur leur pensée et sur leur décision, il y avait l'armée bien organisée des comités d'arrondissement ou de canton, l'armée des notables dont l'influence était toute-puissante sur l'électeur. Si la Chambre menaçait de se laisser convaincre, c'est le Sénat qui prenait les devants pour défendre le scrutin d'arrondissement.

On s'aperçoit mieux, aujourd'hui, après l'écroulement de la IIIᵉ République, en 1940, de l'importance de cette politique de l'arrondissement. La défaite a entraîné avec elle le régime parlementaire. Tout est tombé. Mais l'administration est restée, et elle a continué à fonctionner, c'est grâce à elle que le pays a pu manger, voyager, écrire et recevoir des lettres, toucher ses pensions et payer ses impôts. Cependant, entre l'administré et l'administrateur il n'y avait plus rien, plus d'intermédiaire. L'administration a agi comme elle pouvait agir, en machine bien montée, mais aveugle. Le besoin se fit vite sentir de remplacer le défunt député dans son rôle de commissionnaire et d'intermédiaire.

Seulement, qui dit intermédiaire dit choix ; et un choix suppose des hommes pour le faire. Est-ce l'administration qui peut l'assurer, alors que c'est précisément pour l'éclairer qu'on doit y recourir ? Il faut des notables pour guider ce choix. Le drame est que la cassure entre les deux régimes a été trop brutale pour qu'ait pu se constituer une classe de notables capables de succéder aux soutiens du régime défunt.

On a vu le temps qu'il a fallu, sous la IIIe République, pour assurer une opération de ce genre. Tant que les notables d'avant le 16 Mai n'ont pas été remplacés, le régime a été menacé, il ne s'est pas senti sûr de l'avenir. Si, au contraire, notre génération grandie pendant le second entre-deux-guerres a éprouvé souvent cette impression d'institutions sans doute mauvaises, mais bien assises, quasiment inébranlables, c'est qu'alors le régime avait trouvé sur place ses soutiens naturels, ses notables. Sans doute est-ce encore dans le cadre de l'arrondissement, nom nouveau d'une chose très ancienne, que se résoudra aujourd'hui le problème du régime.

La région n'est pas un thème pittoresque pour folkloristes ou poètes. C'est une réalité encore vivante et qui vivait très vigoureusement à l'époque où on la croyait morte. On n'a pas assez pris garde que l'époque de la centralisation administrative était aussi celle de l'arrondissement !

Régions traditionnelles
et zones d'industries jeunes

Nous avons vu comment l'évolution moderne n'a pas abouti, dans les faits, à une centralisation aussi poussée que l'opinion a tendance à le croire. Mais peut-être l'économie a-t-elle réussi où l'administration a échoué ? Les révolutions agricoles et industrielles qui se sont succédé depuis le XVIIIe siècle ont-elles bouleversé la structure française au point de faire table rase des pays historiques ?

C'est ce qu'il y a lieu d'examiner ici.

Choisissons quelques échantillons et examinons-les.

Prenons d'abord le type même de la grande région économique moderne, la région du Nord. Ce nom, à lui seul, est assez significatif. Ce n'est pas une désignation historique, comme les Flandres, la Bretagne ou la Normandie. Ce n'est pas non plus une désignation géographique, scientifique, de région naturelle, comme le plateau central ou les Préalpes. Le mot n'est issu ni des spéculations des savants d'aujourd'hui, ni de la conscience collective des hommes d'hier. C'est une expression d'économistes, sans lien apparent avec l'Histoire ou la géographie. Un nom comme on en trouve aux États-Unis, au Brésil, dans les pays neufs, pour désigner un complexe économique récent, comme on dit le *corn-belt* ou la zone caféière. Est-ce alors une création *ex nihilo*?

La simple terminologie inclinerait dans ce sens. Un étranger non prévenu s'attendrait à trouver une région entièrement moderne, sans lien avec le passé, où se déploient librement, comme sur une table rase, les formes les plus hardies, les plus scientifiques de l'agriculture et de l'industrie. Il n'en est rien. De toutes les régions économiques créées par la loi de 1919, la première région, celle du Nord, est peut-être la plus chargée d'histoire, l'héritière du plus long passé.

En gros, on peut dire que si ses limites actuelles ne correspondent plus aux frontières des Flandres, si elles les débordent largement au sud et à l'est, la région du Nord n'en est pas moins l'héritière des Flandres. Or les Flandres constituent, nous avons déjà eu l'occasion d'y faire allusion, l'un des pôles du vieil Occident, d'agriculture intensive et d'industrie évoluée, avec la Lombardie.

Ce développement précoce et singulier s'explique, comme nous l'avons également dit, par l'importance du peuplement, plus dense que dans le reste de l'Europe. Aussi, dès l'origine, les Flamands ont appliqué des méthodes culturales et manufacturières qui ne pénétreront ailleurs que très tard, au XIXᵉ siècle.

Malgré la pauvreté agronomique de son sol, la Flandre a joui, sous l'Ancien Régime, d'une réputation de fertilité, surtout dans les pays de campagne et d'assolement triennal qui l'entouraient. Ses terres ignoraient la jachère et produisaient sans repos, supportant même, après la récolte des céréales, des cultures dérobées. C'est pourquoi le paysage revêt un aspect bocager d'autant plus caractéristique que nous sommes dans le Nord, où dominent les grands espaces dénudés.

Dans son voyage en France, à la veille de la Révolution, l'Anglais

Arthur Young a été frappé du contraste : « Entre Bouchain et Valenciennes, note-t-il, finissent les champs sans clôtures qui m'ont plus ou moins accompagné dans mon voyage depuis Orléans. Après Valenciennes, le pays est en clôtures. »

Il n'en avait pas toujours été ainsi, et au Moyen Age le bocage n'avait pas régné dans les Flandres en maître aussi incontesté. Sur les meilleurs sols, en particulier sur la plaine au nord de Lille, on pratiquait la culture triennale avec jachères, parce que les usages agronomiques de l'époque la tenaient pour la meilleure forme d'exploitation.

C'est peu à peu, pour répondre à la demande sans cesse croissante d'une population rurale et surtout urbaine toujours plus dense, que la jachère a reculé devant le bocage.

Mais ce qui nous intéresse ici, c'est de savoir comment les modes d'agriculture intensive ont débordé les limites de la Flandre proprement dite, pour s'annexer une large frange méridionale qui constitue aujourd'hui la région du Nord.

Vers le milieu du XVIIIe siècle, la région du Nord n'existait pas : la limite était très nette entre le « bas pays » au Nord, où la terre ne se reposait jamais, et le « haut pays » au Sud, où la terre se reposait tous les deux ans. Cette limite coïncidait avec une ligne naturelle de géographie physique, qui séparait les plateaux secs à soubassement crayeux du Bassin parisien et les plaines argilo-sableuses de la Belgique.

Or, à partir de 1750, la ligne de démarcation entre haut et bas pays descend vers le sud, sous l'effet de la conversion des paysans, dans les campagnes assolées, aux méthodes flamandes. Conversion tout à fait méthodique et volontaire, comme le montrent des rapports de subdélégués, cités par Roger Dion. « Le sentiment général des cultivateurs », dans le haut pays, était que « la meilleure méthode pour faire fructifier les terres est de suivre ce qui se pratique dans la châtellenie de Lille et Orchies, et autres lieux voisins de cette châtellenie (en bas pays) [14]. »

« Beaucoup de fermiers ont ensemencé les terres naturelles fumées et bien préparées en colza, grains propres à faire de l'huile, ou en lin, productions considérables lorsqu'elles réussissent et qui ne diminuent en rien la production des grains ordinaires, attendu que l'année suivante, au lieu de reposer, on les ensemence en blé froment. Il est vrai que cela fait de gros frais et des avances considérables et qu'il n'y a que les principaux fermiers, gens riches et aisés, en état d'exposer ces sortes de semences [15]. » Ajoutons qu'une culture intensive du blé et des plantes industrielles exige beaucoup d'engrais et, par conséquent, un développement de l'élevage.

Prenons garde qu'une transformation aussi rapide des méthodes culturales et de la mentalité paysanne, si attachée à ses traditions, constitue un phénomène assez extraordinaire. Pendant des siècles, deux formes d'exploitation ont vécu côte à côte, et tout d'un coup voici que l'une chasse l'autre.

On peut croire qu'une cause accidentelle a joué, mais cette cause accidentelle s'est répétée avec une telle périodicité qu'elle est devenue une permanence régionale : les *guerres*. Les guerres détruisent et, par conséquent, obligent à reconstruire ; et ces reconstructions, systématiques par définition, permettent une évolution plus rapide, car les traditions sociales ont été ébranlées par les bouleversements politiques et offrent une moins grande résistance.

Nous avons, à notre époque, des exemples typiques de ces transformations consécutives à la guerre. Dans les houillères du Nord, après 1918, la modernisation du matériel a été beaucoup plus poussée qu'en Angleterre par exemple. Alors que l'abattage mécanique était de 2 % en 1913, il passait à 88 % en 1938, alors qu'aux États-Unis il ne dépasse pas 80 %.

De même, dans l'Aisne, après la Grande Guerre, les sinistrés ont utilisé leurs indemnités pour faire construire à la ville, et la petite propriété a presque disparu au profit de la grande exploitation.

Les guerres de la fin du règne de Louis XIV, guerres terribles, moins pour le combattant que pour les paysans foulés par les armées, ont dû entraîner des conséquences de ce genre.

Ainsi, dans un village du Hainaut, à Bruille-Saint-Amand, le terrain avait été complètement déserté à la suite des hostilités Le seigneur ne pouvait plus assurer la culture de son exploitation, faute de bras, il dut lotir par petites parcelles moyennant une rente modique. De telles conditions favorisaient évidemment les transformations sociales. Quand on recommence, même si on est du pays, on tend à faire plus neuf. On saisit ici une certaine instabilité des traditions sociales à la périphérie du pays, dans les régions périodiquement soumises aux dévastations des armées. La guerre n'est malheureusement pas un phénomène exceptionnel. C'est souvent une constante qui peut déterminer une structure sociale comme un paysage géographique.

Pourtant, la grande raison de cette descente des Flandres vers le sud, qui caractérise la formation de cette région, doit être au premier chef recherchée dans l'industrialisation du pays et son accroissement démographique.

Les esprits du XVIIIᵉ siècle étaient parfaitement conscients que la richesse des Flandres provenait de sa « multitude ». « De quoi satisfaire à leurs rendages qui sont considérables à cause du peu de terre et du grand nombre d'habitants. » La chambre de commerce de Lille écrivait en 1759 : « Nos terres sont et seront toujours d'un produit au-dessus de toutes manufactures, tant qu'elles seront cultivées par une multitude d'habitants comme elles l'ont été jusqu'à présent. »

Mais, et c'est le fait essentiel, la population s'est développée sur les plateaux crayeux, jusque-là moins denses que le bas pays, à la suite de l'établissement des « fosses au charbon ». Dès la première moitié du XVIIIᵉ siècle, en effet, l'exploitation houillère se développe, des compagnies capitalistes se créent, par exemple les mines d'Anzin. L'afflux de main-d'œuvre a déterminé une amélioration des pratiques culturales, les contemporains s'en sont très bien rendu compte : « Depuis l'établissement des fosses au charbon du Vieux-Condé, les habitants de la campagne s'y sont extrêmement multipliés. Une grande partie de ces terres sablonneuses qui étaient en friche sont à présent très bien cultivées, les habitants y mettent de la chaux, ce qui les fertilise, et ils ont soin de les fumer autant qu'il leur est possible » (rapport du subdélégué).

Ainsi l'aspect évolué de l'agriculture dans la région du Nord nous amène dès l'origine à son aspect industriel : les Flandres françaises ont pu se gonfler et, par contagion, étendre leurs caractéristiques d'économie agricole à l'ensemble de ce qu'on appellera plus tard la région du Nord, parce que l'industrie est intervenue.

Mais, réciproquement, si nous considérons l'évolution de cette industrie, nous serons ramenés, pour expliquer son originalité, à ses origines rurales. Si l'agriculture s'est développée parce que l'industrie s'installait dans ses parages, de même l'industrie a prospéré parce qu'elle trouvait sur place une main-d'œuvre au début suffisante, et surtout l'ouvrier du Nord ne s'est jamais détaché de la terre ; les liens entre l'usine ou la mine et la campagne n'ont jamais cessé. Nous avons déjà envisagé cette situation lorsque nous avons tenté d'expliquer la persistance relative des pratiques religieuses chez les ouvriers du Nord.

Au XVIIIe siècle, le travail au métier, quand il s'agissait du textile, ou aux mines, était un complément du travail aux champs. C'était d'ailleurs un caractère commun à toute la population ouvrière qui n'était pas comprise dans le cadre des corporations. Seulement, dans le reste de la France, sauf quelques régions, analogues d'ailleurs à celle du Nord, ce caractère a disparu : le travailleur a choisi l'usine ou est resté aux champs. Dans le Nord, la transition a été moins brusque, il n'a pas tout à fait choisi, ou le détachement de la terre s'est fait par transitions lentes. C'est pourquoi la main-d'œuvre y est si enracinée.

« La mine est pour le travailleur ce que le champ est pour le paysan », a-t-on pu écrire. Parce que le travailleur n'est pas très loin du paysan, il en garde certains aspects. Nous l'avons déjà dit : pendant la guerre de 1914, on a essayé de transplanter des familles ouvrières dans les usines et mines de la plaine de Caen qui manquaient de bras. Elles n'y sont pas restées et ont attendu avec impatience la reconstruction des cités ouvrières pour regagner Lille ou Valenciennes.

Aussi le développement intensif de l'industrie dans cette région n'a pas amené de perturbation sociale aussi considérable qu'on aurait pu s'y attendre. Jusqu'à une date récente, la main-d'œuvre s'est recrutée sur place sans faire appel à une trop forte immigration étrangère.

Actuellement, on peut dire que la région du Nord est très homogène. Elle a une vie propre, indépendante de Paris, tant par sa main-d'œuvre que par ses techniciens, ses patrons, ses capitaux. Elle n'est pas une émanation lointaine d'organismes bancaires sans attaches locales. Mais cette autonomie dans la prospérité, cette indifférence à la centralisation économique et financière s'expliquent par sa formation historique. Elle est née au XVIIIᵉ siècle, par la contagion des habitudes agricoles et industrielles des Flandres, et s'est développée normalement en utilisant sur place ses ressources en matière première, en hommes, en capitaux, en esprit d'invention et d'organisation. Elle n'est pas une « région historique » au sens habituel du terme, mais seulement parce que son origine historique est trop proche de nous, parce qu'elle n'a pas été baptisée. Pour devenir une région historique, il lui manque un nom propre. En tout cas, elle présente l'exemple d'une activité économique très intense, très évoluée, très moderne, et qui, pourtant, n'a pas écrasé son cadre régional. La matière première : laine, coton, fer et même coke, peut arriver de Lorraine, Belgique, Amérique ou Asie, les débouchés peuvent être nationaux ou mondiaux, le rythme de la vie quotidienne reste profondément marqué par des caractères régionaux qui ont trouvé leurs romanciers, leurs poètes, leur folklore. Si, parmi toutes les régions de France, il fallait choisir la plus représentative d'une vie locale, très décentralisée, très imprégnée de terroir, d'usages bien spécifiques, je ne voterais pas pour la Bretagne, province si chère aux régionalistes, mais j'élirais ce Nord qui a moins retenu leur attention, justement parce qu'il vit trop et que les régionalistes ont tendance à se pencher sur le passé qui s'efface, en dédaignant le passé qui continue vigoureusement.

Considérons maintenant un autre groupe important de régions industrielles : le Centre.

« Les usines du Centre, écrit leur historien Levainville, n'était leur ancienneté dans l'industrie, présenteraient un paradoxe économique. Elles constituent une sorte d'industrie artificielle, indépendante des matières premières qu'elles élaborent, sans racine dans le sol où la tradition et la main-d'œuvre les maintiennent fixées [16]. » Ici, rien d'analogue aux grandes houillères du Nord. Les industries sont des survivances du passé, seulement des industries très vivantes, par suite d'adaptation nouvelle. En résumé, ces industries ont été parmi les plus anciennes de la France moderne. Elles se sont d'abord consacrées aux premières transformations, puis, devant la concurrence des usines de l'Est installées sur le minerai de fer, devant l'épuisement de leurs propres gisements houillers, elles se sont orientées vers des productions de seconde transformation, des produits finis, les aciers spéciaux, ou bien vers l'industrie chimique.

Cette industrie sans matière première locale est cependant restée sur place parce qu'elle disposait d'une très ancienne main-d'œuvre. En effet, un spécialiste a pu écrire : « On peut improviser en quelques années la fabrication des aciers ordinaires et des produits courants, mais non des produits chers. » Voici donc le cas d'industries dont la raison d'être est historique, traditionnelle. Une ancienne main-d'œuvre spécialisée s'accroît régulièrement de l'émigration intérieure du Massif central, où les paysans, jadis trop nombreux, fuyaient le sol ingrat de leurs villages. Il fallut seulement suppléer à leur insuffisance relative, lorsqu'ils dédaignaient le travail à l'usine, par des importations mesurées d'Espagnols, de Portugais, ou d'Arabes amenés par les sociétés à participations africaines. Mais c'est une immigration analogue à celle des Belges dans le Nord. Dans l'ensemble, on peut dire que le recrutement se fait sur place. Là aussi, la région est bien caractérisée. Il est inutile d'insister. Nous retiendrons seulement quelques traits originaux de la main-d'œuvre.

Voyons d'abord le bassin houiller de Decazeville, dont le nom à lui seul évoque l'origine historique, le ministre de Louis XVIII ayant lui-même hérité de petites entreprises plus anciennes, transformées par lui en grande exploitation moderne. Aujourd'hui, l'industrie s'est spécialisée dans la fabrication des produits chimiques. La main-d'œuvre est assurée par la population des plateaux voisins et de la plaine du Lot, où, souvent, les ouvriers rentrent chaque soir. Les agglomérations industrielles ne sont pas énormes : Decazeville a 15 000 habitants, Cronsac 5 000.

Plus intéressante est la région de Saint-Étienne, qui, en 1850, fournissait le tiers de la consommation française de houille, le plus important bassin de France, aujourd'hui relégué au quatrième rang. Sa fabrique d'armes était célèbre au XVIe siècle : une manufacture royale fondée par François Ier. Elle emploie aujourd'hui 10 000 ouvriers. D'autre part, 20 000 ouvriers et 250 constructeurs produisent les deux tiers de la fabrication française de bicyclettes.

Tout cet ensemble représente une activité économique très importante.

Il existe une forte opposition sociale entre les mineurs et les ouvriers des entreprises de transformation. Les mineurs comptent une certaine proportion d'étrangers, le tiers environ — phénomène général à toute la France que cette pénétration d'étrangers aux niveaux de vie plus bas, aux ambitions plus limitées. Le ton est donné cependant aux mineurs par un recrutement régional, venu des hauts plateaux voisins, en particulier des Cévennes. Les Cévenols ont pu conserver leur originalité plus vigoureusement que les autres, à cause de leur religion, qui les met à l'écart, en fait une catégorie à part : ils sont protestants, issus d'une des rares régions de France où la Réforme a fait souche rurale. Ici, comme souvent lorsque la main-d'œuvre est régionale, comme à l'origine de la fortune de la «pierre de mine», le mineur est un paysan, encore proche de sa terre, tendant à y revenir. Il maintient un lien entre l'agglomération industrielle et les campagnes voisines.

A ces mineurs mi-paysans, mi-prolétaires, groupe encore mal différencié, s'opposent les ouvriers de l'armurerie ou des cycles. Ceux-ci constituent une élite ouvrière qui a conscience de sa supériorité. C'est un scandale, dans la famille, lorsqu'un enfant épouse un mineur : déchéance sociale parce que le mineur est tenu pour appartenir à une classe inférieure, péché contre l'Église lorsque le mineur est protestant. Ces ouvriers constituent une élite, mais pas à la façon du mécano parisien, frondeur et sceptique. Ce n'est pas une élite de formation récente, des «parvenus» de la classe ouvrière, des nouvelles couches de la classe ouvrière. C'est une élite très ancienne, formée par de vieux usages remontant loin dans le passé, dans le passé industriel si riche à Saint-Étienne. Les traditions y sont conservées avec ferveur, notamment les traditions religieuses. Nous sommes au cœur d'une province très catholique, de ce royaume fidèle qui, nous l'avons vu, recouvre le centre de la France. Les pratiques religieuses pénètrent le foyer familial : prières communes, gestes rituels. Les noms de baptême sont savoureux : Petrus, Benedict, hérités d'un passé toujours vivant. Traditions de travail aussi : goût de l'œuvre bien faite, transmission d'une génération à l'autre d'une habileté manuelle qui explique la vocation de cette région pour les produits finis.

D'ailleurs cette classe ouvrière, si distinguée, n'est pas uniquement urbaine, elle a aussi ses attaches rurales. Ces ouvriers d'art sont aussi, souvent, des ouvriers-paysans : la vieille industrie à domicile, l'industrie de l'Ancien Régime, dans la mesure où elle échappait au cadre corporatif, s'y est maintenue, et non comme une survivance, mais comme un élément moderne et fécond de la vie économique. « Dans un rayon de vingt-cinq à trente kilomètres, les ouvriers-paysans taillent les limes, travaillent patiemment à la main, en hiver surtout, les pièces de serrurerie et d'armurerie, et un grand nombre de fabriques ne font autre chose que d'assembler les morceaux détachés apportés par le paysan » (Meynier [17]). La fabrique est concentrée, mais la fabrication est dispersée.

Ainsi les conditions de la vie économique ont pu changer, le ravitaillement en matières premières, la nature même des fabrications, l'étendue des débouchés ont pu se transformer ; dans son cadre géographique, la population a obéi à ses traditions, maintenant une vie régionale très singulière et très spécifique. Aussi, malgré la proximité, Saint-Étienne a pu échapper à l'influence de la grande cité voisine, presque une capitale par sa population, ses capitaux, son commerce et son industrie, son rayonnement intellectuel et universitaire : Lyon. « Au Puy, comme à Ambert, ce sont les journaux de Saint-Étienne que l'on achète, et non ceux de Lyon. » Une remarquable densité d'autobus, rayonnant autour de Saint-Étienne, consolide encore la structure régionale. Ainsi nous apparaît un type de pays industriel très évolué, et pourtant résistant victorieusement à la concentration moderne, conservateur de types anciens de travail, mais s'intégrant dans le circuit exigeant de l'économie du jour, sans briser son cadre géographique.

A ces groupes d'industries régionales opposons maintenant des formes très récentes, mal intégrées quant à elles dans le cadre historique, détachées de toutes traditions.

Un voyageur qui traverserait en diagonale les plateaux lorrains, vers l'est et le sud, subirait des impressions heurtées contradictoires. D'une part, il lui semblerait revenir loin en arrière, remonter le cours de l'Histoire. Surtout au sud, la Lorraine est une région archaïque où se sont conservées des formes de vie chassées ailleurs, et parfois dès la fin de l'Ancien Régime, par les besoins d'une organisation plus moderne, plus progressive.

D'autre part, il découvrirait, au détour d'une route, un paysage noirci de fumées, envahi de terrils de mines, de scories d'usines, un « pays noir », peuplé de prolétaires, à l'image de tant d'autres que l'industrie contemporaine a fait surgir de terre comme des plantes monstrueuses. Ainsi le voyageur est-il sollicité tour à tour par deux visions : un pays archaïque, une zone d'économie très avancée. L'archaïsme y est plus poussé qu'ailleurs en France et, au contraire, l'industrie y est plus quantitative, plus massive, plus américaine, moins soucieuse de fini et de qualité.

Un archaïsme plus poussé : le dessin du terroir rappelle encore, souvent trait pour trait, la division en trois soles, l'usage de la jachère et de la vaine pâture, pratiques qui, en Lorraine, ne sont pas partout tombées en désuétude. De vieux courants locaux de transhumance du mouton ne sont pas oubliés ; on y rencontre des bergers avec leur roulotte ou « logette », des troupeaux communaux, des terrains de parcours sans autre utilisation que le traditionnel pâturage. Les survivances du passé apparaissent à chaque pas, découvrant au touriste ému, dans les formes des champs ou des villages, dans le folklore, dans les légendes, d'antiques formes de vie qu'il croyait proscrites en Occident.

Il faut d'ailleurs à ce touriste de la bonne volonté, les chemins de fer s'écartent de la Lorraine, surtout de la Lorraine méridionale, comme d'une zone de répulsion. Les routes sont peu nombreuses, mal entretenues. Les auberges, rares et sans confort. On traverse le pays, on ne s'y arrête guère, sinon à Metz, parce qu'on connaît une famille d'officiers trop heureuse de vous recevoir, pour varier un peu la monotonie de la vie de garnison, sinon à Nancy, ou parce qu'on y a des affaires, ou parce qu'on veut visiter cette ville du XVIIIe siècle, un peu rococo, poussée comme un charmant postiche sur l'ingrate Lorraine.

Bref, nous avons affaire à une région isolée, restée à l'écart des grands courants de circulation qui tendent à la contourner plutôt qu'à la traverser.

Curieux, n'est-ce pas, cet îlot d'archaïsme coincé entre deux aires de vie si intense, si moderne : les plaines de la région parisienne, et le couloir rhénan, l'Alsace ?

Moins étonnant, si nous observons que la Lorraine, c'est une marche frontière, et, depuis des siècles, périodiquement envahie, détruite, reconstruite, mais sans arrière-pensée économique, parce que la préoccupation militaire était trop exclusive. Les vrais maîtres de la Lorraine ont été des stratèges ou des ingénieurs du génie, de Vauban à Séré de Rivières. Nous savons que, dans le Nord, les destructions de la guerre ont pu hâter la marche du progrès économique. En Lorraine, au contraire, elles ont contribué à cristalliser les formes du passé. Après une campagne, les villages abîmés et dépeuplés tendaient comme ailleurs à remembrer leur terroir. Mais les seigneurs, plus conservateurs qu'ailleurs, parce que plus isolés, plus indépendants aussi, parce que libres de toute concurrence et de toute contagion bourgeoise, et enfin peut-être parce qu'en pays menacé, en région frontière, on tend à maintenir avec plus de rigueur l'armature sociale, les seigneurs, donc, ont imposé le retour aux anciennes pratiques, maintenu les coutumes traditionnelles, suspendu l'évolution. Son archaïsme a été imposé à la Lorraine par la contrainte.

Au XIXᵉ siècle, ses obligations de marche frontière ont pesé plus lourd encore sur ses destinées. Auparavant, les opérations à l'est étaient souvent des diversions, au XIXᵉ siècle, elles devinrent essentielles, avec un caractère de fatalité. 1830, 1840, 1848, 1866, 1870, périodiquement tous les dix ans, la Lorraine est menacée de se transformer en champ de bataille. Aussi devient-elle un peu la chose de l'État-Major. Après 1870, les routes furent combinées pour des fins purement stratégiques : dans un pays où le réseau de la circulation était maintenu assez lâche, les routes étaient considérées non pas comme des artères économiques, mais comme des canaux de dérivation qui devaient conduire l'invasion étrangère au pied des grandes citadelles, des villes-verrous. Quand le site de Metz barre l'horizon au voyageur venu de l'est, celui-ci ne peut se défendre de l'impression qu'il est en zone militaire. Il n'utilise son appareil photographique qu'avec discrétion et méfiance. La loi de la guerre a maintenu la Lorraine hors du grand mouvement économique qui a transformé les campagnes françaises au cours du XIXe siècle. Nul ne se souciait d'abord de construire des voies ferrées qu'utiliserait l'ennemi, des usines qui seraient détruites ou arrêtées dès le début des hostilités.

Et voici que, dans cette région arriérée, volontairement retardataire, à partir de 1890, la révolution industrielle éclate avec violence, comme un enfant longtemps arrêté, qui pousse trop vite. On le sait, les formations ferrifères, les minettes lorraines, étaient trop impures, trop phosphoreuses pour être utilisées par la métallurgie traditionnelle. Il a fallu attendre la fin du XIXe siècle pour que le procédé Thomas, né en Angleterre, permît d'utiliser industriellement le minerai des bassins de Longwy, de Briey, de Nancy. A partir de 1890, la transformation fut rapide, la production s'accrut très vite. En 1869, les deux départements de la Moselle et de la Meurthe-et-Moselle ne fournissaient pas plus de 1,4 % de la production française. En 1913, ils atteignent 69 %. En quelques années, un paysage industriel et minier tout neuf a surgi au cœur des vieux terroirs agricoles, endormis à l'écart des grandes voies de circulation et des grands mouvements économiques. Les hauts fourneaux poussent, comme les terrils rongent la campagne de leurs plaques noires. Une nouvelle population apparaît, étrangère au vieux fond, bouleversant les conditions démographiques régionales. De 1881 à 1911, la population de Meurthe-et-Moselle a sauté de 419 000 à 530 000, soit un accroissement de 26 à 27 %. Le nombre des ouvriers du fer a quintuplé pendant la même période. Celui des mineurs a augmenté de 720 %. « En trente ans, il a fallu trouver plus de 38 000 ouvriers » (Levainville). Un rythme aussi précipité de la transformation géographique d'un pays constitue, pour la France, un phénomène assez extraordinaire. Ce sont les conditions de vie qui nous transportent même loin de l'Europe, en Australie, en Alaska, en Californie, où les villes poussaient en quelques saisons, ces villes qu'on a appelées « villes-champignons ».

A cet appel formidable de main-d'œuvre ni le recrutement régional, ni même le recrutement national n'ont pu suffire. Sans doute, dans les communautés villageoises existait-il une masse de paysans pauvres qui subsistaient vaille que vaille, grâce à la persistance d'anciennes coutumes et de droits d'usage qui leur permettaient de faire vivre un maigre bétail, malgré l'exiguïté de leurs champs. Ce prolétariat paysan a pu, dès le début, subir l'attrait du travail industriel et déserter la campagne pour la ville.

Mais c'était peu de chose, et d'ailleurs, bientôt, la proximité d'importantes agglomérations urbaines, qu'il fallut bien ravitailler, permit la valorisation des produits de la terre : légumes, viande, lait, et la rémunération du travail de la terre s'accrut en proportion de l'expansion démographique. Aussi les paysans continuèrent-ils leur existence en marge du grand développement industriel, sans y contribuer. Tout se passe comme s'il y avait deux structures économiques et sociales, non pas tant juxtaposées, mais superposées : deux sociétés avec leurs genres de vie très particuliers, sans parenté et sans relations, qui auraient très bien pu s'installer sur des aires géographiques distinctes, éloignées l'une de l'autre. Seul le hasard les a superposées : le minerai de la première se trouvait sous le sol de la seconde. Le rapprochement dans l'espace n'a pas entraîné, au moins immédiatement, des liaisons et des dépendances suffisantes pour les fondre en une seule région, complexe mais bien particularisée. Elles continuent à vivre l'une sur l'autre de leur vie propre.

La simple composition de la population souligne avec force cette dualité. Il y a une population rurale française et, à côté, une population industrielle étrangère. Les paysans sont des Français de vieille souche longtemps isolés, presque endémiques, dont la langue garde une forte saveur de terroir. Les ouvriers sont des émigrés récents, parlant mal français. Dans les bassins de Briey et de Longwy, les trois quarts des ouvriers des mines étaient étrangers avant la guerre de 1914, surtout italiens. Depuis, des Polonais, des Tchèques, des Bulgares, auxquels les États-Unis fermaient leurs portes, sont venus les rejoindre. Exception intéressante, le bassin de Nancy, où 97 % de la population minière était française en 1913, sans doute à cause de la ville de Nancy, qui exerce des fonctions urbaines depuis longtemps et, par conséquent, introduit un facteur historique et traditionnel dans une économie de type américain, sans racine dans le passé.

La Lorraine industrielle est un pays cosmopolite : « une petite Europe dans la grande » (L. Laffite). On pourrait dire un petit coin d'Amérique dans la vieille Europe.

Un phénomène analogue apparaît dans les Alpes, avec la pénétration de l'industrie hydroélectrique au cœur du massif, à la fin du XIXe siècle. Sans doute, il y a des différences. En fait, si paradoxal qu'il puisse y paraître, la montagne a vécu moins isolée que les plateaux lorrains. Loin de végéter à l'écart des grandes voies de communication, elle a été sans cesse traversée, à toutes les époques, d'Italie ou d'Allemagne vers Avignon, vers Lyon. Les duretés du climat qui restreignent la période des travaux agricoles imposaient aux montagnards la recherche de ressources d'appoint : d'où un artisanat prospère et des habitudes d'émigration temporaire ou définitive. Et pourtant, les rapports sont bien ténus entre ces vieilles formes d'industries locales et les puissantes entreprises d'équipement hydroélectrique, les plus récentes conquêtes de la science appliquée, les plus concentrées par leur organisation financière.

D'ailleurs l'énergie de la montagne échappe vite à la montagne. Il ne s'agit pas seulement d'alimenter les usines installées dans les vallées intérieures, en Maurienne, en Grésivaudan, usines chimiques, électrométallurgiques. Le courant des centrales alpines est transporté au loin pour se connecter aux autres réseaux issus des Pyrénées et du Massif central. La montagne donne seulement une impulsion. C'est tout le territoire national qui, selon un vaste plan d'ensemble, profite de la fonte de ses glaciers et de la jeunesse de ses torrents. Ainsi, au moins par ses débouchés, ses interdépendances, l'industrie hydroélectrique échappe aussitôt au cadre de la région. Les Alpes, cependant, conservent une proportion importante de l'énergie produite, qu'elles transforment sur place ; une proportion supérieure à celle que consomment les vallées pyrénéennes. Les régions les premières électrifiées, comme la Savoie, sont les plus gourmandes d'énergie. Mais c'est que l'électrification des Alpes est un fait déjà ancien, marqué d'un certain archaïsme, tout relatif, qu'on ne retrouve pas dans les Pyrénées, plus récemment industrialisées. Au début, l'usine de transformation restait près du foyer d'énergie. C'est peu à peu que les progrès du transport de force ont permis de vaincre la distance et d'installer l'usine de transformation n'importe où, dès que les conditions paraissaient favorables. Peut-être, si les Alpes avaient été électrifiées plus tard, n'y aurait-il pas eu d'industrie de transformation dans ses vallées, simplement quelques centrales silencieuses, marquant à peine dans le paysage, simplement de vastes lacs de barrage. Cette électrification n'aurait guère eu de conséquences humaines ou démographiques locales et particulières.

Nous donnons ici les Alpes comme un exemple d'une zone où les modifications très récentes introduites par l'industrie ont déterminé des formes d'économie surimposées au pays, sans relations avec les genres de vie qu'elles recouvrent et qui se développent en dehors d'elles. Mais les Alpes ne peuvent illustrer notre démonstration que parce qu'elles ne sont pas les créations les plus modernes de l'industrie électrique. A la limite, cette industrie électrique devient si étrangère au pays que non seulement elle ne suppose aucun genre de vie, mais elle n'existe même pas au point de vue social, elle ne détermine aucune concentration humaine, elle ne se voit pas. C'est comme un laboratoire ou un observatoire installé là, pour des raisons scientifiques, indépendantes de l'évolution historique du pays où ces institutions sont situées.

Il n'en est pas ainsi des Alpes, où l'industrie électrique a provoqué une importante révolution sociale et démographique qui n'est pas sans analogie avec les bouleversements de la Lorraine sous l'influence de la grosse métallurgie. Dans les Alpes du Nord, où l'énergie est en grande partie consommée sur place, en Savoie et Haute-Savoie, la population urbaine, qui représentait, en 1861, seulement 7,6 et 11,4 % de la population totale, s'est élevée à des taux de 25 à 30 %. Ces départements, qui se dépeuplaient au début du XXᵉ siècle, se trouvent au contraire aujourd'hui suivre une courbe ascendante. Et, comme en Lorraine, cet accroissement est dû à l'immigration étrangère, qui représente 12 % de la population savoyarde.

L'estivant qui séjourne sur les bords du lac d'Annecy s'étonne, lorsqu'il pénètre jusqu'à Ugine, au seuil du grand sillon intérieur des Alpes, d'entendre parler russe, polonais, italien, par toute une population ouvrière. Et, à côté, sur la place du marché, des

Savoyards bon teint vendent leur tomme et leur beaufort, en geignant sur le malheur des temps...

Ici, dans les Alpes, comme en Lorraine, nous ne retrouvons plus les traits que nous avons notés pour le Nord et le Centre. L'héritage humain est réduit au minimum, il n'y a pas continuité, mais seulement découverte géologique et invention scientifique, toute l'évolution est dominée par des prospections du sous-sol et par des brevets.

Dans le Nord et le Centre, les conditions naturelles jouent leur rôle, comme la houille dans le Nord, ou l'ont joué autrefois. Mais elles ne constituent pas le facteur essentiel. Des sociétés humaines se sont formées et leur seule existence a suffi à fixer des industries, des genres de vie qui auraient pu émigrer ailleurs, à la recherche de sites plus favorables. Ces sociétés sont forcément entrées dans un cadre régional.

Dans l'Est, au contraire, des masses d'émigrants sans cohésion se sont abattues autour de gisements ou de sources d'énergie. Ceux-ci viendraient-ils à se tarir que ces oiseaux de passage s'envoleraient vers de nouveaux horizons, ils ne sont pas fixés à une terre particulière, mais apparaissent comme des instruments de vastes machines économiques qu'aucune tradition historique ne retient. Le facteur humain est ici secondaire, impersonnel et interchangeable.

Les quelques exemples choisis, le Nord, le Centre, la Lorraine métallurgique, les Alpes hydroélectriques, doivent nous permettre de généraliser quelque peu et de distinguer deux grands ensembles.

Empruntons pour les désigner la terminologie suggestive de Yann Morvran Goblet, dans un essai paru récemment sur la formation des régions [18]. Dans le Nord, dans le Centre vivent des sociétés aux frontières bien définies, inscrites dans l'espace. Ce sont les *régions d'économie traditionnelle.*

N'entendons par là aucun cachet d'archaïsme, rien de vieillot ou de ralenti. Ces régions peuvent être, au contraire, comme nous l'avons vu, très vivantes, très modernes.

La Lorraine, les Alpes, où le besoin n'est pas encore né de différencier une catégorie d'humanité stable, à fonctions complexes, enracinée dans le terroir local, seront, selon Goblet, des *zones d'industrie jeune*, surimposées à d'autres sociétés, sans mélange. A un même moment de la durée, régions et zones peuvent coexister, ou même se superposer. C'est le cas de la France contemporaine, où les zones de l'Est se développent à côté des régions du Nord et du Centre. Les unes sont des régions, des sociétés autonomes, conscientes de leur singularité, les autres sont des formations postiches, épisodiques. Il s'agit, pour nous, de savoir lequel de ces deux types est le mieux adapté à l'évolution moderne, lequel a le plus de chances de survie. La question est d'importance et commande toute une politique.

Si la zone jeune doit l'emporter sur la région traditionnelle, le déterminisme du sol, l'antique allégeance de l'homme et de la terre tendront à disparaître. Les facteurs de différenciation géographique s'atténueront, les contrastes régionaux s'effaceront, et nations, peut-être continents, se rapprocheront d'un type standard caractérisé seulement par les exigences de la technique et les contingences d'un vaste marché. Les hommes ne dépendront plus des multiples et complexes habitudes nées d'une ancienne coutume et transmises de génération en génération. La force vive du passé, force d'inertie, dira-t-on, sera annulée. L'humanité n'obéira qu'à des mobiles faciles à calculer et à prévoir : une humanité statistique. Ce fut le rêve de bien des théoriciens du XIXe siècle. Marx après Saint-Simon rêvait d'un vaste atelier recouvrant la planète, où toutes les différences ethniques, nationales, sociales seraient amorties, au plus grand bénéfice de la production. C'est une économie de ce genre, une économie de zone jeune, que les Soviets essaient d'imposer à la Russie, où les localisations industrielles et la vie régionale sont régies par des organismes statistiques, sans souci des traditions locales. Les vastes transferts de population en sont la conséquence logique.

Au contraire, si la région s'adapte victorieusement à l'évolution moderne, les sociétés seront beaucoup plus complexes, beaucoup plus différenciées. La main-d'œuvre primera toujours la matière première et son transport. La hiérarchie sociale et la psychologie collective se compliqueront. Dans le cas des *zones*, on aura une masse amorphe, facile à manier. Dans le cas des *régions*, un grand nombre de sociétés agiront et réagiront les unes sur les autres, exigeant une organisation politique plus souple, plus nuancée, moins centralisée. Zone ou région ?

Dans les descriptions qui précèdent, nous avons un peu forcé le caractère extra-local des zones d'industrie jeune de l'Est. Elles ont été, à l'origine, telles que nous les avons schématiquement dessinées, mais aujourd'hui elles ne le sont plus tout à fait : c'est une évolution très rapide.

L'industrie lorraine a cessé d'être exclusivement une industrie extractive et une métallurgie de première transformation. Elle commence à fabriquer des produits plus finis, exigeant une main-d'œuvre plus spécialisée, c'est-à-dire plus instruite, et, par conséquent, plus stable et déjà enracinée.

De son côté, l'arrière-pays rural, resté à l'origine étranger aux transformations économiques, prend un intérêt plus vif à ces concentrations économiques. Il reçoit, en échange, une mise au point de ses méthodes agricoles, devenues plus scientifiques. Il abandonne la culture exclusive des céréales traditionnelles pour développer l'élevage et les cultures maraîchères, afin de fournir les marchés urbains surpeuplés en viande, lait, légumes. Un lien s'est créé entre le consommateur et le producteur qui détermine une dépendance de l'un et de l'autre et, par conséquent, une parenté. Ils cessent de se considérer tout à fait comme étrangers, deviennent complémentaires et tendent à se fondre en un même complexe social. Une nouvelle Lorraine s'ébauche sous nos yeux, au nord de l'ancien duché, pénétrant de plus en plus loin le long des vallées, des canaux et des voies ferrées. C'est une région qui se construit et commence son histoire.

Elle n'a plus que le nom de commun avec la Lorraine historique réfugiée dans les cantons les plus isolés. Dans la région du Nord, nous l'avons vu, la région existait sans véritable état civil, ici le nom a précédé la chose, il est presque le seul héritage d'une région encore mal venue.

Il en est de même dans les Alpes, à Ugine par exemple, où, à côté des ouvriers étrangers, les montagnards commencent à participer à l'activité industrielle : des autocars vont chaque jour chercher ces travailleurs dans leurs lointains villages pour les amener à l'usine.

La « zone » nous apparaît donc comme une forme transitoire qui évolue vers un stade organique : la région. Celle-ci, bien entendu, n'est pas un état de choses donné une fois pour toutes, elle se transforme. Mais elle a acquis son unité, sa singularité. Les transformations suivront désormais certaines constantes qui lui sont propres et lui donnent sa physionomie.

D'ailleurs les exemples que nous avons choisis nous présentent à travers les Temps modernes des cas de transformation de zone jeune en région stabilisée. Nous avons remarqué que la Lorraine septentrionale, les industries de la montagne constituent, aujourd'hui, des « zones » en voie d'adaptation régionale. Mais, *mutatis mutandis*, c'est une évolution analogue qui, aux XVIIIe et XIXe siècles, a amené la formation de la région du Nord. Au XVIIIe siècle, elle n'existait pas, ou se limitait aux Flandres. Aujourd'hui, elle est parfaitement individualisée et se présente comme un prototype de région moderne. Supposons — avec beaucoup d'imagination — que les gisements de houille viennent à s'épuiser, l'industrie restera dans son cadre géographique désormais fixé par la coutume, où la retiendra une population bien éduquée et bien enracinée, tant avec ses capitaux que sa main-d'œuvre. La région du Nord survivra aux richesses de son sous-sol comme les sociétés industrielles du Centre ont substitué à l'industrie extractive et à la métallurgie de première transformation des fabrications de produits finis et soignés, en partant de matériaux déjà demi-ouvrés.

Les poussées brutales de la technique peuvent susciter de hâtives concentrations d'hommes et de matériel, indifférentes à l'espace où elles s'installent. Mais ces complexes industriels, issus de spéculations de savants et d'hommes d'affaires, prendront vite possession du sol. Là où les pionniers ont campé, comme des chercheurs d'or, les colons occupent et font souche, suscitant une multiplicité d'activités nées d'une possession plus intime du sol. La conjoncture économique générale ne suffit plus à régler leurs travaux et leurs jours. On place son argent dans le pays, on achète de la terre, on fonde un commerce. On s'installe après sa retraite, pour jouir en paix de ses petites rentes, dans les horizons familiers où on a travaillé. Autour des premiers pionniers, toute une population s'agglomère peu à peu, de plus en plus indépendante de la production primitive, qui perd son caractère exclusif et impérieux.

La région n'est plus une zone de monoproduction mais d'occupations multiples, nées de la localisation. Cette évolution est inévitable dans les pays de vieille civilisation où l'individu ne peut se résoudre à demeurer longtemps un simple instrument de production.

Conclusion

La stabilité sociale d'une nation est fonction de ses classes moyennes. Là où elles sont solides, les convulsions sont moins profondes. C'est le cas de l'Occident, où la répartition des classes ne se modifie guère, sinon par une lente évolution. Au contraire, le centre et l'est de l'Europe ont été le théâtre des révolutions les plus radicales que l'Histoire ait enregistrées, parce que, ou bien les classes moyennes n'avaient jamais existé, comme en Russie, ou bien les crises économiques et sociales les avaient réduites presque au néant, comme en Allemagne.

L'importance, en France, des classes moyennes est un phénomène particulièrement caractéristique de notre physionomie nationale. Elle est due à la décentralisation de la vie locale qui résiste aux concentrations administratives et économiques. Elle est due à la multiplicité des sociétés formées par le groupement autour d'une petite ville des campagnes voisines : bailliage hier, arrondissement aujourd'hui, circonscription à peu près identique à elle-même à travers l'Histoire : le « pays ». A l'intérieur de chacune de ces cellules, toutes les fonctions publiques et économiques devaient se répéter : innombrables offices de justice et de finances, personnel d'église et de seigneurie, commerçants et intermédiaires. Chaque société, si réduite qu'elle fût, avait ainsi sa petite bourgeoisie, facilement recrutée dans le plat pays à l'entour, parmi les laboureurs aisés, les « coqs de village ».

Les classes moyennes ne peuvent se former dans des sociétés trop concentrées où le nombre et l'initiative du personnel de direction.

insuffisants pour donner naissance à une classe, se réduisent à une élite restreinte. Au contraire, la répétition à de multiples exemplaires et à petite échelle des fonctions sociales supérieures pendant de longs siècles permet la création d'une solide bourgeoisie, capable de résister aux centralisations contemporaines. S'il y a aujourd'hui, en France, une telle abondance de notaires, de médecins, de petits commerçants, de fonctionnaires, irréductibles aux intégrations massives suggérées par les nouvelles théories économiques et politiques, c'est parce qu'il y a eu jadis tant de clercs de basoche, de gens de petite robe, de boutiquiers, issus de la campagne et avides de s'élever dans les rangs de la hiérarchie sociale. Cette ancienne bourgeoisie s'est développée parce qu'elle a trouvé ses raisons d'être et un milieu favorable dans de petites cellules sociales où se répétaient tous les échelons de la hiérarchie et dont l'étroite localisation permettait la reproduction à de nombreux exemplaires : les « pays ».

Ces pays, qui ont longtemps vécu repliés sur eux-mêmes, n'ont pas tous la même histoire, les mêmes caractères. D'où l'étonnante variété du paysage social en France, qui se retrouve matériellement dans le paysage géographique, les formes de l'habitat rural, les répartitions des cultures.

Des familles de pays se sont constituées. Au nord et à l'est, puis dans le Midi méditerranéen s'étendent des aires de bourgeoisies, la première formée par une paysannerie, elle-même organisée grâce à l'intensité de la vie de relations dans ses gros villages agglomérés, grâce à ses antiques coutumes communautaires ; la seconde héritière des traditions urbaines de la colonisation latine. Dans l'Ouest, au contraire, les liens sociaux sont plus lâches, les pays moins définis, aussi les bourgeoisies sont-elles moins différenciées, moins vivantes. La vie intellectuelle y est par conséquent moins active, ces régions restent un peu à l'écart de l'histoire littéraire.

Les départements ont succédé aux provinces ou aux généralités ; toutes ces divisions administratives, politiques, sont artificielles. La cellule essentielle reste le pays, facteur de permanence de la vie sociale française. Chaque pays a son style, qui se retrouve, toujours le même, sous des modes d'activité différents suivants les époques. Si, pour la commodité de l'exposé, on parle comme d'une même région d'un ensemble de pays, c'est que, par contagion réciproque, les pays voisins ont pris un air de famille, mais la cellule vraie reste la petite société du pays.

D'où vient la solidité de ces groupes, quelle en est la cause ? Sans doute de la force et de la continutié de l'image qu'ils évoquent.

Certaines sociétés, aux cadres plus étendus, ne peuvent exiger de leurs membres une prise de conscience permanente. Les habitudes de la vie quotidienne ne ramènent pas constamment — au moins en temps normal — les esprits à se rappeler leur existence et leur nécessité. Aussi ces sociétés ne vivent-elles que si elles ont constitué des équipes de spécialistes, chargés de penser toujours à elles. Ceux-ci doivent suppléer, par leur vigilance de tous les instants, aux hiatus de la représentation collective chez les membres du groupe. Ainsi, la nation n'existe pas à chaque instant, dans l'esprit de tous ses nationaux. Il a fallu, pour assurer la continuité de son existence, à tous les moments de la durée, créer une armature politique, l'État. Sans l'État et ses institutions, la nation n'aurait qu'une existence épisodique, elle vivrait seulement pendant ses crises. Les classes ouvrières, qui sont pourtant parmi les groupes sociaux les plus conscients, ont éprouvé le même besoin. Les ouvriers ne se sont sentis organisés qu'à partir du moment où un corps particulier, les fonctionnaires syndicaux, a assuré la permanence. Sans les fonctionnaires syndicaux, les grévistes, rentrés chez eux, eussent vite oublié leur solidarité d'un moment.

Au contraire, la petite société locale n'éprouve pas la nécessité d'entretenir, pour vivre, un personnel spécialisé. Toutes les habitudes quotidiennes, à tous les instants, rappellent à chacun l'existence de son groupe. Il ne peut s'en détacher, même au sein de sa famille. Il baigne constamment dans un milieu social dont l'image est toujours présente à sa conscience, sans jamais s'obscurcir. Cette mobilisation permanente est permise par l'étroite localisation dans l'espace du groupe social qui remplit tous les horizons familiers. Chaque regard, chaque geste rappelle à la mémoire oublieuse de l'individu la contrainte du groupe. Ainsi ont pu se transmettre de très anciennes traditions, au sein de la représentation collective la plus continue.

NOTES

[1] Maurice Halbwachs, *Morphologie sociale*, Paris, Armand Colin, 1938.

[2] Georges Lizerand, *Le Régime rural de l'ancienne France*, Paris, PUF, 1942.

[3] Albert Mathiez, *La Révolution française*, Paris, Armand Colin, 1922, rééd. Lyon, La Manufacture, 1989 (citation p. 316).

[4] Pierre Deffontaines, *Les Hommes et leurs travaux dans le pays de la Moyenne Garonne (Agenais, Bas-Quercy)*, Lille, SILIC, Facultés catholiques, 1932.

[5] Robert Boutruche, « Les courants de peuplement dans l'Entre-Deux-Mers. Étude sur le brassage de la population rurale », dans *Annales d'histoire économique et sociale*, t. VII, 1935, p. 13-38 et 124-154.

[6] Marc Bloch, *La Société féodale*, Paris, Albin Michel, 1939 ; rééd. 1968.

[7] Auguste Dupouy, *Géographie des lettres françaises*, Paris, Armand Colin, 1942.

(8) Auguste Dupouy.

[9] Fernand Baldensperger, *Le Mouvement des idées dans l'émigration française (1789-1815)*, Paris, Plon-Nourrit et Cie, 1924, 2 vol.

(10) Molière attaque Corneille sans le nommer dans la *Critique de l'École des femmes*. Fontenelle est peint dans les *Caractères* sous le nom de Cydias, ce « composé du pédant et du précieux, fait pour être admiré de la bourgeoisie et de la province ». Fontenelle est rouennais, fils de Marthe Corneille, la propre sœur de Pierre et de Thomas.

[11] Gabriel Le Bras, *Introduction à l'histoire de la pratique religieuse en France*, Paris, PUF, t. I, 1942, t. II, 1945.

[12] André Siegfried, *Tableau politique de la France de l'Ouest sous la IIIe République*, Paris, Armand Colin, 1913, rééd. Genève, Slatkine, 1980.

[13] Jacques Valdour, *Ouvriers catholiques et royalistes, Romans-sur-Isère et Decazeville*, Paris, Flammarion, 1928.

[14] Roger Dion, « Vue générale de la région du Nord », *Urbanisme. Revue mensuelle de l'urbanisme français*, VII, mars-avril 1938.

[15] *Ibid.*

[16] Jacques Levainville, *L'Industrie du fer en France*, Paris, Armand Colin, 1932.

[17] André Meynier, *Géographie du Massif central*, Paris, PUF, 1935.

[18] Yann Morvran Goblet, *La Formation des régions (introduction à une géographie régionale de la France)*, Paris, Librairie générale de droit et de jurisprudence, 1942.

6

La nostalgie du roi*

La nostalgie du roi ? Elle existe en France, mais de toutes les nostalgies qui pullulent en cette fin de siècle sur le cadavre des Lumières, elle est bien la moins visible. Aussi, pour la reconnaître sous ses multiples masques, faut-il remonter à sa source certaine, c'est-à-dire au sentiment royaliste.

Hélas ! nous le connaissons mal : malgré quelques bonnes études de détail, non appréciées à leur valeur, le sujet est resté vierge. Pas de vue d'ensemble. Cela manque au panorama des « passions françaises ». Tant pis ! Il faut bien partir de cette donnée claire et accessible qui ne doit son apparente obscurité qu'au manque d'intérêt des historiens (et des royalistes eux-mêmes, aujourd'hui plutôt méfiants de l'Histoire).

C'est que la persistance obstinée du sentiment royaliste en France est un phénomène original de notre culture ; elle surprend les étrangers, on n'en trouve pas l'analogue dans d'autres anciennes monarchies comme l'Allemagne, l'Italie, venues pourtant beaucoup plus tard que nous au régime républicain. Il est vrai qu'en Italie la papauté a sans doute drainé à son profit un courant de popularité qui ailleurs, en pays protestant, a entouré et maintenu les trônes. En Europe centrale, et malgré le ressentiment des nationalités de l'ancienne Autriche-Hongrie, les Habsbourg ont récemment éveillé chez les intellectuels une « nostalgie » dont l'archiduc Otto a su tirer parti. Mais cela est bien discret. Qu'en restera-t-il dans quelques années ? En France, au contraire, et malgré bien des avatars, des

* Ce texte a été publié dans la revue (aujourd'hui disparue) *H-Histoire*, n° 5, 1980, « Les nostalgies des Français », p. 37-48.

hauts et des bas (je croirais assez que nous sommes dans un bas), le sentiment royaliste se maintient comme un trait de notre culture. Et pourtant, voilà un bon siècle que la France a perdu ses monarchies, un siècle de guerres, de révolutions économiques, de modernité. Et pendant le siècle précédent, elle en avait changé tous les quinze ou vingt ans ! Ces restaurations éphémères peuvent certes être interprétées comme des phénomènes de rejet, mais aussi bien comme les signes de survivance obstinée d'un passé, dénoncé comme intolérable. A la longue l'intolérance l'emporta sur la résistance, et la IIIe République trouva dans la guerre de 1914 la confirmation populaire d'une légitimité longtemps douteuse, avant de trouver dans la guerre suivante sa condamnation. Pendant presque un siècle après la Révolution, la monarchie n'en finit pas de mourir. Les nouveaux régimes, nés de cette Révolution, ne pouvaient se passer de sa forme héréditaire ; la IIIe République elle-même n'y échappa que de justesse, et si elle l'a emporté, elle le doit à la puissance et à l'agressivité de l'opinion royaliste qui faisait peur et par conséquent dissuadait la majorité hésitante de se rallier au compromis souhaité d'une monarchie à l'anglaise. Il a fallu encore du temps pour installer « la République au village [1] » et, même alors, le sentiment royaliste persista. Cette survivance est mal connue : je ne peux en parler qu'à l'aide de souvenirs et d'observations personnels. On sait qu'elle était forte dans l'Ouest ; elle était aussi notable dans le Midi, et dans les milieux sociaux très divers : outre la noblesse, la petite bourgeoisie de la ville et du bourg, rurale, artisanale, commerçante. L'un des derniers journalistes blancs du Sud-Ouest venait d'une famille de petits boutiquiers. Le royalisme était transmis par les femmes, comme la religion. Elles entretenaient au ras de la vie quotidienne l'alliance du trône et de l'autel, et toute une mythologie contre-révolutionnaire (je dis bien mythologie et non idéologie, car celle-ci leur était tout à fait étrangère). Grâce à elles on conservait des objets qui évoquaient quelque épisode réel ou imaginé, un oncle prêtre, noyé à Nantes par Carrier, un autre, garde suisse, massacré le 10 août 1792, un déserteur de la conscription, car ces vieux royalistes n'étaient ni militaristes ni nationalistes, ils le sont devenus aux alentours de l'affaire Dreyfus. Parmi ces reliques, il y avait des petites boîtes d'ivoire

ou de buis qui contenaient soit un *agnus Dei* (un petit agneau pascal de cire venue de Rome !), soit une parcelle microscopique d'un
os ou d'un suaire de saint, soit les cheveux d'un être cher, soit enfin
un symbole royaliste, une fleur de lys, la miniature d'un prince...
Cette dévotion a duré longtemps. J'ai hérité de ma belle-famille
des photos, jaunies par leur exposition sur les murs du salon,
joliment encadrées, qui représentaient des scènes de la vie de
Louis XVI et des siens pendant leur captivité au Temple. Dans le
salon de ma mère comme de ma belle-mère, les portraits de la famille
royale étaient de rigueur.

Les partis politiques royalistes des XIXᵉ et XXᵉ siècles, l'Action
française en particulier, se sont recrutés là où ce sentiment existait
et était vivant, mais, et cela est très important pour notre propos,
ils n'ont pas coïncidé avec lui. D'une part, ils l'ont débordé du
côté bonapartiste, nationaliste, antiparlementaire, antilibéral.
D'autre part, ils n'ont pas recouvert tout le vieux pays royaliste
et en ont laissé échapper une bonne partie. Beaucoup de royalistes
de sentiment, femmes, enfants, jeunes hommes marqués par l'éducation maternelle, ne devinrent pas des militants. La vie, plus
mobile, les entraîna vers d'autres tendances ; ils oublièrent, quelquefois même désavouèrent, mais quelque chose du sentiment originel de la mère, de la grand-mère, d'une vieille tante, demeura
enfoui dans un coin des mémoires, prêt à se réveiller à l'occasion
d'un choc quelconque. C'est, je crois, sous cette forme que se dif-
fusa une nostalgie vague où se mêlaient les rois des anciens temps
et les souvenirs de l'enfance.

A côté de cette contagion souterraine, on remarquait de curieux
cas de retours en arrière spontanés. Quand je collaborais à des journaux royalistes — le dernier fut *La Nation française* de Pierre Boutang [2] —, j'ai rencontré des sympathisants qui me confiaient leur
itinéraire, étrange pour moi qui provenais d'une famille de royalistes militants. Ils avaient été « convertis » au royalisme, rarement
par la lecture d'un écrivain politique, mais par des influences diverses, des observations quasi surréalistes, souvent mystiques, à la suite
d'un événement qui les avait frappés. Je regrette de ne pas avoir
noté leurs récits : leur aventure ne devait jamais rien aux modes
du moment. Certains, sans aller jusqu'à un royalisme précis et poli-

tique qui ne les intéressait pas, s'en tenaient plutôt à sa banlieue culturelle.

J'ai compris que ces visiteurs de *La Nation française* représentaient un échantillon, souvent remarquable, d'une petite population balzacienne qui subsiste toujours, et même a tendance à proliférer, entretenue aujourd'hui par de nouveaux contingents hippies et écologistes. Ce sont, bien sûr, des marginaux. Ils survivent, avec des familles souvent nombreuses, grâce à de petits emplois qui ne les intéressent pas du tout : après le bureau, ils se hâtent de rentrer chez eux cultiver leurs passions, reconstituer quelque branche des Bourbons, où ils ont choisi leur prétendant, étudier la généalogie d'une famille qui les intéresse, retrouver les liturgies disparues, faire l'histoire d'un saint, d'un héros, d'une région, de préférence liés à un passé contre-révolutionnaire, féodal, royaliste... Les murs de leur petit appartement sont tapissés de *curiosa*, blasons, arbres généalogiques, photos, entre lesquels sèchent les couches des bébés. Seul leur total désintéressement, et surtout celui de leur femme, leur permet d'échapper à la misère qui les talonne. Certains grands jours, ils se manifestent, comme le 21 janvier à la messe de Louis XVI, où ils se rendent avec une cravate noire. Aussi à quelques occasions inouïes, par exemple quand le père Martin fit semblant d'avoir découvert la messe des sacres des rois à Reims. Quelle aubaine ! Ils vinrent nombreux à Saint-Eustache, le soir de la représentation. Quelques-uns, plus doués ou plus ambitieux, ne se contentèrent pas d'un sort si obscur et s'évadèrent pour gagner pignon sur rue (et sur université), sans abandonner leurs fidélités. Alors ils surent tirer profit, pour un snobisme mondain, des manies et des tics de leurs milieux, devenus des preuves de leur bonne naissance et des lettres d'anoblissement. En fait, ils font plutôt figure d'exception, attirés par la société de consommation loin des marges où se reproduisent des espèces qu'on croyait condamnées.

Ah, les marginaux ! Les historiens et sociologues les ont longtemps négligés parce qu'ils ne constituaient pas une force politique suffisante pour peser directement sur la grande Histoire. D'autre part, les intellectuels qui en proviennent n'apprécient guère, en particulier à droite, qu'on les rattache à des origines si minoritaires et douteuses. L'un d'entre eux, que j'avais situé dans ces parages maudits, me répondit aigrement que je le confondais avec les minorités ethniques et sexuelles, les homosexuels... les homosexuels constituant aujourd'hui le prototype de la marginalité.

Pourtant l'appartenance à « la marge » ne me paraît ni inavouable, ni vaine. Au contraire, les minorités dédaignées ne sont-elles pas les laboratoires de demain ? A notre époque les conformismes sont si lourds, si épais qu'ils figent la société, lui interdisant de bouger, et refoulant à la périphérie tous les éléments irréductibles à ses normes et, précisément, capables de mobilité. Le conformisme des opinions dominantes, des médias, des appareils d'État, joue dans nos sociétés occidentales le rôle du parti dans les régimes totalitaires d'aujourd'hui. Alain Besançon a remarqué qu'en plus de cinquante ans le régime soviétique a bougé à peine, et l'idéologie pas du tout. Nous revenons à la belle immobilité des âges paléolithiques ! Certes, les conformismes occidentaux sont moins efficaces que le parti soviétique, mais ils parviennent aussi à désamorcer le changement ou à le récupérer. Celui-ci ne peut intervenir qu'aux marges de la société, d'où il lui arrive soit de refluer vers le centre en cas de crise, soit de déteindre grâce à une lente contagion.

Voici donc posée la donnée essentielle : la persistance d'un sentiment royaliste aux contours flous, localisé dans les marges de la société. A partir de cette source vont se propager, comme des ondes, des sentiments induits, inconscients de leur origine et qui se dégradent ou se transforment en s'étendant. Parce qu'ils sont débarrassés de ce que le royalisme avoué avait de trop compromettant, ils peuvent mieux s'infiltrer à travers les écrans des conformismes et circuler à travers toute la société. Leur itinéraire pourrait être facilement reconstitué si le sentiment royaliste du XIXe siècle était univoque. Il ne l'est pas, et sa complexité commande tout le déploiement des nostalgies qu'il a inspirées. On peut la ramener à trois composantes essentielles.

Le roi est le père

Ce n'est pas une idée très ancienne. Elle date du XVIe siècle tant dans la France de Jean Bodin que dans l'Angleterre du roi Jacques Ier. Elle n'a guère atteint l'Allemagne avant le XVIIIe siècle. Le roi est le père de ses sujets comme chaque père est le roi de sa famille. Ce mythe du père-roi doit d'ailleurs être rapproché de deux autres thèmes qui progressent à la même époque, celui de la famille et celui du vieillard porteur de sagesse et d'expérience. Les régicides étaient suppliciés à la manière des parricides. On a remarqué que la mort de Louis XVI avait frappé le peuple comme un parricide formidable.

Il a fallu du temps pour que le père-roi s'imposât aux républiques. En 1870, après la défaite militaire de la Commune, il y a bien eu Mac-Mahon, mais la France s'est plutôt tournée vers des hommes plus jeunes : Thiers, Gambetta, le général Chanzy. Le vieillard paraît cependant installé dans son rôle de sauveur avec Clemenceau, il culmine avec Pétain, de Gaulle. Rappelez-vous le film *Français, si vous saviez*, détesté tant par les anciens vichyssois que par les gaullistes : Pétain est au balcon de l'Hôtel de Ville, une foule énorme l'acclame. La caméra parcourt cette foule, s'attarde sur elle, puis revient au balcon. Stupeur ! de Gaulle a remplacé le Maréchal !

D'autres pays paraissent plus réticents que la France à l'égard du vieux père, recours dans le malheur. Certes, Hindenburg a été le Mac-Mahon — et un peu plus — de l'Allemagne après l'abdication du dernier Hohenzollern, mais il a vite cédé la place, dans les faits et aussi dans l'imaginaire, à des types d'hommes forts et musclés comme Mussolini, ou tout au moins nerveux comme Hitler : c'est le règne de Siegfried plutôt que celui de Wotan. En France, au contraire, l'image du vieux père sauveur a persisté jusqu'aux années soixante — date, peut-être, de son effacement. Aveu incertain, dans une république veuve de ses rois, d'un sentiment de manque qui devenait insoutenable en cas de crise grave, et qu'il fallait donc alors combler, quitte à abandonner le père, une fois la crise passée.

En France républicaine, le mythe du père s'est aussi combiné avec celui de la famille. Une combinaison tardive qui ne doit rien aux mentalités d'Ancien Régime. Elle s'explique par l'intérêt porté par la France républicaine aux familles royales de l'Europe occidentale et aux rôles rituels que celles-ci paraissaient jouer. Tout au long de la IIIe République, les familles du président paraissent effacées et elles ne se rappellent à l'attention du public que dans des cas de scandale, comme celui de Wilson. Au contraire, Mme Auriol, puis Mme Coty remplirent une fonction attendue par l'opinion, à l'image de la famille royale anglaise. D'ailleurs les éphémérides des familles royales ont toujours passionné un certain public français ; ils constituent aujourd'hui le matériau essentiel d'un magazine hebdomadaire, *Jours de France*, dont il serait bien intéressant de connaître la clientèle et son profil.

L'enracinement dans le passé
grâce à l'hérédité

C'est la deuxième composante du sentiment royaliste. Les royalistes, et surtout les moins politisés d'entre eux, les femmes en particulier, voyaient moins dans la monarchie un mode de gouvernement qu'un mode de vie, le lien charnel qui reliait le présent au passé. Pas n'importe quelle monarchie : la Maison de France apparaissait comme l'incarnation de la France profonde. Elle fait corps avec une histoire qu'on croyait, au XIXe siècle, condamnée par le progrès général, mais qui, depuis quelques décennies, refait surface, parce que quelques-uns commencent à s'inquiéter à propos de la civilisation industrielle.

A la fin des années trente, le guide dans un château ou un petit musée, un ancien combattant très décoré, n'épargnait au visiteur aucun détail des excès des anciens âges et de leurs tyrans.

Aujourd'hui, le public attend au contraire qu'on lui montre l'adresse et le talent des artisans, la capacité et l'habileté des chefs.

La réhabilitation des rois, que l'historiographie populaire de la IIIᵉ République avait noircis sans remords, accompagne naturellement ce retour au passé. Il s'agit, bien entendu, d'une nostalgie très vague et très diffuse, de tendresse pour un âge d'or.

A cette nostalgie vient maintenant se superposer un sentiment plus précis, plus conscient et qui va dans le même sens.

Jadis, il y a une cinquantaine d'années, on passait par toute une gamme de graduations, d'une vague tendresse à un royalisme plus affirmé. Quand un membre de la famille royale venait à Paris, l'événement secouait ce qui était encore une véritable opinion, grâce aussi, il est vrai, à l'influence d'un journal puissant, *L'Action française*. Un mélange de curiosité, de vénération et d'affection poussait certains, qui n'étaient pas des militants, à saluer la duchesse de Guise, mère du comte de Paris, quand elle recevait à Paris tous ceux qui se présentaient. On n'oserait plus aujourd'hui avoir aussi simplement porte ouverte, ne serait-ce que pour des raisons de sécurité. Mais personne n'aurait eu alors le mauvais goût de manifester. De longues files de gens attendaient dans la rue le moment d'être introduits et de baiser la main de la duchesse ou de lui faire la révérence. On mesurait à l'empressement de la foule la place que tenait toujours la Maison de France. On observait une affluence comparable, encore après la guerre, au mariage du fils aîné du comte de Paris.

Or, aujourd'hui, il me semble que la situation a changé, et le regret du passé prend un autre chemin. Le sentiment s'est déplacé du côté religieux. Le sentiment qui poussait le royaliste plus ou moins engagé vers le prince entraîne maintenant son semblable ou son fils... vers Mgr Lefebvre. Dans l'histoire du sentiment royaliste, traditionaliste, si tenace, celui-ci apparaîtra comme un relais. En effet, et cela est tout de même très curieux, le radicalisme de la réforme d'après Vatican II, du moins en France, a conféré à l'ancienne liturgie, qu'on voulait détruire, une force symbolique inattendue et qui a dû surprendre les dirigeants blasés de l'Église. Le sentiment qui avait jusqu'ici entretenu le royalisme a reflué vers l'intégrisme. Les foules qui se pressent aux cérémonies de Saint-

Nicolas-du-Chardonnet ne doivent pas être très différentes de celles qui voulaient voir la duchesse de Guise. Les catholiques étaient tentés d'aller chez la duchesse de Guise, les vagues royalistes ou pararoyalistes d'aujourd'hui vont chez Mgr Lefebvre.

La monarchie, le gouvernement d'un seul

C'est la dernière composante, la plus récente. Si on se reporte aux belles analyses de René Rémond, son origine est plutôt bonapartiste [3]. Les anciens royalistes étaient facilement libéraux et se seraient bien accommodés d'un régime parlementaire. La notion du roi-dictateur est une greffe de bonapartisme sur le royalisme traditionnel. Le nationalisme xénophobe a suivi la même voie.

Il s'agit donc là d'une pièce rapportée, étrangère à la tradition royaliste. C'est l'Action française qui fit la synthèse, avec tant d'habileté qu'on a eu de la peine, ensuite, à discerner les affluents. En effet, cette donnée la plus moderne correspondait à ce que l'opinion du temps attendait avec le plus d'impatience. Elle a assuré à l'ensemble du produit de synthèse une popularité certaine et durable. On peut dire que, pendant le dernier entre-deux-guerres, l'Action française a préparé le modèle du nationalisme gallocentrique, xénophobe, facilement agressif, qui fonctionne toujours dans la France de la Ve République et ses classes politiques. Le roi de Maurras ressemblait à de Gaulle comme un frère, c'est d'ailleurs ce qu'avait très bien compris le comte de Paris, et leur rapprochement, même s'il fut limité par le réalisme politique, paraît tout à fait dans la nature des choses.

Or rien n'est plus frappant que la popularité de ce modèle dans la France de droite et de gauche. L'une et l'autre essaient de s'en approcher en faisant le minimum de concessions à ce que l'actualité pourrait leur opposer. Le modèle est entré dans le conformisme dominant et il commande la tendance irréversible qui pousse nos institutions vers un présidentialisme absolu, sans contrôle parlementaire réel, limité seulement par la périodicité des élections qui le renouvellent. C'est le roi-dictateur !

Un petit fait rend compte de l'attitude favorable de l'opinion française à l'égard du monarchisme présidentiel : son étonnement devant la révolte des Américains contre un président qui avait installé des tables d'écoute et qui avait menti, devant aussi la procédure archaïque de l'*empeachment*. Il y avait plutôt là de quoi admirer Nixon et le féliciter ! Il bénéficiait des privilèges de la Couronne, comme l'Élysée, quand il use de son « domaine réservé ».

Il existe, on a pu s'en apercevoir à la lecture de ces pages, une relation inverse entre le royalisme et la nostalgie du roi. Quand le premier est fort et redoutable, quoique minoritaire dans une république, l'État, la classe politique et une grande partie de la société font bloc et mobilisent contre lui tous les moyens d'information et de pression. Ils tendent à le repousser dans un passé condamné. En revanche, quand le royalisme s'affaiblit, qu'une restauration ne paraît plus vraisemblable, l'interdit qui le frappait s'effondre ainsi que la ceinture de sécurité qui l'isolait. Les valeurs qu'il maintenait à l'écart tendent à se répandre. Désormais, sous des formes dégradées, affaiblies, il peut devenir contagieux, sans provoquer de refus, surtout quand le mouvement culturel lui devient moins défavorable. Il arrive alors qu'il revienne subrepticement dans la vie quotidienne.

NOTES

[1] Allusion au livre de Maurice Agulhon *La République au village*, Paris, Plon, 1970.

[2] Philippe Ariès évoque sa collaboration à *La Nation française* dans le septième chapitre de son livre *Un historien du dimanche*, avec la collaboration de Michel Winock, *op. cit.*, p. 149-164.

[3] René Rémond, *La Droite en France, de la première Restauration à la Ve République*, Paris, Aubier, 1954, rééd. : *Les Droites en France*, Paris, Aubier-Montaigne, 1982.

III

COMPRENDRE LE PRÉSENT

7

Le suicide*

Je ne suis pas un spécialiste du suicide. Certes, pendant les vingt dernières années, j'ai bien réfléchi à l'histoire de la mort, mais cette mort était celle que chacun attendait, refusait, oubliait, mort certaine, à une heure incertaine. Elle n'était ni la mort volontaire, celle qu'on s'inflige à soi-même, le suicide ; ni non plus la mort voulue, non pas par le sujet mais par la société, la peine capitale, le supplice. Le suicide et le supplice auraient introduit dans ma problématique une volonté individuelle — et même individualiste — dans le cas du suicide, un événement historique ponctuel dans le cas du supplice, qui auraient dénaturé les données de la mort banale. Tout le monde meurt : peu se suicident.

A vrai dire, aujourd'hui, je me demande si j'ai eu raison et si le suicide et aussi le supplice ne sont pas aussi des témoins privilégiés des attitudes d'une société devant la mort.

En tous les cas il n'est plus possible, depuis quelques années, de garder une indifférence ou même une neutralité en face du suicide, car nous sommes fortement poussés à nous y intéresser par toute une série d'observations statistiques, qualitatives, et de publications importantes. On dirait que le suicide — ou le mythe du

* Ce texte a été donné en introduction au colloque « Dépression et suicide » de l'Association internationale pour la prévention du suicide, tenu à Paris en juillet 1981. Il n'a pu prendre place dans les actes de la rencontre publiés sous le titre *Dépression et suicide : aspects médicaux, psychologiques et socioculturels. Comptes rendus de la XIᵉ réunion de l'Association internationale pour la prévention du suicide, Paris, 5-8 juillet 1981*, Paris, J.-P. Soubrier et J. Vedrinne, Oxford-New York, Pergamon Press, 1983. Nous le publions d'après le manuscrit de Philippe Ariès.

suicide — obsède les observateurs de la société contemporaine. Dans ces conditions, l'historien que je suis ne peut échapper à la question : y a-t-il une histoire du suicide ? Comment le suicide évolue-t-il en fonction de la société ? Comment cela se passait-il autrefois, dans nos sociétés traditionnelles, avant l'industrialisation ? On en parlait, depuis Durkheim [1], Halbwachs [2], mais ne faudrait-il pas y revenir à la lumière de nouvelles connaissances ?

Ces questions, je ne pourrais pas, vous vous en doutez bien, y répondre en quelques minutes. Des heures n'y suffiraient pas, car le problème est immense et les recherches, en ce qui concerne notre ancienne société, insuffisantes. Je peux cependant vous dire simplement comment j'ai été amené à sortir de mon indifférence et à les poser.

D'abord, tout récemment, les démographes français qui surveillent notre société à partir des statistiques démographiques nous ont alerté et leurs observations ont donné une actualité nouvelle à la question des caractères suicidogènes d'une société. A la suite des spécialistes de l'INED, les Français ont été frappés par l'augmentation récente et spectaculaire des taux français de suicides dans les cinq dernières années. L'explication la plus banale que proposait la conjoncture était la crise économique, le chômage. Je ne l'ai pas encore acceptée, persuadé que je suis par ma propre expérience que des phénomènes de la longue durée comme la mortalité, la fécondité ne sont pas directement explicables par des phénomènes de la courte durée, comme les guerres, les crises économiques.

Toutefois, le fait lui-même d'une hausse qui mène le taux de 15,5 à presque 20 entre 1977 et 1980 fait question et nous incite à réfléchir. J'ai été ainsi conduit à reprendre les données plus anciennes des XIXe et XXe siècles et je crois utile de rappeler ici une évolution qui est bien connue, mais qu'il est bon de se remettre en mémoire. Nous partons en *France*, vers 1825, d'un chiffre très bas du suicide, qui n'a sans doute pas de valeur en lui-même, qui n'est qu'une indication. Ce taux n'a cessé de croître au cours du XIXe siècle, croissance qui avait frappé Durkheim, mais, il faut le souligner, très lentement, au moins pour la seconde partie du siècle. Il passe de 16 pour 100 000 en 1873-1877 à 25 environ avant la Seconde Guerre mondiale, en 1930. Chose curieuse, après la Seconde Guerre il se stabilise dans une position basse, autour de *15* pour 100 000, qui pourrait bien être le chiffre du début du XIXᵉ siècle, si celui-ci était fiable. Et voici que depuis 1977 il se met à grimper et à rejoindre les chiffres du XIXᵉ siècle-début XXᵉ. Nous voyons ainsi se dessiner une figure [une évolution] dans le temps dont la simplicité fera sans doute sourire ceux de mes auditeurs qui sont habitués à des statistiques plus fines et plus sûres. Mais aussi grossières qu'elles soient, et aussi douteuses qu'elles soient, trop globales quand elles sont sûres, ces données permettent à l'historien une première approximation.

Elles suggèrent qu'il pourrait exister certaine relation entre le suicide et la société industrielle et postindustrielle, idée qui n'a rien de neuf mais que certains considèrent comme une généralité sans beaucoup de sens, un *topos* sans réalité. Nous allons le voir tout à l'heure.

La seconde interpellation sur l'histoire contemporaine du suicide — toujours en France — provient de deux jeunes chercheurs, eux aussi très influencés par la démographie historique. L'un est un historien, Emmanuel Todd, et l'autre est un informaticien particulièrement habile pour faire servir l'ordinateur aux analyses des sciences humaines, Hervé Le Bras (INED). Ils ont récemment publié un livre intitulé *L'Invention de la France*, qui est en fait un atlas de cartes permettant de répartir dans l'espace les mouvements sociaux [3].

Alors que notre précédente approche était statistique et évolutionniste, celle-ci est au contraire géographique et anthropologique.

Nos deux auteurs se proposent, par des rapprochements cartographiques obtenus grâce à l'ordinateur, de révéler des permanences et des mouvements qui échappent à une histoire indifférente aux variations régionales, une histoire trop globalement nationale — phénomènes qu'ils jugent cependant fondamentaux. Pour dégager ces phénomènes, ils utilisent des thèmes qu'ils estiment les plus révélateurs, comme la fécondité, l'alphabétisation, la pratique religieuse, les votes politiques, comme le vote communisme : et parmi ces thèmes, et au premier rang, ils mettent le suicide.

Le but n'est pas tant de montrer l'augmentation des suicides que leur répartition dans l'espace, les variations de cette répartition, et plus particulièrement son étalement (sa *diffusion étalée*). Une série de cartes permet de suivre les étapes de cet étalement depuis 1830. En 1830, le suicide a l'air de « naître », si on peut dire, dans un tout petit endroit, à Paris et dans la région parisienne. (Il serait facile de soutenir qu'à l'époque les suicides ruraux ou provinciaux étaient camouflés avec succès par les familles, mais peu importe, jouons le jeu.) A partir de 1830, les suicides font boule de neige au loin du noyau initial, la région parisienne, ils s'étalent au nord et à l'est (région fortement urbaine et industrialisée?), étape par étape, comme une tache qui s'élargit. Puis on voit, en 1856, apparaître un second centre, le Var, la région de Nice, et ensuite Marseille et les Bouches-du-Rhône, et ce second centre s'étale comme le premier, si bien que le suicide gagne peu à peu la plus grande partie de la France, en laissant de côté seulement quelques départements tout à fait réfractaires, l'Occitanie profonde.

Jusqu'en 1886, on retrouve les deux épicentres et la dispersion en zones grossièrement concentriques. Mais en 1900 cette configuration se brouille, les oppositions s'atténuent, les aires de plus fortes densités et de plus faibles densités se rapprochent autour d'une moyenne qui recouvre presque toute la carte (à l'exception de l'Occitanie). Enfin, chose évidemment très curieuse, en 1954 on voit réapparaître un plus grand contraste entre hautes et basses densités, mais leur répartition ne correspond plus à celle du XIXᵉ siècle, elle en est même à certains égards le négatif, l'inverse : les noyaux parisiens et provinciaux sont passés dans les zones de faible densité et, au contraire, la Bretagne, la Normandie sont passées dans les zones de forte densité. La comparaison de toutes ces cartes est absolument saisissante. Elle suggère une relation profonde entre le comportement suicidaire et des structures psychologiques régionales que nos auteurs pourraient appeler ou appellent des pôles anthropologiques.

Dans ce cas comme dans le précédent, on a le sentiment d'une étroite relation entre le suicide et la société. J'ai même le sentiment que la répartition régionale et sa signification anthropologique sont plus convaincantes que l'évolution linéaire dans le temps tracée à partir de statistiques trop globalisantes. C'est pourquoi, à ce moment de notre réflexion, je serais tenté de revenir aux statistiques nationales, mais pas pour les considérer à part, dans leur propre évolution, mais pour comparer les États de l'Europe comme Todd et Le Bras ont comparé les régions de la France, et alors une opposition saisissante apparaît entre un groupe à fort taux de densité suicidaire, constitué d'abord par l'Allemagne fédérale (aujourd'hui 21 à 22), ensuite la France (18 à 20), et un groupe de taux faible, avec d'abord l'Italie (entre 5 et 6) et ensuite l'Angleterre (autour de 8). La hausse récente des années 1977-1980 est notable en France et en Allemagne fédérale et insignifiante en Angleterre et en Italie. L'opposition Allemagne fédérale et Italie est particulièrement suggestive. J'y pensais en assistant récemment à la projection d'un film d'un cinéaste allemand, *Palermo*, qui soulignait fortement l'opposition des deux cultures en nos années quatre-vingt, une opposition qui correspond à la plus grande distance entre les taux de suicides.

Nous pourrions donc penser que, dans la foulée des anciens, de Durkheim à Halbwachs, pour ne parler que des Français, le suicide était comme l'indicateur de santé ou d'équilibre d'une société. C'est ainsi que l'entendent la plupart des commentateurs contemporains auxquels j'ai fait allusion.

Oui, nous pourrions persister dans ce sens et dans ce genre d'explication en toute bonne conscience si nous n'avions pas lu la grosse thèse de doctorat d'État de Jean Baechler, parue en 1975, avec une préface de Raymond Aron, sous le titre significatif *Les Suicides* (et non pas *le* suicide) : six cent cinquante pages serrées [4]. Un livre pourtant sinon inconnu, du moins rarement cité et encore plus rarement discuté. La vie continue dans l'intelligentsia comme s'il n'existait pas. Par exemple, Todd et Le Bras, dans *L'Invention de la France*, dont je parlais à l'instant, exposent imperturbablement les thèses de Durkheim et d'Halbwachs sans avoir l'air de se douter que ces thèses — en particulier celle de Durkheim — ont été démolies par Baechler dans la partie la moins discutable de son livre.

205

Il y a là un cas assez surprenant d'escamotage d'une œuvre. Un cas bien de chez nous, bien français en vérité : en Amérique, en Angleterre, quand un livre gêne, on l'expose à une rafale de critiques qui sont destinées à le détruire. En France, on étouffe l'importun sous le silence. On fait comme s'il n'existait pas, et la tactique est, je crois bien, plus efficace.

Mais pourquoi Jean Baechler et ses *Suicides* ? Pourquoi cette conspiration ? Il me semble y devenir la réaction d'un *establishment* attaché aux interprétations « collectivistes » (*par le collectif*) des comportements et des conduites en face d'une pensée qui défend au contraire l'indépendance de l'individu à l'égard de la société. L'individualisme fait alliance avec le libéralisme et le capitalisme libéral, tandis que le rôle reconnu au collectif fait bon ménage avec le socialisme.

Or l'intérêt du problème posé par le suicide ne me paraît pas situé ni d'un côté ni de l'autre de cette alternative, mais plutôt dans la tension entre les deux pôles, le collectif et l'individuel. De Durkheim à Todd et Le Bras, des premiers sociologues aux anthropologues et aux démographes contemporains, le suicide est considéré comme un trait de modernité, ou tout au moins un indicateur du mal social de la période industrielle, que le romantisme avait d'abord baptisé le mal du siècle.

Au contraire, Jean Baechler réduit au minimum la nature historique et sociale du suicide. Il tend à y reconnaître un comportement plutôt indépendant de la société. Ce qui dépend de la société, c'est le *mythe du suicide*, qui, lui, a beaucoup varié, mais le fait lui-même a peu varié (p. 400) : « La littérature du XIXe siècle, de la meilleure à la pire, est littéralement *hantée* par le suicide, encore plus que par le crime. Les sciences sociales naissantes se précipitent sur le phénomène et lui consacrent des développements indéfiniment repris et non démontrés, jusques et y compris le livre de Durkheim. Or force est bien de reconnaître que le suicide n'est qu'un mythe collectif, car les faits révèlent certes des suicides, comme partout, peut-être un accroissement lent à travers le siècle, mais non sur un rythme qui permît de prévoir la proximité de l'apocalypse [l'apocalypse était la fin de la société bourgeoise]... Depuis une dizaine d'années la littérature sur le suicide a crû dans des proportions invraisemblables, mêlant le pire — en majorité — au meilleur. » Et à l'appui de sa thèse il souligne « la disproportion entre la généralité du facteur allégué [pour interpréter l'augmentation des conduites suicidaires par d'autres paramètres sociaux] et la spécificité de l'essence suicidaire », qui est le fait d'une minorité, et d'une minorité peu variable.

Il est ainsi amené à refuser toute signification aux statistiques de suicides et aux comparaisons qu'on peut en faire, et aux conclusions qu'on peut en tirer : sa condamnation est sans doute trop radicale et se rattache à une sorte de pathologie hypercritique qui, quand elle est sans frein, aboutit à la négation de l'Histoire : l'historien ne peut lui échapper que par des compromis de bon sens qui tiennent plus de l'art que de la science, du moins de la science comme la conçoivent les logiciens de Cambridge. Des statistiques peu fiables peuvent être utilisées, mais pas comme des données absolues : par exemple, les statistiques françaises et italiennes peuvent être mauvaises, la distance entre les taux de suicide, et la constance de cette distance, ne peut être négligée. En fait, c'est surtout au caractère global des statistiques qu'il s'attaque. Il n'y voit que sommation sans signification de données hétérogènes qu'il convient, au contraire, d'isoler et d'étudier à part. Ce qui conduit à une typologie. Alors, si on adopte cette méthode, des différences historiques apparaissent, qui n'ont pas le caractère de généralité qu'il reproche aux interprétations sociologiques.

A ce moment de son développement, son analyse devient très vite intéressante et enrichissante. Il fait une distinction capitale, et sans doute banale mais qui devient essentielle pour la diachronie, entre les suicides et les tentatives de suicide.

Je ne pense pas forcer sa pensée en lui faisant dire que le suicide radical (par pendaison, noyade, arme à feu...) a été à peu près constant à travers l'Histoire. Les variations, faibles, pourraient être peu significatives. En revanche, ce qui a changé, c'est la *tentative de suicide*, et celle-ci a certainement augmenté. La tentative est ce que le suicide radical n'est pas : un appel, un signe, qui sollicite encore une réponse, jusqu'à un seuil qui, quand il est dépassé, devient suicide effectif. Et il y a là quelque chose de très nouveau, qui apparaît avec la modernité, et peut-être même depuis peu de temps, depuis une cinquantaine d'années. Jean Baechler en convient d'assez mauvaise grâce, car il devine qu'on pourrait bien en tirer quelque argument contre un ordre des choses qui le satisfait tant bien que mal.

Aussi tente-t-il de réduire aussitôt la portée de sa concession. D'après lui, l'augmentation des tentatives est due non pas à un plus grand malaise social, mais à une raison technique : la pharmacie a mis à la disposition des candidats au suicide une grande gamme de produits qu'ils peuvent doser jusqu'au seuil de la mort exclu. Auparavant, avant la pharmacie scientifique, on ne disposait d'aucune marge de manœuvre : c'était tout ou rien. Il y aurait donc deux périodes de l'histoire du suicide, distinguées par le rassurant progrès des sciences et des techniques : avant la pharmacie et après.

Je ne suis pas convaincu : je pense en effet qu'il existait aussi dans les sociétés préindustrielles, dans nos sociétés traditionnelles, des produits qui auraient pu être utilisés et dosés comme les médicaments d'aujourd'hui : c'étaient les poisons, et on connaissait aussi leurs antipoisons. Si le poison a été à ces époques utilisé au même titre que n'importe quel autre moyen de se tuer et aussi efficace, s'il n'a pas été utilisé comme un moyen d'avoir l'air de se tuer sans se tuer vraiment, un moyen de se laisser une chance, c'est que les hommes ne pensaient pas à une telle forme d'appel ou de pression. Leur idée du suicide était plus radicale, plus désespérée.

Le fait de se servir du suicide comme d'un chantage apparaît alors comme un fait nouveau et significatif. Jean Baechler consent à l'admettre, et il le met en rapport avec des changements intervenus à la même époque, dans la famille et dans les groupes d'âge. D'une part, la privatisation de la famille, son repli sur l'enfant, phénomène bien connu qu'il suffit de rappeler. D'autre part, les groupes d'âge, et l'observation de Jean Baechler est intéressante parce qu'elle tend à faire du phénomène quelque chose de ponctuel, de cyclique, indépendant de la nature [composition] générale de la société (ce que je ne crois pas). Le malaise suicidogène apparaît chez les jeunes quand leur groupe d'âge tend à durer plus longtemps que l'âge du passage, et qu'il tend à s'installer en marge du circuit normalement parcouru par la société : « La jeunesse apparaît en tant que telle, détachée d'un cursus admis, dès qu'une société connaît des périodes de troubles et de bouleversements : croisades, guerre de Cent et de Trente Ans, Révolution russe, République de Weimar, pour ne prendre que quelques exemples connus. Dès qu'un ordre s'impose à nouveau, le phénomène disparaît [...]. La jeunesse comme groupe social autonome apparaît dès que les mécanismes [de socialisation] sont grippés ou bloqués. Mon hypothèse est la suivante : l'Occident contemporain est, par sa nature même, la première civilisation qui ait fait de la jeunesse un phénomène social permanent, qui l'ait transformée en un groupe social » (p. 476). Un texte, me semble-t-il, assez éclairant.

Entre les démographes, les historiens anthropologues et Baechler, le problème est posé. Nous n'avons pas le temps ni les moyens d'aller plus loin.

Et pourtant, maintenant, je souhaiterais revenir à mes propres thèses sur la mort, la mort de tous, et après ces premières observations m'interroger sur la place du suicide dans une histoire générale de la mort.

Pour ce faire, il me faut rappeler très schématiquement les grandes lignes de cette histoire, comme je la vois.

Je pourrais dire ceci : nos anciennes sociétés traditionnelles ont *sacralisé* la mort, j'ai dit plutôt *apprivoisé*, mais le sens brut était le même. C'est-à-dire que les hommes, parce qu'ils lui reconnaissaient un pouvoir redoutable, s'efforçaient de la désarmer, de la dédramatiser et de la faire entrer dans un système de rites, de croyances qui avaient pour but d'en faire une étape après d'autres d'un Destin.

C'est pourquoi le suicide était refoulé et condamné : le corps du suicidé était puni, traîné sur une claie, et la sépulture d'église lui était refusée ; quand, au contraire, le suicide était institutionnalisé, ses rites étaient prévus, il pouvait être imposé, comme le suicide d'honneur du soldat vaincu ou comme d'autres formes de suicide, comme le duel. En dehors de ces cas, prévus et canonisés, il n'était pas permis à l'homme de modifier sa destinée et, par une décision individuelle, d'infliger à la société la présence imprévue de la mort. Il en était aussi de même d'une autre sorte de mort violente. Jean Baechler insiste sur le fait que le suicide est toujours la solution adoptée par un individu qui ne voit pas d'autre issue :

la société n'admettait pas que l'individu lui forçât la main, à elle pas plus qu'à Dieu.

Au contraire, à partir du XIXᵉ siècle, et surtout au XXᵉ, la mort a été *désocialisée*. La société a renoncé à l'aménager et même à la connaître, à avoir affaire à elle. Elle déléguait à la science et à ses applications techniques, c'est-à-dire à la médecine, le soin de la faire reculer et de la vaincre. Pour ce qui en restait, elle s'en désintéressait et la laissait à la famille, à l'individu.

Dès lors, la mort passait du domaine public, où elle était comme contenue, surveillée, contrôlée, au domaine privé, où elle était libérée. Elle risquait alors de dépendre de plus en plus de l'estimation de l'individu. De moins en moins d'obstacles s'opposaient au libre exercice de son choix. La société devenait de moins en moins hostile au suicide : simplement indifférente. Mais pour que l'attitude devant le suicide changeât, il ne fallait pas seulement que l'obstacle de la société ait fléchi. Il fallait en outre qu'une pente y inclinât désormais (le sentiment de l'échec). Dans nos sociétés traditionnelles, la reconnaissance de l'échec d'une vie correspondait avec la présence de la mort. C'est sur son lit de mort qu'on réalisait que rien ne resterait plus de ce qu'on avait passionnément aimé, qu'il fallait quitter maison, et verger et jardin. Jusqu'à cette heure tardive, on se faisait illusion. L'illusion ne s'effaçait qu'à la dernière heure.

Or, à partir du XVIIᵉ-XVIIIᵉ siècle, et plus généralement au XIXᵉ-XXᵉ siècle, le moment du constat de l'échec a cessé de coïncider avec le moment de la mort. Il s'est avancé dans le temps d'une vie, il est devenu même de plus en plus précoce, au point de se situer parfois aujourd'hui à l'âge de l'adolescence. L'épreuve de l'échec est désormais tout à fait séparée de l'idée et de la présence de la mort. Mais séparée de la mort, elle tend à y inviter.

Les analyses typologiques de Jean Baechler donnent beaucoup d'importance à cette notion d'échec, dans la vie contemporaine, par l'intermédiaire [par la médiation] de ce qu'il appelle « *la stratégie de la dépendance et de la puissance* » (p. 331). « Ou bien, écrit-il, le sujet a confiance en ses propres capacités et voit le danger à l'extérieur. Il développera une stratégie active [...] en se soumettant le monde. Convenons d'appeler cette stratégie la *volonté de puissance.* Ou bien le sujet n'est pas sûr de lui-même et se demande s'il sera à la hauteur de la situation. Il est contraint d'adopter une stratégie passive, pour se concilier le monde [...]. Décidons de l'appeler la *volonté de dépendance.* Or l'une et l'autre stratégie, conclut-il, ont des liens intelligibles — ce qui ne veut pas dire nécessaires — avec les conduites suicidaires » — parce que l'une et l'autre peuvent aboutir à une conscience aiguë et vertigineuse de l'échec. Échec absolu, sans appel, mais aussi demi-échec qui laisse un espoir, à la condition d'un secours qu'il faut appeler, au besoin par le chantage au suicide. C'est d'ailleurs sous l'aspect de l'aide à la détresse que la société reprend en compte le suicide, dont elle s'était désintéressée comme de toutes les formes de la mort. Et plus elle écoute et, selon Baechler, plus elle suscite de nouveaux appels qui empruntent à la limite le langage du suicide, plus elle suscite des tentatives en même temps qu'elle les fait échouer.

Mais cette stratégie n'est possible que parce que l'âpre confiance en soi des anciens temps est devenue plus fragile, et cette fragilité à son tour est due en grande partie au décalage qui a séparé et éloigné l'heure du bilan de vie de l'heure de la mort. Ce décalage a provoqué comme un reflux de la mort à l'intérieur d'une vie, devenue d'autre part plus longue, et parfois, dans les cas extrêmes, il invite à se laisser glisser dans la mort. Ce que je dis ici, ce n'est pas une certitude, seulement une suggestion, ou plutôt une hypothèse de travail que je formulerais en guise de conclusion. La distance entre la conscience de l'échec individuel et le temps de la mort constitue l'espace où le suicide, depuis la tentative de suicide jusqu'à l'occasion réussie, a trouvé un terrain favorable.

NOTES

[1] Émile Durkheim, *Le Suicide*, Paris, Alcan, 1897, rééd. Paris, PUF, 1991.
[2] Maurice Halbwachs, *Les Causes du suicide*, Paris, PUF, « Travaux de l'année sociologique », 1930.

[3] Hervé Le Bras et Emmanuel Todd, *L'Invention de la France*, Paris, Hachette, « Pluriel », 1981.

[4] Jean Baechler, *Les Suicides*, Paris, Calmann-Lévy, 1975, nouv. éd. 1981.

8

Les attitudes
devant les « handicapés »*

Quand on m'a fait l'honneur redoutable de demander ma contribution d'historien à une assemblée de spécialistes des handicapés, j'ai été tenté d'accepter sans hésiter, même avec enthousiasme, malgré une incompétence totale dont je voudrais que vous soyez bien persuadés.

C'est que non seulement la situation des handicapés m'intéressait, bien entendu, mais en outre elle me semblait résumer et manifester l'ambiguïté de la société contemporaine en face non seulement des handicapés, mais de toutes les catégories de population qui étaient autrefois confondues dans une même communauté et qu'elle a séparées et repoussées vers ses marges. L'histoire des handicapés me paraissait donc, intuitivement, un cas particulier du cantonnement, sinon de la marginalisation d'une partie de la société.

Voilà ce qui me sautait aux yeux, mais je me rendais compte que cela pouvait ne pas paraître aussi évident à d'autres et qu'il fallait faire un effort d'analyse et de démonstration, et alors je me suis trouvé scientifiquement bien démuni.

Aussi ai-je eu un moment de distraction, j'ai laissé vagabonder mes souvenirs et tout d'un coup, du fond de cette rêverie, je me

---

* Philippe Ariès indique à propos de cette communication : « Texte enregistré d'un exposé prononcé à la Semaine internationale de la réadaptation, Strasbourg, mars 1981. Je lui ai conservé son style parlé et n'ai rien ajouté à une improvisation vite préparée. » Le texte, prononcé devant « un auditoire de médecins et de travailleurs sociaux », a été publié sous le titre « Les attitudes devant les ''handicapés'' », dans *Histoire sociale, sensibilités collectives et mentalités. Mélanges Robert Mandrou*, Paris, PUF, 1985, p. 457-465.

suis rappelé les quelques cas où j'avais rencontré personnellement, dans ma vie, ceux qu'on n'appelait pas encore des handicapés. On disait des arriérés. Je voudrais les rappeler ici.

Je commençai mes études d'histoire à Grenoble en 1935. Mes parents m'avaient recommandé au trésorier-payeur de l'Isère qui avait épousé une amie bordelaise. Je suis devenu l'enfant de la maison. Dans cette maison de grands notables, on recevait beaucoup, très simplement d'ailleurs, selon les habitudes d'une vieille sociabilité : à certaines heures la porte était ouverte, en fin d'après-midi, des amis passaient, s'attardaient un moment, et certains jours, les «jours», ou encore les jours de bridge, restaient plus longtemps. Or, parmi les familiers, je remarquai une femme de cinquante ans qui présentait cette singularité de ne jamais se séparer de son fils — un grand garçon sans âge — qui devait avoir à peine vingt ans, mais que les traits creusés, le teint et les cheveux gris, le dos voûté vieillissaient prématurément : je lui aurais donné quarante ou cinquante ans !

On chuchotait qu'il était un arriéré, qu'il n'était pas tout à fait normal. Son père, un ancien officier de cavalerie, héros de l'autre guerre, le supportait mal et ne cachait pas sa honte et son amertume. En revanche, sa mère ne le quittait pas d'un pas. Et chacun, dans la ville, qui l'invitait s'attendait très naturellement à ce qu'elle arrivât avec son fils. Personne ne s'en étonnait ni ne s'en plaignait. C'était ainsi. Quand la visite se prolongeait, on installait l'infirme, comme on disait, dans un petit coin, mais toujours dans le champ du regard de sa mère, quelquefois avec des disques, car la musique le ravissait, aussi sa mère l'amenait-elle régulièrement aux concerts et les habitués s'émerveillaient de voir cet être, généralement agité, convulsif, s'immobiliser dans une écoute attentive et concentrée.

Et puis, voici encore d'autres images qui remontent dans ma mémoire : le père et la mère étaient nos cousins éloignés. Lui était un haut fonctionnaire retraité, Inspection des finances ou Cour des comptes. Ils avaient bien élevé et marié plusieurs enfants. Restait avec eux le dernier, qui ressemblait beaucoup à mon Grenoblois de tout à l'heure, un petit vieux ratatiné, agité, maladroit, craintif. On disait aussi de lui qu'il n'était pas très normal ou qu'il était retardé. Le père, la mère et lui ne se quittaient pas. On les rencontrait toujours ensemble, figures familières du quartier. Ils n'avaient ni voiture ni résidence secondaire et prenaient leurs vacances chez l'un de leurs enfants mariés. Tout leur temps, leurs revenus étaient consacrés à cet être où nous étions tentés de voir une épave pitoyable, mais où ils ont vu, eux, un individu à part entière, digne de leur amour et capable aussi d'aimer en retour.

Peu de temps avant ou après la guerre, nous reçûmes une lettre désolée où les parents nous apprenaient, avec des détails que j'ai oubliés, la mort de cet enfant tant aimé. On pourrait supposer qu'ils seraient soulagés, délivrés ; au contraire, ils confessaient leur privation, leur solitude, le sentiment d'une grande absence : leur seule consolation, vous le devinez, était qu'ils devenaient vieux, que personne n'aurait pu les remplacer, et qu'il valait donc mieux que l'enfant partît le premier.

Aujourd'hui encore, quarante ans après, je revois comme sur une photographie le couple étrange de ces deux silhouettes qui semblaient appartenir à deux mondes différents et opposés : l'une, modelée par l'éducation et les civilités de la bonne société, l'autre, l'enfant sauvage, rebelle au conditionnement de la raison. Différents, opposés, oui, c'est certain, mais non pas étrangers, bien au contraire, ils sont soudés ensemble, en un bloc, par l'amour ; l'échange constant de leurs regards exprime familièrement cet amour, à la fois sans fond et sans pathétisme : l'un garantit la protection, l'autre traduit la confiance. Autour d'eux s'étend une zone de calme : même l'étranger est gagné par un sentiment de sécurité.

Je crains bien que les émotions anciennes ainsi réveillées par la mémorisation de mon passé irritent la partie la plus éclairée de mon auditoire : elle y dénoncera le privilège égoïste et morbide d'une petite élite. Elle m'opposera l'enfant mongolien caché dans un coin de la maison, la famille attendant d'en être délivrée par une mort bien escomptée : et c'est vrai que c'est un autre aspect du tableau, qui a existé, et qui n'a pas manqué d'être souligné, sinon privilégié, par les partisans d'une action plus sociale et plus scientifique.

Mais voici un dernier cas, plus récent et moins « élitiste », que je retrouve dans mon souvenir. Nous sommes à la fin des années quarante, non plus en France, mais dans la Guinée tropicale qui deviendra celle de Sékou Touré. On était encore au lieu et au temps des lampes à acétylène. Mon compagnon n'était pas un haut fonctionnaire. D'origine modeste, il gagnait péniblement sa vie et ses points de retraite comme géomètre arpenteur et un peu entrepreneur. Or sa femme avait été frappée d'une attaque qui l'avait laissée presque complètement paralysée. Les médecins avaient informé le mari des possibilités de rééducation. Que s'est-il passé? Ne pouvait-il pas, pour des raisons d'argent, laisser sa femme en France dans un service de rééducation comme il y en avait encore très peu? Ou bien ne voulait-il pas s'en séparer? Je ne sais. Toujours est-il qu'en pleine brousse il entreprit lui-même de faire tout seul revivre sa femme, de la réanimer, selon les méthodes que les médecins lui avaient indiquées. Nous avons un jour déjeuné chez lui et nous l'avons vu non pas donner à manger à sa femme, mais lui réapprendre les gestes de la table, avec une infinie patience. Et j'ai su qu'il avait réussi, que sa ténacité avait été récompensée. Mais il fallait voir, au fond de la brousse, une brousse solitaire et sans confort, cet homme pas jeune qui consacrait chaque miette de temps arraché à son travail à qui? je vous le demande : à qui nous semblait une femme tronc, sans réflexe ni sensibilité, mais qui était tout, absolument tout pour lui, sa raison de vivre.

Je le crains encore, de tels tableaux de genre doivent paraître irritants et retardataires : nous pouvons aujourd'hui mieux faire que ces parents ou cet époux, malgré toute leur bonne volonté.

Le seul cas que je connaisse, à présent, et qui pourrait être comparé aux images de mon passé, est celui d'un enfant dont la naissance avait été très périlleuse. Les médecins prévinrent les parents que, si on réussissait à le faire vivre, l'enfant ne serait pas normal. L'un des parents se résigna, mais l'autre exigea que tout fût tenté pour le sauver. L'enfant naquit avec les troubles graves qu'on avait prévus. Il faut vivre, gagner sa vie, assurer sa situation. Le père et la mère travaillent et vivent dans les conditions d'habitat et d'environnement des grandes villes. L'enfant est donc placé pendant la semaine dans un établissement spécialisé. En fin de semaine et pendant les vacances, il est repris par ses parents, l'un après l'autre, à tour de rôle, pour leur permettre de récupérer. La sollicitude, l'amour sont au rendez-vous comme dans les cas que j'ai décrits, mais dans les mêmes disponibilités et sans la même continuité de présence. Certes, l'enfant est mieux dressé, selon des méthodes psychomédicales plus efficaces et plus scientifiques. Il ne m'appartient pas de juger, mais je dois constater qu'un monde sépare les deux attitudes.

Le rêveur solitaire en était là de sa méditation quand il céda à sa manie habituelle d'historien : chaque fois qu'il se trouve devant un phénomène qui l'intrigue, il se demande comment cela se passait avant, avant la grande révolution du sentiment, de l'affectivité, qui va de la fin du XVIIIe siècle au début du XXe.

La faute en est peut-être à la pauvreté d'une information trop rapide, mais il me semble que nous savons très peu de chose des attitudes anciennes devant l'infirmité, l'anormalité physique ou mentale.

Le phénomène de l'infirmité présente deux pôles, l'un ordinaire, celui de la vie quotidienne, l'autre extraordinaire, celui du rôle épisodique et quasi sacré que l'infirmité peut jouer à certains moments, et à certains moments seulement. Ce rôle-là a disparu de notre culture contemporaine. Il a été au contraire bien étudié par les ethnologues dans les sociétés préindustrielles. Nous disposons sur ce point d'informations nombreuses et intéressantes. Au moins jusqu'au temps du grand enfermement décrit par Michel Foucault [1] et encore plus tard dans les sociétés rurales, une sorte de statut était reconnu à la folie, et même à l'anomalie en général, un statut selon lequel il lui appartenait de révéler à certains moments aux hommes la fragilité du monde, l'incertitude de ses lois, sa finitude. Les calendriers prévoyaient les époques où les limites du monde devaient être rituellement abolies, les apparences, et en particulier les hiérarchies, renversées : c'est le triomphe périodique du monde à l'envers, le temps de Carnaval.

Il semble justement que certains hommes pas comme les autres avaient des pouvoirs de dérision, de moquer le monde tel qu'il paraissait et d'en montrer à la fois les limites et l'absurdité. Ces hommes pas comme les autres étaient par exemple des hommes miniatures, à la fois complets et difformes : les nains, les nains à la cour du roi, le carnaval au village : dans l'un et l'autre cas, il s'agissait de montrer, à l'aide de masques, de bizarreries, de difformités réelles ou simulées, d'énigmes, que le monde avait un envers, que rien n'était assuré. Les sociétés traditionnelles savaient que par-dessous le raisonnable, l'organisé de la société quotidienne fermentait un monde de pulsions folles, dangereuses, qu'il fallait normalement refouler, mais qu'il fallait aussi laisser parfois échapper.

Le monde des Bosch, des Breughel, n'est jamais tout à fait absent ni oublié : son existence souterraine assure à la difformité un statut de normalité et une familiarité un peu clownesque.

Toutefois, ce que je viens de dire de la folie, de la difformité et de leur espèce de statut ne vaut que pour des moments extraordinaires du calendrier, les moments de transgression. Sous la pression des pouvoirs moraux, religieux, politiques, ils deviendront plus rares et plus contrôlés à partir du XVIIe siècle.

La vie quotidienne, elle, s'organise autrement, à l'abri des inversions, de la dérision, du doute. L'infirme n'y joue donc plus le rôle sacralisant qui lui revenait aux temps de transgression. Or il est tout à fait remarquable que non seulement il ne joue plus aucun rôle, mais il n'est l'objet d'aucune exclusion, ni même d'aucune attention particulière. Il partage autant que faire se peut, et jusqu'à l'extrême limite de la tolérance, la vie quotidienne de la communauté. Le peu que nous savons, nous le devons aux historiens de la délinquance, qui ont étudié les comportements normaux de la société à partir des documents judiciaires. Ceux-ci, en effet, ne décrivent pas seulement des crimes, mais des situations ordinaires qui aboutissent naturellement à des crises, certaines de ces crises étant dénouées par l'arbitrage de la communauté, d'autres au contraire étant portées devant un tribunal.

L'un de ces historiens est particulièrement intéressant pour notre sujet, Nicole Castan, dans deux livres récents : *Les Criminels du Languedoc. Les exigences d'ordre et les voies du ressentiment d'une société prérévolutionnaire, 1750-1790 ; Justice et répression en Languedoc à l'époque des Lumières* [2].

Nicole Castan parle d'un fonds d'habituelle résignation aux dures conditions de la vie que des « bouffées de colère périodique font sauter momentanément ». L'infirmité, la folie, la bizarrerie appartenaient à ce fonds d'habituelle résignation. Mais il arrivait que les seuils de tolérance, les verrous sautassent momentanément. Presque toute l'histoire des attitudes devant l'infirmité est enfermée dans cette double proposition de Nicole Castan.

« La folie, reconnaît Nicole Castan, on l'accepte, ou plus exactement le dément reste intégré dans la communauté (sa force de travail n'est pas négligeable). Les gens cohabitent avec lui sans répugnance [vous remarquerez que le mot de répugnance revient souvent chez elle, mais pour marquer son absence, le manque de répugnance], quitte à le séquestrer comme une bête fauve, pendant les crises. »

En cas d'internement (les couvents de cordeliers, par exemple, partisans de la manière forte, reçoivent des pensionnaires de ce genre), il faut payer les frais. Savoir alors si cela vaut la peine de payer et si ces dépenses sont moindres que le dédommagement occasionnel de la victime, au cas très incertain de violence passagère : « Un jeune berger du Quercy est aimé de tous pour son caractère habituellement doux et tranquille, son maître est content de lui. Mais un accès de noire mélancolie le porte un jour à faire une hécatombe chez le voisin. Les gens s'affligent en disant que *puisqu'il n'avait aucun intérêt dans le crime, il était nécessairement dans une espèce de démence* [je souligne] et on lui pardonnait, on ne le chassait pas pour autant, on se résignait au risque d'une crise de mélancolie qui ne reviendrait peut-être pas, on pouvait l'espérer... »

Et Nicole Castan de conclure : « La parenté compte sur la tolérance d'une opinion faite aux violences imprévues et qui accepte le danger avec réalisme. »

Voilà pour la folie, le délire, qui se traduisent par des accès de violence imprévisibles et incontrôlables. Mais les autres infirmités, que notre société accepte mieux que la folie ou la débilité, tout en les marginalisant plus ou moins, en tout cas, en les séparant des autres ? Qu'en était-il de ces autres infirmités dans l'ancienne société ?

Sur ce point, Nicole Castan nous apporte son témoignage, bref, mais significatif et saisissant. Prêtons-y attention. Il lève le silence de la société.

Nicole Castan constate que les injures sont à l'origine de beaucoup de rixes et de violences. Elle s'interroge donc sur la nature de ces injures. Elle constate qu'elles sont toujours ou de nature sexuelle : « tu es une putain », ou sociale : « tu es une purée », ou morale : « un gibier de prison ». En revanche, elle est frappée par l'absence ou la rareté des allusions malicieuses à une infirmité physique : selon elle, si « le libertinage engage tout particulièrement l'honneur familial, par contre, ce dernier semble moins attaqué dans les traits distinctifs physiques de l'individu et de son lignage ». « Rares sont les injures du style : tu es boiteux, tu n'es pas droit. » Comparons avec nos propres souvenirs d'enfance et rappelons-nous la richesse d'invectives de nos bons petits camarades et leur habileté à déceler un nez de travers, un œil qui louchait ou une verrue ou une tache de rousseur !

L'argument *a silentio* des textes juridiques sur les infirmités est de taille. Les infirmités n'étaient donc pas alors considérées comme des anomalies suffisantes pour devenir honteuses comme celles plus voyantes du sexe ou de la morale. Elles faisaient partie du lot reçu de la vie quotidienne, on ne les voyait plus [3], elles n'étaient plus des anomalies mais une forme parmi d'autres d'une polymorphie sans modèle ni programme. Dans ce monde dur, les corps étaient soumis à de telles contraintes et à de tels risques qu'ils subissaient d'inévitables déformations, considérées dès lors comme naturelles.

Il n'y avait guère de familles où il ne manquait quelque chose à quelqu'un, où on ne souffrît de grandes peines. Charles Quint sillonnait les routes d'Europe sans s'arrêter sinon quelques jours ou quelques semaines, alors qu'il était torturé par la goutte et qu'il ne pouvait monter à cheval sans une prothèse pour sa pauvre jambe douloureuse. On peut la voir à l'Escorial.

Arrêtons-nous ici. Les analyses de Nicole Castan nous permettent en effet de dégager deux grands traits qui caractérisent les comportements traditionnels. Le premier est l'inattention aux désordres et aux anomalies physiques. On ne les distingue pas d'autres particularités dérisoires. Le second trait est la tolérance quand l'anomalie dépasse le seuil pourtant haut de l'indifférence et qu'il faut absolument la prendre en compte, la cantonner, l'empêcher de devenir dangereuse. Même dans ce cas, le temps de crise passé, on tend à s'en accommoder, à revenir au *statu quo ante*, comme si rien ne s'était passé.

Avec l'inattention et l'absence de répugnance, nous rencontrons probablement les thèmes autour desquels, à partir du XIXᵉ siècle, la situation va tourner et la culture basculer. L'histoire du dernier siècle, la nôtre, celle de nos handicapés d'aujourd'hui, est liée à celle de ces deux mots clés. On est passé de l'inattention archaïque au dépistage de l'infirmité, à son classement en catégorie, et enfin à sa médicalisation : le personnage un peu bizarre, ou qui avait des tics, ou le manchot, ou l'aveugle, etc., était devenu un malade soigné à l'hôpital, par des médecins, et à la fin, je l'espère, guéri.

Ensuite, on est passé de la promiscuité et de la cohabitation également archaïque à la répugnance, à l'intolérance et à l'exclusion : « Je ne peux plus le supporter, il me dégoûte.»

Deux mouvements donc, l'un de nature médicale qui suscite l'assistance, les soins, la guérison ou la prise en charge. L'autre de nature psychologique et parabiologique, qui traduit un phénomène viscéral de rejet (je ne peux plus le supporter).

Ces deux mouvements commandent l'évolution de l'histoire contemporaine des attitudes devant les handicaps. Toutefois, leur déclenchement n'est pas intelligible sans le recours à une autre notion qui s'est imposée, tant dans la science que dans les *topoï*, tant dans les idéologies que dans les mentalités : la notion de modèle normal, de normalité.

Cette notion était sans doute tout à fait étrangère aux sociétés traditionnelles [4], et d'abord à leur pratique quotidienne : ce qui était normal, c'était justement l'anomalie. Il n'y avait pas de représentation d'un modèle de normalité. Chacun avait sa difformité personnelle, qui faisait partie de la vie et de la bigarrure de la nature. Cette notion de normalité était aussi étrangère à la théorie qu'à la pratique. Dans une société chrétienne, il n'y avait pas de modèle moral depuis la chute d'Adam ou, plus exactement, ce modèle existait, mais il était repoussé dans le Passé de l'Éden ou le Futur du Paradis, c'est-à-dire inconcevable et hors des limites de l'Histoire.

Certes, depuis le XIIIᵉ siècle, la pensée philosophique occidentale avait imposé l'idée aristotélicienne de la nature et par conséquent elle tendait à distinguer ce qui était naturel de ce qui ne l'était pas. Une théorie qui a eu d'importantes conséquences dans la morale sexuelle. Elle a pris de plus en plus d'ampleur et de prise sur les esprits, si bien que nous avons le droit d'y reconnaître l'embryon savant de l'idée moderne de normalité, c'est-à-dire d'un modèle naturel, dicté par la nature, en dehors duquel tout est pathologique.

Toutefois, il faudra beaucoup de temps à ce *topos*, venu de loin et d'un milieu éclairé et savant, pour s'étendre aux mœurs et aux mentalités des hommes quelconques.

A vrai dire, ce n'est pas la nature de la scolastique qui me paraît à l'origine de la normalité vulgaire, celle de tout le monde, des hommes quelconques du XIXᵉ siècle. C'est plutôt l'idée, très répandue et vécue celle-ci, d'honneur. Chacun, quel qu'il soit, admettait un code de l'honneur, et en dehors de ce code on passait dans le déshonneur. Une conception binaire de la vie s'imposait, assez différente de celle, plus floue, plus polymorphe, que nous avons esquissée. Désormais, il y avait d'un côté l'honneur et de l'autre le déshonneur. L'honneur s'est alors rapproché de la normalité et l'anomalie du déshonneur. La relation a passé par la syphilis, et, d'une manière plus générale, par la biologie. Pour que l'idée de normalité s'imposât comme un dogme à la fois religieux et scientifique, il a fallu que la biologie se fasse admettre à tous les niveaux de la connaissance, du plus docte au plus vulgaire. Notre société contemporaine est inintelligible si on oublie la place de la biologie dans sa formation, plus grande que la physique, la thermodynamique, malgré l'extraordinaire succès du moteur à explosion.

Le concept de normalité doit donc être situé à l'intérieur de l'acculturation biologique d'une société qui n'y était pas du tout préparée. Il ne m'appartient pas ici d'en rechercher la date ni les étapes.

Toutefois, j'admettrai, comme hypothèse de travail, que l'attitude ancienne d'acceptation de l'étrange, l'attitude de tolérance à l'anomalie, a subsisté longtemps. Je la retrouve à la fin des années trente dans les familles que j'ai évoquées au début de cet exposé, quoiqu'elles ne s'opposassent pas encore au concept nouveau de normalité. Mais elles le relativisaient, dans la mesure où elles acceptaient de vivre normalement avec un anormal. Il est vrai qu'elles disposaient d'un catalyseur formidable : l'amour.

Les progrès de la médicalisation ont accompagné ensuite, dans les années soixante, ceux de l'exclusion, selon un mécanisme compliqué, mais bien connu sans doute de mes auditeurs, et qu'il me suffira de rappeler en guise de conclusion, en le situant dans la longue durée historique.

Le point de départ me paraît être qu'il existe un type d'homme normal, et que tout ce qui s'en éloigne est plus ou moins pathologique. Je sais qu'aujourd'hui cette idée est repoussée par beaucoup d'hommes de sciences, par beaucoup de psychiatres en particulier. Il n'empêche qu'elle demeure à la base de tout notre système de valeurs et de conduites, il suffit de lire les dépositions des experts dans les procès criminels pour en être convaincu. Toute notre conception de l'aide sociale est fondée sur elle. C'est vraiment, comme jadis, l'idée la plus répandue et la plus commune.

Il me semble donc qu'à partir de cette source deux grands courants se sont développés, qui irriguent notre culture. D'abord une idéologie, ensuite un système de comportements spontanés.

Une idéologie : elle est reconnue, avouée, officielle ; sans doute notre congrès d'aujourd'hui s'en réclame-t-il.

Elle consiste à répertorier les écarts hors de la normalité, non pour les condamner certes, mais pour les soigner, les réduire, les réintégrer dans la normale et, si c'est impossible, rapprocher les déviances ou les infirmités le plus près possible du modèle normal, atténuer le sentiment de différence : réintégration, guérison, assistance.

Il est certain que beaucoup a été fait dans ce domaine depuis la Première Guerre mondiale, depuis que le mutilé est devenu un héros.

Cette idéologie est la face visible et même éclairée de notre société. La seule qu'on voie, et on pouvait le croire longtemps, la seule, celle de la modernité, du progrès bienfaisant.

Mais aujourd'hui, pas depuis très longtemps, depuis une vingtaine d'années, nous découvrons derrière cette face visible une face cachée, et nous la découvrons par hasard, parce que cette face cachée se révèle tout à coup, quand les institutions de l'idéologie se rapprochent trop des lieux de vie et de résidence, dans ces cas, le masque tombe — le masque, c'est justement l'idéologie.

223

J'ai été frappé, comme tant d'autres, et c'est l'une des raisons qui m'amènent à votre tribune, par le soulèvement des honnêtes gens, dans les Yvelines, dans le bassin d'Arcachon, quand ils ont découvert qu'on allait construire à leur porte, au cœur même de leur territoire, des établissements destinés aux handicapés. Il est inutile ici, devant cet auditoire, de rappeler ces incidents. Ils sont cependant significatifs d'une exclusion. Ce sont les mêmes bons philanthropes partisans de la médicalisation sans limites (sans doute sont-ils aussi de farouches adversaires d'Ivan Illich), les mêmes qui rejettent la présence et la vue de ces médicalisés. On paie pour eux et, pourquoi pas, on va chez eux les visiter, les aider, mais à condition, une fois rentré chez soi, de les oublier, de ne plus les voir, de faire comme s'ils n'existaient plus. En particulier les dérober au regard des enfants. A l'âge où on ne leur laisse plus rien ignorer des réalités et des virtualités du sexe, ils ne doivent pas être troublés, les chers petits, par la révélation précoce de l'anormalité, de l'infirmité ou de la maladie, ou de la mort, et encore moins ne pas être exposés à l'animalité de ces enragés dont on craint que la violence sexuelle ait compensé les faiblesses.

L'idéologie soigne les handicapés, le comportement spontané les exclut : je me demande si cette contradiction ne dépasse pas le cas des handicapés et si elle n'est pas l'un des traits essentiels de notre civilisation.

NOTES

[1] Michel Foucault, *Folie et déraison. Histoire de la folie à l'âge classique*, Paris, Plon, 1961, rééd. Paris, Gallimard, 1976.

[2] Nicole Castan, *Les Criminels du Languedoc. Les exigences d'ordre et les voies du ressentiment d'une société prérévolutionnaire, 1750-1790*, Toulouse, Association des publications de l'université de Toulouse-Le Mirail, 1980, et *Justice et Répression en Languedoc à l'époque des Lumières*, Paris, Flammarion, 1980.

(3) Sous certaines réserves [voir note suivante] et dans des conditions qui ont changé selon les époques, plus que je ne le laisse entendre ici.

(4) Voilà qui est discutable, en particulier par les médiévistes, qui pensent qu'à partir du XIIe siècle la société obéissait à des normes rigoureuses.

9

Le bricolage*

Aujourd'hui, le bricoleur est une figure familière de notre société. Il n'a certes pas besoin d'une définition, le brave homme qui s'est couché samedi soir en se promettant une bonne grasse matinée et qu'à potron-minet les coups de marteau de son voisin ont réveillé en sursaut : « Encore un tonton bricolo », grogne-t-il en mettant sa tête sous l'oreiller.

Et pourtant des dictionnaires vieux à peine d'une dizaine d'années rejettent à la fin d'une copieuse notice la seule description qui corresponde, quoique vaguement, à notre expérience : bricoler, faire des petits travaux occasionnels. En vérité le dictionnaire n'est ni exact, ni précis. Il s'agit de bien autre chose, dont l'importance est sans doute très récente.

Le tonton bricolo est d'abord un homme adroit. Il a des doigts en or ! Il a aussi de l'expérience (les psychiatres ou les psychologues n'apprécient plus guère l'expérience, le bricoleur si...). Il connaît les trucs de fabrication, la pratique des outils, et sans doute y ajoute-t-il quelques recettes de son invention.

Toutefois, et ceci est son second caractère, le domaine où il exerce son habileté n'est pas celui de son métier.

A l'origine, nous le verrons, le premier *Homo bricolans* n'était pas un manuel. Par la suite, le bricolage s'est développé chez les manuels, mais comme un violon d'Ingres. Un garagiste ne bricole pas sa voiture ni celle de ses parents, pas plus qu'un maçon ne bricole une maison. Quand il propose une aide gratis, il rend service,

---

* Ce texte a été publié dans la revue (aujourd'hui disparue) *Temps libre*, I, 2, été 1981, p. 37-42.

il ne bricole pas. Le bricolage n'est pas non plus son deuxième métier (quoiqu'il puisse parfois le devenir), il doit être une activité superflue, considérée comme une détente, une forme du loisir, une occupation des temps de loisir.

Le jardinage est ainsi une sorte de bricolage pour un employé d'usine, ou un instituteur, ou un postier ; la menuiserie, l'électronique, pour un ingénieur ou un commerçant.

Enfin, troisième caractère, cette activité non professionnelle n'est pas complètement gratuite. Voilà qui la sépare de l'art : le peintre du dimanche, le musicien amateur ne sont pas des bricoleurs. Le facteur Cheval non plus. Le bricolage doit présenter une certaine utilité, sans cependant apparaître comme une contrainte. Dans ce cas, il faut que l'utilité corresponde à un besoin de défoulement, de conservation.

Le bricolage devient alors une manière d'organiser ses loisirs que son utilité distingue des activités plus gratuites, comme le sport ou comme l'art, la littérature, la science... ce que notre civilisation scolaire et livresque appelle la culture.

On pourrait rapprocher le bricolage de la collection ; et peut-être la collection est-elle la forme la plus proche du bricolage dans les sociétés préindustrielles qui l'ignoraient : la collection est aussi, à la fois, un jeu et sinon une opération utile, du moins une spéculation ; une collection représente toujours une valeur commerciale. Les premiers antiquaires du XVIe-XVIIe siècle ont été aussi des collectionneurs. Le collectionneur n'intervient pas lui-même dans la fabrication de ses objets. Le bricoleur, au contraire, est un manuel, il travaille de ses mains.

Le bricolage est donc quelque chose d'ambigu, qui échappe aux définitions simples. D'ailleurs, plus un fait appartient au quotidien vécu, plus il est impliqué dans l'existence, et plus il est ambigu, et les mots pour le dire sont équivoques. La filiation sémantique du mot « bricolage » est instructive. Le sens que nous lui donnons maintenant est un sens figuré très récent, qui paraît l'aboutissement d'une généalogie sémantique dont les premiers termes ont aujourd'hui disparu de l'usage. Et ce sens-là, qui est le nôtre, nous venons de voir qu'il ne coïncide pas avec celui des dictionnaires vieux d'environ vingt ans. C'est que le sens actuel vient tout juste de s'imposer. Et pourtant il n'a pas complètement aboli les traces de ses prédécesseurs : ce que le mot d'aujourd'hui a gardé de son passé rend justement compte d'une particularité qui risquerait autrement d'échapper. Regardons de plus près.

Un lexique d'étymologie nous apprend que « bricole » viendrait d'un mot italien, *briccola*, qui désignait une machine de guerre, une catapulte. Celle-ci lançait des boulets à l'aide de courroies. D'où deux sens du mot à partir du XVe siècle.

Une bricole était une courroie : soit une pièce de harnais du cheval, soit la lanière qui permettait au porteur d'eau de soutenir son fardeau, soit encore la pièce terminale d'une canne à pêche, sur laquelle on posait les hameçons.

Je ne suis pas compétent, mais je me demande tout de même, *in petto*, s'il est bien nécessaire de transiter par une catapulte italienne pour trouver une origine à ces mots de la langue populaire ! Dans le cas du harnais de cheval, l'équitation italienne était assez influente pour imposer directement sa terminologie. Mais passons ! La question ne nous concerne pas, car notre bricolage actuel provient de l'autre sens ancien de « bricoler » : « bricoler », c'était aussi l'action de ricocher, et ici nous pourrions bien avoir la bonne filiation.

En artillerie, tout près donc de la source italienne, « bricoler » désigne le rebondissement du boulet après son premier impact. Puis le mot a été employé au jeu de paume dans le même sens de « ricocher ». On est parti de l'image du zigzag, on est passé à la figure du détour (user de moyens détournés), qu'on trouve chez Saint-Simon. Au XVIIIe siècle encore, d'après Dauzat, un bricoleur est quelqu'un « qui va çà et là ». Toutefois, le sens terminal du dictionnaire paraît s'éloigner de l'usage actuel quand il désigne par « bricole » une chose sans importance, un petit travail qui ne compte pas, un mot un peu vague, comme hier « bagatelle » ou aujourd'hui « truc ».

Aujourd'hui l'action de bricoler est tout autre chose que de faire des bricoles, des trucs, mais c'est cependant quelque chose qui conserve de son origine l'idée de ricochet, de détour. C'est bien un travail par ricochet, extérieur au métier ou à la fonction, un peu aléatoire, à la fois loisir et travail.

Pas plus que le mot, la chose ne me semble avoir existé dans nos sociétés traditionnelles. Mais en cherchant bien nous pourrions lui trouver quelques antécédents.

Je réfléchissais au sujet en lisant le petit chef-d'œuvre de Madeleine Foisil, *Le Sieur de Gouberville*[1]. Celui-ci était un propriétaire-fermier qui dirigeait de très près l'exploitation de son domaine au XVIe siècle. Il organisait les tâches, surveillait le travail, mettait à l'occasion la main à la pâte. Ses journées étaient bien remplies. Il tenait en outre un office de lieutenant des Eaux et Forêts qui l'amenait de temps à autre à la ville. La sociabilité villageoise, les relations de famille et de voisinage interrompaient le cycle des travaux et des jours. Rien dans de telles occupations qui ressemblait à notre bricolage, sauf pourtant une activité occasionnelle qu'à vrai dire je n'aurais pas remarquée si mon attention n'avait été mobilisée : la pépinière. « Travail noble par excellence, nous dit Madeleine Foisil, c'est le sire lui-même qui prend soin des jeunes plants, qui les taille et les greffe [...]. Jamais un tâcheron n'aura entre ses mains un instrument de greffage. » Un travail noble, quoique manuel (et il n'y en avait guère), à la fois utile et divertissant.

Comme le sieur de Gouberville, les premiers ancêtres des bricoleurs se recrutent chez les rentiers ou les gentilshommes et le bricolage n'est pas pour eux un travail : « travaux de mains, travaux de vilains ». Quelques activités font cependant exception et elles sont alors cultivées avec amour ; par exemple, l'entretien de la pépinière et le greffage. Au XVIIIe siècle ces exceptions devinrent plus nombreuses. Louis XVI faisait de la serrurerie. Quelques-uns de ces bricoleurs du dimanche devinrent parfois des inventeurs, comme Franklin, ou des savants de génie, comme le fermier général Lavoisier.

Quelques originaux, dans les familles bourgeoises du XIXe siècle, pratiquaient toujours les travaux d'agrément. Mon propre grand-père, né en 1848, homme d'affaires et homme de droit, avait un atelier d'ébéniste qu'il fréquentait à ses moments perdus, et ma mère transforma en secrétaire le joli petit établi d'acajou où il rangeait ses outils. Il me semble que l'origine du bricolage a été le travail manuel de ceux qui en avaient le goût, mais qui ne pouvaient s'y consacrer à cause de leur condition et de la défaveur qui s'y était attachée. Ils n'avaient plus d'autre ressource que de le pratiquer pour s'amuser.

Si ce comportement avait été limité à la bourgeoisie, il n'aurait pris, c'est certain, ni l'extension ni la valeur que nous lui reconnaissons dans notre société : il serait resté un hobby exceptionnel, un luxe d'amateur. Il est, au contraire, devenu de nos jours un phénomène social, en passant de la bourgeoisie, où il était rare, aux classes populaires, où il est désormais très répandu.

Maintenant, par « ricochet », il gagne à nouveau les classes moyennes et finalement il apparaît comme un phénomène quasi universel, un trait original de notre culture contemporaine. L'expansion du bricolage paraît un effet des conditions nouvelles de l'industrialisation, et en particulier de deux d'entre elles.

La première est la banalisation et la parcellisation du travail en série. Non seulement l'ouvrier n'intervenait plus dans la conception de son œuvre, il avait renoncé à créer, mais toute intention décorative et esthétique était désormais exclue, au moins jusqu'aux « designers » d'aujourd'hui qui tentent de la réintroduire dans la production. L'objet a cessé de recevoir de son fabricant une forme correspondant à un souci d'embellissement. Cette disparition a creusé un manque, que le bricolage, ou l'art naïf d'un facteur Cheval, a tenté de combler. L'autre effet de l'industrialisation qui favorisa le bricolage a été, me semble-t-il, le remplissage et l'organisation du temps.

Pierre Chaunu a défini l'Occident médiéval et moderne comme un monde plein [2]. Mais, des deux dimensions de ce monde, l'espace et le temps, seul l'espace était réellement plein : le temps au contraire était criblé de vides, des vides répartis de façon aléatoire à l'intérieur du travail, de la vie domestique, des déplacements, de la sociabilité, etc. L'alternance désordonnée des pleins et des vides n'a pas cessé tout d'un coup : elle a encore persisté dans les premières concentrations à la fabrique, au début du XIXe siècle, et tant qu'elle a duré, elle a fait obstacle à l'aménagement du temps industriel.

Nous avons perdu l'idée de ce que pouvaient être ces vides : ils devaient aller de la réflexion à la rêverie, au fantasme, au jeu, ou tout simplement à un rien délectable : des prisonniers de guerre réquisitionnés dans des usines allemandes m'ont raconté leur plaisir à éprouver la chaleur d'un rayon de soleil, recueillie dans une sorte de néant intérieur. C'est sans doute au cours de telles pauses du temps que Menocchio, le meunier de Carlo Ginzburg, imaginait sa cosmologie [3].

Avec l'industrialisation, les vides ont été comblés, l'espace s'est vidé, mais le temps s'est rempli : mouvement des vases communicants de la société.

Le phénomène date de la fin de la période industrielle et du début du passage à ce qu'on peut appeler la période postindustrielle, la nôtre. Celle-ci est, à mon sens, moins caractérisée par le progrès, déjà ancien, des techniques physiques ou chimiques que par le développement formidable de l'organisation du travail : la taylorisation du temps.

Mon père, qui a fait une longue carrière d'ingénieur dans l'exploitation électrique, était très attentif à l'innovation technique ; en revanche, il ne voyait pas l'avenir de l'organisation du travail et il se moquait de ses jeunes collaborateurs qui l'étudiaient sérieusement comme une science ou une technique. A son avis les décisions des chefs devaient être exécutées librement par des équipes qui avaient reçu des consignes claires et précises. Le reste était affaire d'expérience, d'adaptation empirique aux circonstances, de bon sens.

Il me semble que le bricolage (comme d'ailleurs les congés plus fréquents, plus longs et plus assurés) a été une réaction de compensation en face d'un travail anonyme, détaché de l'art, et aussi en face de l'organisation scientifique d'un temps trop plein.

Aujourd'hui nous franchissons une autre étape : le bricolage dépasse sa fonction compensatrice et ludique pour devenir un facteur de changement de la société : un facteur marginal, mais seules les actions marginales sont susceptibles de modifier le programme rigide de la reproduction de la société contemporaine. C'est un changement de la famille et de l'économie.

On avait, il y a vingt ans, l'impression *ou bien* que la famille nucléaire devenait un donjon de plus en plus fermé aux agressions du monde industriel, *ou bien* (au contraire) que cette famille perdait ses fonctions, ne jouait plus le rôle de refuge qui avait été le sien ou que les sociologues et historiens lui prêtaient, *ou bien* que cette famille se disloquait : d'une part un couple instable et périodiquement refait, d'autre part des enfants qui délaissaient la maison et les parents.

Or les sociologues Louis Roussel [4], Agnès Pitrou [5] en France, J. Kagan, A.S. Rossi, T. Haraven aux États-Unis ont très récemment rapporté une autre image de la famille, de sa capacité d'adaptation aux changements rapides et traumatisants de l'économie contemporaine. «A la fin des années soixante-dix, écrit Alise S. Rossi, nous avons de bonnes raisons d'estimer l'élasticité et peut-être même une meilleure capacité d'adaptation de la famille et de ses souples structures comparées avec les bureaucraties publiques et privées, repliées sur elles-mêmes et résistant au changement. »

Cette famille-là a abandonné le corset étroit de la « famille heureuse » des années cinquante, réduite au couple et aux enfants, sans communication avec l'extérieur, pour s'élargir en un *réseau de services et d'entraide* qui associe non seulement les parents aux enfants, mais les jeunes couples entre eux et avec les ménages des parents. La base de ce nouveau potlatch est l'échange des bricolages. Le bricolage, qui était au XIXe siècle une activité individuelle et domestique, s'étend désormais aux familles qui constituent un réseau moderne de parentés. Le père aide son gendre à jardiner, le gendre entretient la voiture de son beau-père, le beau-père refait la plomberie, etc. Sans une longue pratique du bricolage, de tels réseaux familiaux auraient eu de la peine à se consolider, faute de base économique.

Aujourd'hui et en particulier depuis le début de la crise, on est en droit de se demander si le réseau des familles Bricolo ne se satisfait pas dans beaucoup de cas d'une autarcie domestique, mais aspire à devenir une véritable unité économique, destinée à jouer un rôle efficace, quoique clandestin, sur le marché commercial. On devine comment les choses se passent.

Les services ne sont plus réservés comme autrefois au réseau de la parentèle et, surtout, ils cessent d'être gratuits. Ils gardent cependant leur caractère occasionnel et non professionnel. On se dit de bouche à oreille : « Vous savez, mon beau-frère est un excellent bricoleur, il saura très bien réparer votre installation électrique, dépanner votre réfrigérateur, etc., et il vous coûtera beaucoup moins cher qu'un entrepreneur de la place... »

Cela fait boule de neige, une petite entreprise clandestine est lancée, on est passé du bricolage familial à un second métier, mais celui-ci noir : pas de comptabilité ni de factures, rien n'est déclaré. Évidemment, les pouvoirs publics n'aiment pas : ils ont commencé par dénoncer et poursuivre. Mais la crise économique a ébranlé leur assurance. Les économistes s'apercevaient que le travail noir aide à sortir de la misère, et même réussit là où des entreprises qui ont pignon sur rue échouent. On tempère les interdits, sans les lever. Sous des plumes savantes et officieuses, le travail noir devient « l'économie souterraine », il a gagné en dignité : une belle promotion pour les bricoleurs.

NOTES

(1) Madeleine Foisil, *Le Sieur de Gouberville. Un gentilhomme normand au XVIe siècle*, Paris, Aubier-Montaigne, 1981.

[2] Pierre Chaunu, *La Civilisation de l'Europe classique*, Paris, Arthaud, 1966.

(3) Carlo Ginzburg, *Il Formaggio e i Vermi. Il cosmo di un mugnaio del'500*, Turin, Giulio Einaudi, 1976 ; trad. fr. : *Le Fromage et les Vers. L'univers d'un meunier du XVIe siècle*, Paris, Flammarion, 1980.

[4] Louis Roussel, *La Famille après le mariage des enfants. Étude des relations entre générations*, Paris, PUF, « Travaux et documents de l'INED », cahier n° 76, 1977.

[5] Agnès Pitrou, *Vivre sans famille ? Les solidarités familiales dans le monde d'aujourd'hui*, Toulouse, Privat, 1978, nouv. éd. 1992.

10

L'enfant et la rue,
de la ville à l'antiville*

Dans le passé, l'enfant appartenait tout naturellement à l'espace urbain, avec ou sans ses parents. Dans un monde de petits métiers, et de petites aventures, il était une figure familière de la rue. Pas de rue sans enfants de tous âges et de toutes conditions. Ensuite, un long mouvement de privatisation l'a retiré peu à peu de l'espace urbain, qui cessait dès lors d'être un espace de vie épaisse, où le privé et le public ne se distinguaient pas, pour devenir un lieu de passage, réglé par les logiques transparentes de la circulation et de la sécurité. Certes, l'enfant n'a pas été le seul exclu de cette grande œuvre de mise en ordre, de mise au pas : tout un monde bigarré a disparu avec lui dans la rue. Mais sa solidarité de fait avec ce monde-là est significative. Le fait important est donc double : d'abord nettoyer la rue d'un petit peuple indocile, qui avait été longtemps accepté, de plus ou moins bon gré, mais sans la volonté de l'en ôter, et qui est plus tard devenu suspect, inquiétant et condamné. Ensuite, dans le même temps, séparer l'enfant de ces adultes dangereux, en le retirant de la rue. La rue est immorale tant qu'elle est un séjour. Elle n'échappe à l'immoralité qu'en devenant un passage, et en perdant dans l'urbanisme des années trente-cinquante les caractères et les tentations du séjour.

---

* Ce texte est celui d'une communication intitulée « L'environnement urbain : l'enfant hors de la famille dans la cité », publiée dans *L'enfant et la vie urbaine. Congrès international, 31 octobre, 1, 2, 3 et 4 novembre 1979*, Montréal, Conseil du Québec de l'enfance exceptionnelle, 1979, p. 45-55. Il a été republié dans la revue *Urbi*, II, 1979, p. III-XIV.

Les cris de la rue

Elle a bien existé, cette ville où les enfants vivaient et circulaient, les uns hors de leurs familles, les autres sans. Cette ville, les organisateurs, les hommes de l'ordre et de la sécurité, l'ont longtemps regardée avec inquiétude, comme une source de dangers, de pollution physique et morale, de contagion et de délinquance. Quelques-uns, au contraire, la découvrent aujourd'hui avec tendresse et nostalgie. Cette ville, nous l'avons perdue ; quand et pourquoi ? Ce qui l'a remplacée n'est pas une autre ville, c'est la *non-ville*, *l'antiville*, la ville intégralement privatisée. Elle a même perdu son nom de ville. En mai 1977, vous entendez bien : en 1977, presque aujourd'hui, un préfet français intervenait dans une discussion sur les autoroutes périphériques de la région parisienne. Son propos est ainsi rapporté par un *Bulletin officiel* : « Au sujet des rocades, le préfet a expliqué sa conception de l'urbanisation. Il a insisté sur l'opportunité d'abandonner le terme de "villes", qui suppose des murailles, des limites, au profit du terme d' "agglomérations", reliées entre elles par des voies rapides. » Le fonctionnaire parisien pensait sans doute aux merveilleuses métropoles américaines, objets de son admiration et de son envie.

Qu'est devenu l'enfant dans ce passage de la ville à l'agglomération, mais aussi, outre l'enfant, celui qui lui est étroitement solidaire, l'adulte ? De la ville hellénistique, Alexandrie ou Rome, à la ville médiévale, chrétienne ou musulmane, ou à la médina méditerranéenne d'aujourd'hui, l'image de l'enfant dans la rue n'a guère changé. La rue l'attirait, il aimait son spectacle, suspect aux parents comme aux instituteurs et aux pouvoirs. Le poète grec Hérondas met en scène une mère qui se plaint au maître d'école de l'inconduite de son fils : le gamin fait l'école buissonnière, traîne dans la rue où il fréquente les flâneurs et joue avec eux : ses « noix » d'enfant (l'équivalent de nos billes) ne lui suffisent pas. Il partage les divertissements immoraux des adultes, il joue aux dés (peut-être pour de l'argent). Ses dés sont aussi usés que ceux des vieux amateurs,

234

et sa mère constate avec indignation qu'ils luisent plus que les fonds de ses casseroles. La bonne correction qu'il recevra de son maître ne l'empêchera pas de retourner avec ses dés aux rencontres douteuses des rues et des carrefours. Les dessins de damiers ou de jeux de marelle qu'on a trouvés à Rome sur le forum étaient peut-être tracés par les enfants d'écoles voisines, situées tout près sous les portiques, à même la rue. Ceux-ci y rencontraient les petits apprentis qui circulaient dans la ville pour leur devoir ou leur plaisir. Les enfants avaient aussi leur place, celle-ci autorisée, dans les cérémonies publiques qui avaient lieu dehors, dans la rue ou sur les places. Ils accompagnaient leurs parents aux distributions d'aumônes : des sculptures nous les montrent, juchés sur l'épaule de leurs pères.

Dans la ville italienne médiévale il en était encore de même, et pour la même raison qu'il n'y avait pas de place pour les enfants à la maison. Ceux-ci glissaient tout naturellement dans la rue, dans l'espace public. Les maisons étaient trop petites et contenaient mal leurs habitants, jeunes ou vieux, si ce n'est pour les courtes haltes nocturnes du sommeil. Dans les classes supérieures les palais étaient certes plus vastes, afin d'accueillir clients et serviteurs, et les mettre à l'abri, car dehors ils auraient été exposés aux dangers qui étaient le lot quotidien des petites gens. Mais ces maisons, ces palais, ne prévoyaient pas de place pour la vie privée. Les enfants y étaient dispersés à travers un espace à la vérité plus ouvert que privé, car il prolongeait et aménageait celui de la rue, plutôt qu'il n'en séparait. Dans les anciens palais du XIIIe siècle, aujourd'hui disparus, la loggia était au rez-de-chaussée et ouvrait directement sur la rue. Cette disposition permettait à la famille et à ses alliés d'être à la fois dehors et dedans, dans la rue et dans la maison. Et partout et toujours des enfants ! En 1447, les consuls du bourg de Rodez condamnent l'escalier d'accès aux murs de la ville, « parce que les enfants le montaient chaque jour », sans doute pour s'approprier le lieu merveilleux qu'était le chemin de ronde. Des gravures de Gallo décrivent les rues marchandes d'une ville italienne vers le début du XVIIe siècle : petites boutiques qui s'ouvrent en rabattant le volet et en le maintenant dans une position horizontale. L'homme de métier, l'artisan, s'installe derrière le volet abaissé comme derrière une table, et le chaland ne doit pas pénétrer à l'intérieur de la boutique pour négocier ses achats : il reste dehors, souvent accompagné d'un enfant. Des petits apprentis aident leurs maîtres dans la boutique, et d'autres enfants courent et jouent un peu partout sans trop se soucier de ce qui se passe alentour.

Mais les enfants ne sont pas là d'une manière seulement, pour ainsi dire, aléatoire, parce qu'ils ne peuvent être ailleurs et qu'il n'y a pas de place ailleurs pour eux. Ils ont aussi un rôle rituel à jouer dans la cité et les adultes comptent sur eux pour qu'ils l'assument. Dans la Rome antique, il existait des associations militaires de jeunes gens de bonnes familles. Dans les palestres, des *pueri*, des enfants, étaient mêlés aux adolescents en âge de porter les armes, les *juvenes*, ils les servaient comme plus tard les petits pages. Les vestales étaient choisies à l'âge de six ans. L'enfant participait aux cultes à mystères. A Florence, au XVe siècle, les enfants et les jeunes gens étaient organisés en compagnies pieuses. Celles-ci avaient un double rôle, contradictoire. D'une part, elles intégraient la jeunesse aux rites sociaux et, bien entendu, religieux. La mission des enfants était alors d'attirer sur la ville la protection divine par leurs prières. D'autre part, ces compagnies servirent aussi à encadrer une jeunesse dont la turbulence devenait inquiétante, à remplir ses loisirs en l'enlevant aux tentations et aux promiscuités de la rue.

Ce rôle des enfants comme intermédiaires entre les adultes et Dieu se retrouve d'ailleurs dans les classes d'âge des sociétés rurales traditionnelles. Sans doute, jusqu'à la puberté, étaient-ils considérés comme préservés des souillures du sang et du sexe auxquelles les adultes étaient au contraire très exposés, et c'est pourquoi à Florence certaines fonctions leurs étaient réservées, en particulier pendant les exécutions publiques, si fréquentes à ces époques de guerres civiles : ils étaient chargés des lapidations, et aussi de l'évacuation des cadavres. On voit bien là l'ambiguïté du statut de l'enfance dans ces sociétés anciennes : elle était acceptée comme différente, au moins pendant l'intervalle qui la séparait de son prochain passage dans les groupes d'adultes, mais cette différence ne la retirait pas de la société globale, elle permettait au contraire de lui affecter une mission dans cette même société. Ainsi, dans la mesure où l'enfant était reconnu comme enfant, il n'était pas mis à part et enfermé dans une sorte de réserve, il recevait au contraire un rôle, qu'il était seul à pouvoir jouer, à l'intérieur d'une société où chaque catégorie de citoyens avait une fonction particulière.

Cette situation n'était pas seulement propre aux sociétés méditerranéennes, antiques et médiévales. Nous la retrouvons dans le Paris du XVIIIe siècle. Elle est décrite à partir des constats de police par Arlette Farge dans un excellent petit livre : *Vivre dans la rue*, paru il y a juste quelque mois [1]. Les procès-verbaux rapportent les petits incidents de la vie quotidienne. Dans cette seconde moitié du XVIIIe siècle, la rue appartenait surtout aux pauvres, les riches qui la partageaient auparavant avaient commencé à s'en retirer : « Un espace que l'on occupe pour la seule raison qu'on n'en possède guère d'autre, un espace pour vivre. » Car Arlette Farge veut défendre le lecteur contre la tentation du pittoresque et de la nostalgie — même si, au fond d'elle-même, il lui arrive d'y céder. « Il ne faut pas se tromper, écrit-elle, sur les images de la rue qui renvoient une impression de charme et de vitalité, de vie intense et d'animation », comme pourrait le faire un lecteur contemporain, frappé d'y trouver ce qui a disparu de son monde d'aujourd'hui.

Vivre dans la rue, c'est dur, « c'est n'avoir pas de havre [...] c'est dépendre, comme aucun bourgeois ne l'accepterait, de ce qui survient dehors ». En effet, « l'intimité est une notion trop neuve ; seules les classes bourgeoises commencent à l'utiliser et à en jouir ». C'est pourquoi elles commencent aussi à quitter la rue et à ne plus circuler que sous la protection d'une boîte isolante : carrosse, chaise à porteurs. Chez les pauvres, écrit Arlette Farge, « la vie se fabrique ici, dans la rue, à coups de tendresse comme de violence. Il n'y a pas d'autre place que les lieux publics pour protéger ses secrets. Les maisons, précaires et insalubres, sont elles-mêmes trop ouvertes sur le dehors, elles ne préservent guère, cachent à peine ce qui se passe à l'intérieur [...]. *Ainsi se dessine un espace où n'existe pas de rupture réelle entre le dehors et le dedans, pas plus qu'il n'existe de séparation nette entre travail et recherche, loisirs, vie affective ou badinage* ». On ne saurait mieux définir la nature globale de la vie sociale, l'absence de spécialisation avant que sa cohérence soit rompue et qu'elle éclate en compartiments étanches, celui de la vie privée, celui de la vie professionnelle, celui de la vie publique.

Les enfants appartenaient très tôt à ce monde de la rue : ils y pratiquaient toutes sortes de petits métiers, en particulier de décrotteurs, comme le font encore aujourd'hui les petits cireurs de chaussures des villes méditerranéennes. Nous les apercevons dans les papiers de police, quand on les arrête pour vagabondage : le 7 septembre 1770, à onze heures du matin, au Marché neuf, arrestation de « Pierre Picard, natif de Normandie, douze ans, décrotteur rue de Clichy, couchant dans l'écurie de la basse-cour de M. le baron d'Igny, intendant des postes. S'est trouvé douze liards dans ses poches, et du pain. Il est à Paris depuis six semaines ». Le guet a ramassé le 11 août 1763 à neuf heures du matin « Jean Mathieu, huit ans. Dit que son père était perruquier, qu'il s'est engagé, qu'il ne sait ce qu'il est devenu, ni sa mère. Il a été mis en apprentissage [une faveur cependant] chez un nommé Dagneau, metteur en œuvre, logé en chambre garnie, quartier Saint-Jacques, chez le nommé Lacroix. Cet enfant a été trouvé endormi sur les boulevards ». 8 octobre 1777, minuit et demi on arrête « Jean François Cassagne, juste âgé de quinze ans, sans asile, vendant des épingles depuis hier, attendu que son père l'avait mis dehors ». Pour ces quelques petits vagabonds, suspects à la police, combien d'autres enfants mieux domiciliés, et pratiquant pourtant les mêmes métiers, apprentis et commissionnaires ? On devine, sous ces textes de police, la présence constante des femmes et des enfants dans la rue, au travail dans la rue, aux cabarets, d'où ils seront ensemble exclus au XIXᵉ siècle, comme d'un mauvais lieu, réservé aux hommes. Au XVIIIᵉ siècle, ils y allaient encore, et, les jours de fête, ils se rendaient en groupe, en famille, dans les guinguettes des boulevards, au-delà de la barrière d'octroi, parce que le vin y était meilleur marché, et aussi l'air plus pur.

La rue était à eux. Voici un petit fait divers significatif, rapporté également par Arlette Farge. 10 mars 1775, six heures et demie, à l'hôtel du commissaire Dorival. « Sont comparus Pierre Figallion, fourbisseur, et Élisabeth Perrin sa femme, demeurant à Paris, rue des Trois-Cannettes [ce fourbisseur est un bon artisan, non pas un grand bourgeois : il appartient au même monde de la rue, mais il y prend ses distances] ; ont rendu plainte contre Lassagne et sa femme, civilement responsables de leur fils de douze ans. Qu'il y a une heure, passant dans la rue Saint-Louis, un jeune particulier qui jouait avec le fils Lassagne a jeté une portée d'eau au fils dont le tout est tombé sur l'habit du comparant, que le comparant ayant dit : ''Qu'est-ce donc que ces polissons-là qui jettent de l'eau aux passants'', ledit Lassagne [le père du petit ''polisson''] a répondu : ''Eh bien ! ne dirait-on pas que l'on t'a fait bien du mal !'' [solidarité de l'adulte et des enfants — agressivité du tutoiement] ; que la comparante a dit : ''Vous mériteriez un soufflet'', et ce dernier lui a jeté une pierre ou une écaille d'huître qui lui a coupé le sourcil et dont elle a perdu beaucoup de sang. » Quelques garçons, sans doute plus vieux, se livraient à des tours plus méchants. Un soir, rue de la Harpe, rapporte toujours Arlette Farge avec complaisance (on aurait voulu l'y voir), la demoiselle Fardy, qui se promenait au bras de son mari, commis-libraire, « s'est sentie serrée par le col avec violence », comme si on l'étranglait. C'est qu'un fil la serrait si fort qu'elle perdit la parole : « Ce fil était tendu dans la rue et guidé par des gens cachés dans les allées ou les maisons [c'est-à-dire dans un dédale de cours où la rue s'insinuait]. Qu'il est venu douze jeunes gens qui riaient et faisaient des gestes ironiques » (30 mars 1785).

Le philanthrope effarouché

A partir du XVIIIe siècle, la rue, le cabaret furent considérés comme des endroits dangereux qu'il va falloir assainir. Dans ce but on emploie la force, la police, mais aussi d'autres moyens plus doux, et sans doute plus efficaces. Sous l'influence plus ou moins directe de Michel Foucault, des jeunes chercheurs français, parmi lesquels Arlette Farge, que nous venons de citer, se sont attachés à montrer comment les pauvres qui constituaient une sorte de subculture ont été convertis aux genres de vie familiaux des bourgeoisies par l'action des philanthropes, des moralistes d'État et d'Église, relayés ensuite, de nos jours, par les travailleurs sociaux et les psychologues. L'histoire de cette acculturation est maintenant bien connue dans ses grandes lignes : l'enfant a été retiré de la rue et enfermé dans un espace désurbanisé, à la maison ou à l'école, rendues l'une et l'autre imperméables aux rumeurs du dehors. Quel formidable changement pour ces enfants et ces jeunes gens, habitués à la liberté, voire aux licences de la rue, et désormais, dans leurs travaux comme dans leurs jeux, éloignés des activités productives, privés de responsabilité, soumis aux disciplines éducatives ! Ainsi toute une partie de la population, jeune mais jadis active, va être déplacée du dehors vers le dedans, d'une vie totale, à la fois privée, professionnelle et publique, vers le monde clos de la *privacy*.

La physionomie de la rue a été nécessairement affectée par ce mouvement de vidage et par le conditionnement de ce qui restait. On aurait pu croire que la sociabilité globale de la rue allait disparaître. C'est se tromper d'environ un siècle, et il est très remarquable que la privatisation de la vie familiale, l'industrialisation et l'urbanisation du XIXᵉ siècle ne sont pas parvenues à étouffer les formes spontanées de la sociabilité urbaine, même si, dans certains cas, celle-ci s'est exprimée autrement. C'est seulement au milieu du XXᵉ siècle, donc bien après l'industrialisation, que l'effondrement s'est produit, et en même temps celui de la ville. « La rue, dit Arlette Farge dans son commentaire, est perçue par les petits personnages comme un monde prestigieux, recelant une vie intense assez semblable à une fête. » Pour Anatole France, « ce qui me plaisait dans la belle rue du Bac, c'étaient les boutiques [...] les jours merveilleux ». De Maurice Genevoix : « Il n'y avait guère plus de deux cents pas jusqu'à la maison de ma grand'mère, mais c'était un voyage splendidement aventureux dont l'habitude n'épuisait pas les joies... C'était, chaque jeudi, la même fête, toujours nouvelle, de la rue galopante qui sentait la fête et le vent » (*Le Jardin dans l'île*, 1936). Pour Léautaud (*Le Petit Ami*, 1899), « il n'est pas une ruelle de tout ce quartier qui ne soit pleine encore pour moi d'une sorte de camaraderie ». Quelquefois cependant, par exemple chez Pierre Loti, la rue devient le monde de l'inconnu et de l'angoisse. « Quand la ville, note Marie-José Chombart de

Lauwe, n'est pas un espace de libre circulation et de jeux, elle devient un monde inquiétant [2]. » En fait on retrouve chez l'enfant les deux images de la ville qu'observe l'historien du XVIIIe et du début du XIXe siècle : une image archaïsante, de fête et de familiarité, et une image moderniste, d'insécurité, d'inquiétude.

Mais l'hésitation subsiste, la société n'a pas encore basculé du côté de la peur, et chez l'enfant, la fascination de la rue l'emporte. On l'a vu, les témoignages sont nombreux. Certes, on fera remarquer à juste titre que ces souvenirs de futurs écrivains expriment l'envie d'une rue qu'on regarde déjà d'un peu loin, plutôt que le plaisir naïf d'y vivre à plein temps. On n'attend tout de même pas que les classes dominantes, qui ont tout fait pour garder l'enfant à la maison et à l'école, le laissent encore s'échapper dans la rue ! Néanmoins, elles n'ont pas tout de suite réussi à éliminer complètement le dehors. Seulement, à la rue populaire et menaçante elles ont substitué, comme un compromis, d'autres espaces de sociabilité qui ne leur étaient sans doute pas réservés, mais où elles étaient bien les maîtres et où elles se sentaient assurées de leur sécurité. Quelques-uns de ces espaces, comme le grand café à terrasse débordant sur le boulevard planté d'arbres ou sur la grande place, étaient, ainsi que les clubs, le domaine des hommes : femmes et enfants en étaient exclus. Un autre espace était le *parc*, comme le XVIIIe siècle en avait créé d'immenses à Londres, le XIXe à Paris, à Vienne, à New York ; les élégants le fréquentaient à pied, à cheval, dans leurs attelages, mais aussi les familles, les enfants avec leurs bonnes, et quelquefois des enfants seuls, échappés un moment à la surveillance des adultes, qui, d'ailleurs, ne s'inquiétaient pas trop de leurs incartades dans un espace si bien contrôlé. Richard Sennett a reconnu dans le Chicago d'avant la guerre civile l'importance des parcs et de leur sociabilité. « C'est pourquoi, écrit-il, Union Park [le quartier de Chicago qu'il a étudié avec tant de pénétration] évitait la claustrophobie du *suburb* contemporain. Le parc était le lieu naturel de rencontre et de socialisation entre la communauté du quartier et la population de la ville [3]. » Un mémorialiste qu'il cite, Carter Harrison, parle des « *uninhibited wandering and exploring* » de son enfance dans le parc.

Les classes supérieures du XIXe siècle se sont retirées de la rue, elles ne se sont pas retirées de la ville. Elles l'ont seulement remodelée autant qu'elles pouvaient. (Leur pouvoir eut des limites, on le verra plus bas.) Elles se constituaient une ville à elles, où la rue était nettoyée, redressée, débarrassée de ses creux, de ses recoins, mise à l'alignement des maisons, et d'où le peuple était refoulé vers des quartiers plus éloignés. Toutefois, la ségrégation fut rarement complète : les quartiers les plus bourgeois avaient leurs rues commerçantes où subsistaient des îlots d'habitat artisanal et marchand, trop minoritaires et bonhommes pour inquiéter : ces îlots correspondaient à la fois à des nécessités de service et à un besoin, pas tout à fait refoulé, de diversité. Malgré ces quelques nuances, il n'en est pas moins vrai que dans les quartiers bourgeois, s'il était encore admis que l'enfant flânât dans le parc, sa place était à l'école ou à la maison. Certainement pas dans la rue. Il n'en était pas ainsi, à la même époque, dans les quartiers populaires. Les historiens du XIXᵉ siècle, et nos sociologues d'aujourd'hui, se sont aperçus que la société traditionnelle de la rue, celle décrite par Arlette Farge, où la femme et l'enfant sont des acteurs à part entière, a survécu très longtemps dans les quartiers populaires. Leur opinion confirme ce que suggéraient des types rendus célèbres par la littérature ou la caricature, comme en France le Gavroche de Victor Hugo ou, plus près de nous, dans les années 1910-1920, les gamins de Montmartre fagotés dans des habits d'occasion trop grands pour eux, coiffés de casquettes d'hommes, qu'on a eu vite fait d'appeler les « petits poulbots », du nom de l'artiste qui les avait dessinés.

Encore au début du XXᵉ siècle, les enfants persistent à exercer les petits métiers qui avaient toujours été les leurs : ils font les commissions, assurent les livraisons, les petites manutentions. Ils apportent aux travailleurs d'atelier, de fabrique ou de mine de l'eau et de la nourriture — comme à la campagne, ils gardent les bêtes, aident aux moissons, au dépiquage... Tout cela se faisait encore après les lois qui réglementèrent le travail des enfants et qui, à la longue, dissuadèrent de les employer. Les enfants ne paraissent pas s'être plaint, c'est peut-être même eux qui ont tenu à travailler, contrairement à ce qu'on a longtemps cru, et ni leurs parents ni les ouvriers de l'atelier n'avaient mauvaise conscience. Ces derniers aimaient se faire photographier sur le lieu de leur travail avec les enfants qui les aidaient de temps en temps, et qui ne distinguaient pas bien lieux de jeux et lieux de travail. En fait, le travail des enfants dans l'industrie a été interprété de deux manières différentes, qui mettent en question la participation de l'enfant à la vie des adultes et de la communauté. La première attitude, celle des philanthropes catholiques et des historiens marxistes, est de réprobation radicale : les enfants étaient considérés comme les victimes de l'exploitation capitaliste. Cette attitude correspond à une face tout à fait réelle de la situation : tout dernièrement, un historien québécois, J. Harvey, montrait comment cela s'était passé au Canada. La deuxième attitude, qui est celle d'une nouvelle génération d'historiens, de sociologues, sans contredire la première, consiste à dégager un autre effet positif de la participation des enfants au travail des adultes et au mélange des âges que celui-ci entretient dans la pratique. Une exposition sur l'enfant du Rouergue organisée par Jean et Claire Delmas — Jean Delmas est directeur des Archives départementales de l'Aveyron — présente une lettre de 1901 où un artiste acrobate demande à M. le préfet de l'Aveyron de laisser travailler son fils Eugène, âgé de huit ans, comme équilibriste sur les mains. Le père insiste sur le fait que ce travail est absolument sans danger. Mais le préfet a écrit en marge du document : *autorisation refusée*. Ainsi s'exprime un architecte-designer d'aujourd'hui, préoccupé par la place actuelle de l'enfant dans la ville, François Barré : « Nos sociétés ont certes soumis les enfants à la production en les exploitant sans vergogne. Marx pouvait écrire : ''Lorsque le capital s'empara de la machine, son cri fut : du travail de femmes, du travail d'enfants''. *Il semble que ce premier forfait ait entraîné une suspicion permanente à l'égard de toute tentative d'association de l'enfant au travail productif* » (je souligne [4]).

Le petit délinquant

L'école primaire était, à la fin du XIXᵉ siècle, très généralement fréquentée en France. C'est donc à la fois autour de l'école et du quartier (une école par quartier) que s'organisa alors, et au début du XXᵉ siècle, la sociabilité de l'enfance populaire. C'est l'école qui fait la différence avec la période précédente du XVIIIᵉ et du début du XIXᵉ siècle — celle décrite par Arlette Farge. L'enfant est désormais l'écolier, reconnaissable au *tablier noir* qu'il ne quittait guère et qui le désignait comme un uniforme. Mais l'école ne l'enlevait à la rue qu'une partie de la journée et de la semaine. Ni parent ni bonne ne venaient le chercher ou le ramener : il était libre de son temps et il le passait dehors, en groupe, avec ses camarades. Même le petit-bourgeois rêvait d'échapper à ses anges gardiens pour se mêler aux petits gars de la communale (l'école des pauvres !) et vivre, dans la rue, des aventures aussi intenses. C'est ce que dit en 1929 Jean Cocteau des enfants de la rue d'Amsterdam. Cette rue « est leur place de Grève, une sorte de place du Moyen Age, de cour d'amour, de jeux de miracles, de bourse aux timbres [divertissement plutôt bourgeois] et aux billes [celui-ci, universel], de coupe-gorge où le tribunal juge les coupables et les exécute, où se complotent de longue main ces *brimades qui aboutissent en classe* [je souligne], et dont les préparatifs étonnent les professeurs ». En 1912, vers la même époque que celle évoquée par Cocteau, Pergaud racontait quelles sortes de conflits et de brimades occupaient les bandes d'enfants, après l'école. Dans son livre *La Guerre des boutons*, comme dans *Les Enfants terribles* de Cocteau, à la campagne comme à la ville, les inventions de ces petites bandes apparaissent comme « signes de la vitalité des enfants » (Marie-José Chombart de Lauwe). Elles ne sont plus dénoncées : c'est peut-être qu'elles deviennent plus rares et qu'on se demande si elles n'appartiennent pas à un passé qui s'éloigne et devient nostalgique.

Une telle indulgence était en effet plutôt exceptionnelle. Dans son ensemble la société restait hostile à la liberté des enfants dans la rue, où elle ne voyait qu'insécurité physique, indiscipline morale, et en fin de compte apprentissage de la délinquance : le petit *maraudeur*, comme on disait, auquel on tirait les oreilles, ou donnait quelques « calottes », devenait peu à peu le jeune *délinquant* que le directeur du centre commercial livre aujourd'hui à la police, à l'assistance sociale, au juge des enfants, à la maison de correction, etc. (et que déjà le juge royal d'Ancien Régime punissait sévèrement quand le délit avait lieu dans un marché public). Dans une lettre qu'elle m'a adressée au sujet de ce rapport, Michèle Perrot, excellente historienne de cette société populaire, m'écrit : « Les rapports quotidiens des commissaires de police conservés (au moins en partie) pour 1880-1914 à la Préfecture de police montrent que la police, au début du XXe siècle, passait beaucoup de temps à faire la chasse aux "garnements". Au début du XXe siècle, la mise sur pied d'un code de l'enfance, la création des tribunaux pour enfants (1912) accentuent évidemment la chasse à l'enfant vagabond », chasse commencée dès la fin du XVIIIe siècle à Paris. Dans la petite ville manufacturière de Saint-Affrique, dans le Midi de la France, la police du milieu du XIXe siècle traquait les enfants qui traînaient dans la rue. Dans leur remarquable exposition sur les Enfants du Rouergue (Espalion, été 1979), Jean et Claire Delmas ont présenté une collection de contraventions dressées à Saint-Affrique en 1865 à des enfants d'une douzaine d'années, coupables de jouer dans la rue aux cartes, aux jeux de hasard, pour de l'argent — de la bien petite monnaie sans doute, mais c'est le principe qui compte ! En voici de douze ans, qui sont pris « tous deux jourgand [un mot de patois gascon qui signifie "jouant"] de l'argent à pile-face. A notre approche, ils ont pris la fuite ». Mais l'agent les connaissait bien et savait leurs noms. Une autre fois, l'agent n'a reconnu que deux des fuyards : le reste de la « troupe » lui a échappé. D'autres encore ont été surpris jouant aux cartes pour de l'argent : le lieu du délit était devant la maison du juge, circonstance aggravante peut-être !

La pression des pouvoirs, et bientôt des familles de plus en plus culpabilisées, bannit les enfants de la rue. Mais ils résistent, profitent de leur liberté entre l'école et la maison, s'organisent en bandes. Michèle Perrot croit que la Première Guerre mondiale a provoqué une recrudescence de ces phénomènes, et ensuite le retour à l'ordre ne les a pas fait disparaître complètement : un jeune sociologue, Philippe Meyer, les retrouve aujourd'hui à Paris, dans les quartiers périphériques du Nord, à la frontière de la ville et de la banlieue. Il les analyse dans sa thèse de doctorat (1979) [5]. J'avais moi-même déjà parlé, dans un article de *Daedalus* (1977) [6], de « la répugnance de l'État à ce que les plages de vie échappent à son contrôle et à son influence ». Philippe Meyer remarque que « ces plages de vie n'ont pas totalement disparu. Fortement éliminées, elles existent à l'état de vestiges dans certains quartiers ou dans certaines villes, quand l'œuvre de colonisation et d'équipement entreprise par l'État n'a pas encore eu totalement raison des modes de sociabilité indigène ». Les quartiers du nord de Paris, qu'il connaît bien, qui ont poussé près des anciennes fortifications abandonnées et qui sont restées longtemps comme un *no man's land*, ont eu la chance d'être longtemps sous-équipées, c'est-à-dire qu'ils avaient peu d'équipements scolaires, sociaux, d'animation : les administrateurs parisiens les avaient oubliés et ne s'étaient pas intéressés à leur « développement ».

« Ce quartier, écrit Meyer, décrit par Carco, chanté par Bruant, est resté semblable à lui-même, populaire, populeux, vivace. Il est en particulier renommé par ses bandes de jeunes traditionnellement nombreuses et fortes. » « Échappant en grande mesure aux circuits officiels et normaux de mobilisation et de sociabilisation, ces jeunes sont restés essentiellement, et de façon étonnante souvent, des ''habitants'' enracinés dans un lieu et dans un milieu, et caractérisables principalement par le lien qui les rattache au territoire. Provenant généralement de familles considérées comme anormales, échappant tôt au système scolaire ou refoulés par lui, indésirables à cause de leur turbulence dans les associations, les clubs, les groupes ou les maisons de jeunes, puis réformés le plus souvent lors du passage devant les commissions de sélection du service militaire, ces jeunes n'en sont pas moins étroitement solidaires d'une réalité sociale, d'un milieu de vie, de leur quartier, de la ''Rue''. Les bandes que nous avons connues étaient ainsi toutes géo-socialement déterminées, elles étaient toutes de quelque part, et ce lieu d'origine était aussi toujours un milieu de vie qui formait, qualifiait et moulait la bande au point qu'avec un peu d'expérience on puisse par la seule observation des conduites et des habitudes dire d'où était tel ou tel jeune. » « C'est sans doute ce mode bien particulier de socialisation indigène par la rue et le milieu qui donne aux bandes ce potentiel d'imaginaire social, cette capacité au folklore, au mythe, à l'aventure. Cette richesse de socialité tisse par-dessus leur ennui morbide et la banalité quotidienne de leurs vies individuelles une histoire d'une densité sociale exceptionnelle, véritable ferment de la bande, de sa solidarité et de sa vitalité. Là où beaucoup ne voient, et pour cause souvent, que désordre, entassement, pagaille, bruits et fureurs, on est bien forcé avec un peu d'attention de reconnaître une profusion, une densité, une accumulation, une liberté, l'épanouissement d'une vie sociale irrépressible, échappée, mais pour combien de temps encore, aux missions des travailleurs sociaux, aux prescriptions de l'urbanisme, aux barreaux des asiles ou des prisons. »

Un rêve de pierres

Chose curieuse, on retrouve dans le Paris contemporain de Philippe Meyer beaucoup de traits du Paris du XVIIIe siècle d'Arlette Farge, et en particulier l'irrigation des maisons par la rue. Des espaces existent, qui sont communs à la rue et à la maison, dédales d'impasses, de passages, de cités, de ruelles. Meyer insiste sur les « places », mi-privées, mi-publiques. Elles forment « une sorte de village (avec ses commerçants) qui tient plus des courées du XIXe siècle [et des "quarrés" qu'Arlette Farge a trouvés dans les documents du XVIIIe siècle parisien] que de l'urbanisation qui l'entoure ». La vie dans les réseaux de micro-espaces a été préservée parce que l'automobile hésitait à s'y engager, sauf celle des habitants : « Cette faible circulation fait que les enfants peuvent jouer au ballon sur la chaussée, s'y tenir rassemblés ou s'y ébattre librement à portée du regard des mères qui peuvent les interpeller des fenêtres de leurs cuisines. » Mais la « place » n'est pas un espace réservé aux seuls enfants. On y retrouve le mélange des âges caractéristique de la ville ancienne. « La place centrale est un *lieu de rencontre et d'échange* [je souligne], un centre où circulent toutes sortes d'informations, un poste duquel on peut observer tous les détails de la vie de l'îlot. » Il en résulte une coopération entre les différents groupes d'âges, « tout en gardant les distances qu'il convient ». Ainsi existe-t-il des relations entre les bandes d'enfants et les bandes de jeunes. Les jeunes initient les enfants, organisent leurs jeux, leurs sorties, mais ils les tiennent à l'écart de leurs activités dangereuses et suspectes, de leurs expéditions. On trouverait des distinctions de ce genre dans les quartiers populaires des villes d'Italie.

La forte sociabilité des enfants dans la ville, le partage de l'espace urbain entre les enfants et les adultes ont donc persisté tout au long du XIXe siècle, puis le refoulement des enfants en marge de la ville l'a emporté sur les résistances, en même temps que l'espace urbain se transformait, éclatait ; pour reprendre le mot, cité plus haut, du préfet parisien de 1977, la ville devenait *agglomération*.

Il est intéressant de repérer cette évolution à ses précoces origines, dans l'Amérique de la fin du XIXe siècle. Richard Sennett en a très bien analysé les commencements à Chicago, à propos du changement de la famille de l'époque. Je retiendrai ce qu'il dit de la place de l'enfant. Nous avons déjà remarqué à sa suite que dans le quartier de Chicago qu'il étudie, Union Park avant 1870 — l'époque de la sociabilité des parcs —, la famille s'ouvrait assez sur le milieu pour que l'enfant s'aventurât dans des flâneries et des explorations tolérées. Quelques années plus tard — c'est le sujet de son livre — la composition et la structure des familles ont changé. La famille dite nucléaire a remplacé la famille « étendue », qui comprend au moins un membre collatéral (*collatoral kin*) ou une plus grande variété d'âges : oncle ou tante, grand frère ou grande sœur, vivant à la maison, en général non mariés et travaillant. Dans ces nouvelles familles dites nucléaires, également *middle class*, repliées sur les parents et les enfants, et où le couple mère-enfants domine les relations affectives, la vie de l'enfant a changé. L'enfant a perdu la relative liberté qui était la sienne dans les familles « étendues ». Finies les aventures dans le parc ! « Ses parents, écrit R. Sennett, le conduisaient à l'école et l'y reprenaient pour le ramener à la maison. *Il lui était interdit d'aller dans le parc* [je souligne] et il devait jouer tout près de la maison, où sa mère pouvait le surveiller constamment. » La première étape, vers 1890 à Chicago, a été donc l'enfermement de l'enfant dans la maison et à l'école. La seconde étape a été la migration hors de la ville traditionnelle, quadrillée de rues sièges d'une activité, d'une sociabilité. La ville telle qu'on l'a héritée du passé est devenue un repoussoir. On peut encore y aller travailler, *on ne peut plus y habiter*. On habitera autant que possible dans la nature à la campagne. Un espace va être créé qui fera semblant de ne pas être la ville, le *suburb*, le plus riche étant celui qui lui ressemblera le moins. C'est en Amérique que l'éclatement de la ville a été à la fois le plus précoce et le plus radical.

Mais en France, dans la région parisienne, si les choses se sont passées autrement et plus tard, la détérioration de l'espace urbain a été la même. Un document récent permet de saisir sur le vif les transformations de l'espace urbain dans les petits bourgs qui seront ensuite agglomérés dans le tissu compact de la banlieue parisienne par la grande marée urbaine du XXᵉ siècle. Mme Roxane Dubuisson possédait une collection de cartes postales de l'époque 1900 représentant des aspects de ces bourgs, avec l'art et la précision des photographes de ce temps. Vers 1970 des jeunes gens, Alain Blondel et Laurent Sully-Jaulnes, eurent l'idée de faire un choix parmi ces cartes postales, et, *ensuite*, de retrouver les sites et de les photographier dans leur état nouveau, et enfin de comparer les deux séries, celle 1900, celle 1970. Les documents ont été exposés à Paris au musée des Arts décoratifs en 1972-1973, et un album de reproductions a été publié sous le titre : *L'Image du temps dans le paysage urbain*. « Ce tour de banlieue, écrit Alain Blondel dans sa préface, nous a pris deux ans. Le dimanche matin on se livrait à cette petite manie. Mme Dubuisson au volant ; moi à sa droite avec mes plans anciens et modernes, déployés pour comparer, empêtré ; Laurent derrière, avec ses fiches, ses objectifs. » Nous disposons donc, pour chaque site retenu, de son état en 1900, à gauche, de son état en 1970, à droite. La comparaison est accablante. Dans l'intervalle, c'est toute la vie qui a disparu. Tout n'a pas changé ; sauf dans quelques cas assez rares, les maisons, leur alignement, la configuration générale, le cadastre sont restés les mêmes. Et pourtant on passe d'un monde dans un autre. A gauche, en 1900, un monde vivant ; à droite, en 1970, un monde figé, pétrifié.

Si on regarde de près, on s'aperçoit que la différence tient aux facteurs suivants : 1) Rétrécissement des trottoirs, espaces libres occupés par les arbres et les hommes. Ils fonctionnaient comme un intermédiaire entre le lit central de la chaussée et les massifs minéraux des maisons. Ils ont été réduits à si peu de chose qu'ils n'ont plus de fonction : ils sont vides et ne servent plus à rien. 2) Disparition des arbres. Les villes du XIXᵉ siècle, à l'inverse de celles du Moyen Age et de la Renaissance, étaient plantées d'arbres. Ceux-ci ont disparu entre 1900 et 1970. 3) Disparition des terrasses de bistrot. Le café, le bistrot jouaient un rôle essentiel dans la sociabilité de ces petites villes du XIXᵉ siècle. Ils étendaient leurs domaines sur la rue par leurs terrasses le plus souvent ombragées. Terrasses de café et arbres constituaient le décor normal de la rue. Les uns et les autres ont disparu, même si le café est resté, mais alors sa terrasse a été « privatisée », elle a été escamotée dans la maison, séparée de la rue par des parois vitrées. 4) Disparition des promeneurs et des enfants. En 1900, les rues sont bondées, les terrasses de café sont pleines de gens. La rue est comme une promenade plantée d'arbres, bordée de bistrots, envahie par les tables et les chaises des terrasses. Parmi les flâneurs, *beaucoup d'enfants* de tous âges, les plus petits avec leurs mères, les plus grands seuls ou en petits groupes. Visiblement tout le monde est dehors. En 1970, la rue s'est vidée : pas plus d'hommes, de femmes, d'enfants que d'arbres. 5) Le vide est rempli par les voitures. Sont-elles les causes de la désertification de la ville ? C'est bien la voiture qui a poussé les familles populaires à empêcher leurs enfants de jouer dans la rue comme ils en avaient gardé l'habitude malgré la police et ses interdits. La peur de l'accident a fait plus que celle d'une police dont on savait s'accommoder. Les enfants, eux, n'avaient pas peur ; ils savaient s'adapter à la voiture, ils montaient derrière, comme ils s'accrochèrent dans les années quarante, en grappes, aux tramways de Rome. Mais cette fois, les parents s'émurent et réussirent à les retenir. Les enfants eux-mêmes avaient sans doute perdu le goût de courir dans la rue.

L'automobile n'est pas la seule explication. Des villes italiennes, comme Rome (non pas Naples), ont été aussi envahies par les voitures, mais celles-ci n'ont pas conquis le monopole, elles ont dû partager la rue avec une foule enracinée. Ailleurs, en France en particulier, elles ont fait le vide, et les municipalités ont été réduites, pour sauver la rue, à créer des espaces artificiels, quelquefois vivants, souvent morts, les rues piétonnées. Tenon-nous-en au constat de nos deux jeunes photographes parisiens de 1970 :

« Avant. Après. Quoi ? L'automobile ? Sans doute... Le dépeu-
plement des campagnes ? Aussi, bien sûr. Et puis encore les pro-
moteurs [immobiliers], les monuments aux morts, l'éclairage public
et obligatoire, réseaux de fils et de poteaux, la publicité, la télé
qui retient chez eux les anciens flâneurs... Les responsabilités sont
partagées, imbriquées. C'est clair. Avant c'était bien, possible du
moins. Après c'est devenu laid, cafardeux, pas vivable [...] la
démonstration est là, scientifique. » D'un côté une ville avec des
hommes, de l'autre côté une ville sans hommes, déserte, minérale.
En observant ces documents, on comprend que ce qui fait la vie
d'une ville, c'est la circulation, l'échange, la rencontre, l'animation de la rue.

En réalité, cette mort de la rue a été voulue. La rue concentrait
en elle tous les dangers, l'immoralité, l'insalubrité de la ville. Il
fallait d'abord l'abandonner, ou la réduire à une fonction si spé-
ciale qu'on pouvait à la rigueur n'y plus aller, si on avait la chance
de n'y plus travailler. La vie qui s'en était retirée se répandait alentour dans un habitat plus lâche, dans des maisons et des jardins
où il faisait si bon rester qu'on n'avait plus aucune raison d'en
sortir. La rue était remplacée par la route, lieu de circulation des
voitures et non plus de promenade des hommes et des enfants. Les
urbanistes envisagèrent alors de remodeler les vieux centres urbains
abandonnés, le soir, après la fermeture des bureaux. On voulut
même les revivifier en les rendant semblables aux *suburbs* résiden-
tiels. Il suffisait de supprimer la rue, source des pollutions et des
dangers, obstacle à la privatisation globale de l'espace. Le Corbu-
sier et les urbanistes destructeurs de sa génération n'étaient pas des
barbares : ils comprenaient la beauté des églises, des palais, des
grandes architectures. En revanche, ils refusaient toute valeur artis-
tique au dédale des ruelles et des places, aux îlots insalubres et rui-
neux : leur antiquité ne leur conférait plus de privilège. Les
urbanistes voulaient les détruire et les remplacer en surface par de
la verdure, en hauteur par des tours aérées, ensoleillées, résidences des familles heureuses. Les fonctions commerciales étaient refou-
lées dans des endroits sacrifiés, mais à part dans la ville dans une
arrière-ville où on irait faire ses courses comme on va aux toilettes
faire ses besoins. La ville idéale ne serait plus qu'un immense parc,

parsemé de tours modernes et de monuments antiques, réunis par des autoroutes. Les gens resteraient chez eux, dans leurs maisons ou leurs jardins, les enfants seraient parqués dans les espaces spécialisés conçus pour eux : au-dehors, plus personne, sinon quelques touristes attirés par la renommée de l'œuvre.

Gavroche retrouvé ?

Cette ville d'utopie n'a pas été réalisée (sinon à Los Angeles), et les agglomérations d'aujourd'hui ont été conçues comme des compromis entre les rêves de demain et les contraintes du passé. Pour les enfants, on pensait d'abord qu'on avait assez fait en assurant à l'intimité familiale les bonnes conditions de son fonctionnement et de sa sécurité. La *privacy* de la famille comptait plus que celle de chacun de ses membres. Plus de petits recoins abandonnés aux enfants, dans cet univers fonctionnel où chaque chose était prévue, où chaque place avait sa destination. Hors de la maison, on avait cependant consenti, non sans réticence, quelques espaces réservés aux jeux, aux loisirs des enfants, si vraiment la maison, l'école et ses activités multiples ne leur suffisaient pas ! Les moralistes s'indignèrent que ces espaces fussent ou désertés ou dévastés. Hors de la maison et des espaces imposés, plus de rues pour accueillir les enfants. Il leur fallut alors découvrir, dans ce monde trop quadrillé, quelques lacunes pour s'y installer, comme jadis dans la rue : les parkings souterrains, les cages d'escalier, les rares coins oubliés ou abandonnés, quand ce n'étaient pas les caves dont ils avaient fracturé les portes.

Les historiens de l'art ont été, me semble-t-il, les premiers, avant les médecins, les sociologues, les psychologues, les prêtres, éblouis par les mirages de la modernité, à s'inquiéter de cette dévaluation de la rue, à protester contre sa destruction, à défendre ses fonctions, et d'abord ses fonctions esthétiques. La beauté d'une ville, en effet, ne tient pas seulement à ses monuments, mais à son cadre d'îlots, de *blocks (insulae)*, à ses rues, qui constituent à eux seuls une œuvre d'art, et une œuvre absolument irremplaçable et très fragile. On peut restaurer un monument abîmé ou même le reconstruire. On ne peut absolument pas refaire le lacis de rues et d'îlots qui échappe au pastiche par son irrégularité. Son pittoresque est dû à une somme de riens inimitables, qu'il n'est pas possible de repérer à l'avance. La rue a donc été d'abord réhabilitée pour des raisons esthétiques. Les spécialistes des sciences humaines appliquent de nos jours au domaine social et psychologique des arguments et une problématique empruntés aux historiens de l'art. Il existe désormais un consensus selon lequel on préférera interdire une rue aux voitures afin d'y laisser jouer les enfants en liberté plutôt que de détruire une rue ou une cour pour y installer un espace qui leur serait réservé — et, on le sait, qu'ils bouderont. L'idée fait son chemin qu'il faut réintégrer l'enfant dans la ville, et non plus supprimer la ville, sous prétexte de protéger la famille et l'enfant !

De cette évolution je donnerai comme preuve quelques manifestations dans la France des dernières années, qui a été pourtant le terrain favori de la planification immobilière et sociale : à Beaubourg, en 1976, une exposition sur la ville et l'enfant ; un numéro spécial de la revue *Autrement*, en 1977, intitulé *Dans la ville, les enfants*. Marie-José Chombart de Lauwe et ses collaborateurs ont participé à ces deux entreprises exemplaires, c'est pourquoi je retiens son nom parmi d'autres spécialistes de l'enfance. L'article qu'elle a donné au catalogue de l'exposition de Beaubourg est intitulé « L'enfant dans la ville : oublié, enjeu ou messager ? » [7]. « Introduire la catégorie sociale des enfants dans la planification, écrit-elle dans un article du numéro spécial d'*Autrement*, semble au premier abord n'entraîner que des actions ponctuelles [précision d'espaces réservés], en fait oblige à une réorganisation importante », c'est-à-dire à repenser la ville [8].

Un urbaniste-designer, François Barré, a repris dans la revue *Traverses* de 1976 une communication au congrès de l'ICSID à Moscou en 1975, où il développait les deux exigences des enfants dans leur conception de l'espace, exigences en apparence contradictoires, en fait complémentaires, comme l'avaient bien compris nos vieilles sociétés. D'une part, l'exigence d'un espace à eux seuls, fait d'ombres et d'irrégularités, d'accidents, comme la rue et la maison d'autrefois. Observation qui, note François Barré, remet en cause certaines constantes de l'architecture des sociétés industrialisées. « Les grandes baies vitrées qui inondent les pièces de lumière et annulent la séparation du dehors et du dedans [je dirais plutôt de la maison construite et de la nature sauvage] ; les espaces plurifonctionnels qui communiquent de plain-pied [et ignorent les transitions délicieuses] ; les éclairages centraux qui révèlent l'espace dans sa totalité ; les habitats sans dénivellation s'opposent à la demande enfantine [9]. » D'autre part, l'exigence d'un espace « généraliste » (au sens du médecin généraliste, non spécialiste), commun à eux et aux adultes, « ouvert et non sectoriel ». C'était jadis l'espace de la rue, de l'atelier. Il a disparu. « Producteur différé, continue François Barré, adulte en sursis, l'enfant doit-il ignorer la ville comme espace global et vivre des années durant dans des réserves protégées, hors de la promiscuité et de l'échange ? [...] On l'écarte pourtant de ce partage de la vie adulte [du travail] et plus généralement de toute activité productive responsable [10]. »

« Si nous suivons l'enfant dans la ville, poursuit-il, nous ne découvrirons pas la ville [dans son sens traditionnel et commun], mais un découpage de temps et d'espaces qui ne correspondent pas », ce que j'appelle la non-ville. Parmi ces temps et ces espaces, certains lui sont cependant réservés : la crèche, l'école, le centre aéré, le terrain de sport, l'atelier de création. *Des petits ghettos.* Alors François Barré en arrive à évoquer la ville ancienne : « Elle se faisait d'une suite d'accidents, de cours et de recoins, *d'espaces non affectés.* [...] Elle sécrétait par tous ses pores un vécu contradictoire et proposait des lectures multiples à l'ordonnance subtile [...] Le quartier [...] avait lui-même ses micro-milieux, ses aventures, son identité. *L'enfant qui n'avait alors que peu d'espaces spécifiques investissait la ville et ses habitants, ses voisins, les commerçants les plus proches, les objets urbains, la rue.* [...] La ville, en un mot, avait une théâtralité. Les villes nouvelles qui n'ont ni passé ni odeur sentent l'ordre ; l'ordre d'un urbanisme de zoning et d'une architecture sans signification [11] » (je souligne).

Pour que l'enfant retrouve la ville nécessaire, encore faut-il que celle-ci ne se dérobe pas aux adultes, comme la mer quand la marée baisse. Encore faut-il que les adultes aussi aient l'envie de la retrouver. Il en est de l'enfant et de l'adulte comme de la General Motors et de l'Amérique : ce qui est bon pour l'un est bon pour l'autre.

NOTES

[1] Arlette Farge, *Vivre dans la rue à Paris au XVIIIe siècle*, Paris, Gallimard-Julliard, 1979, rééd. 1992.

[2] Marie-José Chombart de Lauwe, « Un intérêt ambigu, des discours piégés », dans *Dans la ville, des enfants, Autrement*, n° 10, septembre 1977, p. 6-13.

[3] Richard Sennett, *Familles Against the City : Middle Class Homes of Industrial Chicago, 1872-1890*, Cambridge, Mass., Harvard University Press, 1970 ; trad. fr. : *La Famille contre la ville. Les classes moyennes de Chicago à l'ère industrielle (1872-1890)*, Paris, Recherches, p. 227-232.

[4] François Barré, « L'espace d'un moment ou l'enfant inusité », dans *Traverses*, 4, mai 1976, p. 41-47 (citation p. 45).

[5] Philippe Meyer, *L'Enfant et la raison d'État*, Paris, Éd. du Seuil, 1977.

[6] Philippe Ariès, « The family and the city », dans *Daedalus*, vol. 106, n° 2, printemps 1977, p. 227-237.

[7] Marie-José Chombart de Lauwe, « L'enfant dans la ville : oublié, enjeu ou messager ? », dans *La Ville et l'Enfant, Paris, 26 octobre 1977-13 février 1978*, exposition organisée par le Centre de création industrielle, Centre Georges-Pompidou, 1977, p. 65-71.

[8] *Id.*, « Un intérêt ambigu, des discours piégés », art. cit., p. 10.

[9] François Barré, art. cit., p. 44.

[10] *Ibid.*, p. 45.

[11] *Ibid.*, p. 46-47.

11

La famille et la ville*

Je voudrais dans cette note réfléchir sur les relations entre l'histoire de la famille et celle de la ville. L'une des idées directrices de ma réflexion est que la famille s'est hypertrophiée, comme une cellule monstrueuse, quand la sociabilité de la ville (ou de la communauté rurale) s'est rétractée et a perdu son pouvoir d'animation et de vie. Tout se passe comme si la famille avait été alors tentée de remplir le vide laissé par la décadence de la ville et des formes urbaines de sociabilité. Désormais cette famille envahissante, toute-puissante et partout présente, a prétendu répondre à tous les besoins affectifs et sociaux. On constate aujourd'hui qu'elle a échoué, soit parce que la privatisation de la vie a étouffé des exigences communautaires incompressibles, soit parce qu'elle a été aliénée par les pouvoirs. L'individu demande aujourd'hui à la famille tout ce que la société extérieure lui refuse par hostilité ou indifférence. Comment en est-on ainsi arrivé à tout demander à la famille, comme à une sorte d'absolu ?

* Ce texte a été publié en anglais sous le titre « The family and the city », dans *Daedalus*, vol. 106, n° 2, printemps 1977, p. 227-237, et en français dans la revue *Esprit*, janvier 1978, p. 3-12. Il a été repris pour partie dans la communication (restée inédite) de Philippe Ariès au colloque « Sociabilité urbaine », organisé par l'université Lyon-II les 5-10 mars 1979.

Dans les sociétés traditionnelles

Voyons d'abord un peu vite comment les choses se passaient dans les sociétés traditionnelles occidentales, du Moyen Age au XVIIIᵉ siècle, avant les Lumières et la Révolution industrielle.

Chacun naissait dans une communauté faite de parents, de voisins, d'amis, d'ennemis, de gens avec lesquels on avait des relations exigeantes de solidarité. La communauté déterminait plus que la famille le destin de l'individu. Il appartenait à un jeune garçon, au moment où il quittait les jupons des femmes, de se tailler une place dans cette communauté. Comme un animal, un oiseau, il devait faire reconnaître par la communauté qu'il avait un *domaine*, un espace à lui, et en faire admettre les frontières. Il lui revenait de déterminer les limites de son pouvoir, ce qu'il pouvait faire et jusqu'à quel point il pouvait aller sans rencontrer les résistances des autres, de ses parents, de sa femme, de ses voisins, c'est-à-dire de la communauté. Le domaine ainsi conquis dépendait moins de ses connaissances, ou de son savoir-faire, que de son habileté à utiliser les dons de la nature et de la naissance. C'est un jeu qui avantageait le garçon hardi et le beau parleur, vainqueur des joutes oratoires, bon acteur de théâtre. La vie tenait du mimodrame. Allait-il trop loin, le joueur se faisait remettre à sa place. Hésitait-il à s'imposer, il était laissé à un rôle subalterne.

La femme qu'il choisissait comme épouse l'aidait à maintenir son rôle et à l'étendre : elle était son principal et plus fidèle collaborateur, aussi la choisissait-il en conséquence, et la femme de son côté acceptait autant le domaine à conserver que l'homme avec qui vivre. Le mariage renforçait la position du mari, non seulement grâce au travail de sa femme, mais grâce au caractère de la commère, à sa présence d'esprit, à ses talents de joueuse, d'actrice, de conteuse, à sa capacité de forcer la chance et de s'imposer.

La notion importante est donc celle de *domaine*. Or ce domaine n'était ni privé, ni public, au sens moderne de ces mots, ou plutôt il était l'un et l'autre à la fois. Nous le dirions aujourd'hui privé parce qu'il correspondait au comportement individuel, au caractère de l'homme, à sa manière d'être seul ou en société, à sa conscience de lui-même, à son être profond. Nous le dirions aussi bien public parce qu'il désignait la place de l'homme dans la collectivité, ses droits et ses devoirs. Cette stratégie individuelle était possible parce que l'espace social n'était pas absolument plein. Le tissu était lâche, et il revenait à chacun d'en élargir les mailles à sa convenance, mais dans les limites permises par la communauté. Celle-ci admettait l'existence d'un jeu autour des êtres comme autour des choses. Il est remarquable que le même mot, « jeu » en français, *play* en anglais, signifie à la fois le fait de jouer et l'espace laissé libre dans un assemblage. Peut-être le jeu ludique était-il le moyen de créer ou de maintenir le jeu-espace [1].

L'État, la « grande Société » étaient des puissances qui n'intervenaient que rarement, de manière intermittente, en inspirant la terreur et en semant la ruine ou comme une Providence miraculeuse. Chaque individu avait à gagner son domaine en transigeant avec les hommes et les femmes de sa petite communauté.

La famille devait renforcer les pouvoirs de l'individu, chef de ménage, sans changer la solidité de ses relations avec la communauté. Les femmes mariées se retrouvaient entre elles au lavoir comme les hommes au cabaret. Chaque sexe avait son emplacement à l'église, à la procession, sur la place, à la fête et même à la danse. La famille n'avait pas de « domaine » à elle. Le seul « domaine » propre était celui que chaque individu mâle avait gagné par sa stratégie, avec l'aide de sa femme et aussi de ses amis ou clients.

Trois grands changements au XIXᵉ-XXᵉ siècle :
le nouveau modèle

Les choses vont changer à partir du XVIIIᵉ siècle, et il convient maintenant d'analyser les trois grands phénomènes qui ont provoqué et orienté ce changement.

Le premier a été, à partir du XVIIIe siècle, la répugnance de la société globale, c'est-à-dire de l'État, à ce que des plages de vie échappent à son contrôle et à son influence. La communauté ancienne admettait au contraire l'existence de ces plages nues et tolérait leur occupation par cet aventurier qu'était chaque individu. Pour parler un vocabulaire américain, la communauté avait une ou plutôt des « frontières », que l'audace individuelle déplaçait. L'État issu des Lumières et de l'industrialisation, l'État technicien et organisateur a effacé la frontière. Il n'y a plus un côté à l'intérieur et un autre côté à l'extérieur de la frontière : le regard et le contrôle de l'État s'étendent ou doivent s'étendre partout, et ne doivent plus rien laisser dans l'ombre. Il n'y a plus d'espace libre où l'individu puisse s'installer en *squatter*. Certes, les sociétés libérales lui laissent des initiatives, mais seulement dans les voies qu'elles ont programmées, où elles ont ménagé les étapes, en particulier celles de la réussite à l'école et de la promotion dans le travail. C'est tout autre chose. On n'accepte plus de *jeu*, de jeu-espace, entre les êtres pas plus qu'entre les choses. La société nouvelle est mieux *ajustée*.

Le deuxième phénomène est directement en relation avec le précédent : la séparation entre le lieu du travail et le lieu de la vie tout court, c'est-à-dire de la maison, de la rue, de la campagne. Le travailleur quitte le centre de son ancien domaine, celui de la société traditionnelle, théâtre alors de toutes ses activités, pour aller travailler plus loin, parfois très loin, et dans un environnement très différent, soumis à une discipline et à une hiérarchie. Il entre dans un nouveau monde, où il peut être d'ailleurs plus heureux, mieux assuré du lendemain, où il participe à d'autres solidarités, par exemple syndicales.

Ce lieu spécialisé du travail est une invention de la nouvelle société, celle qui a horreur du vide. L'entreprise industrielle ou commerciale, l'administration des affaires sont des mécaniques très ajustées. Le capitalisme libéral a prouvé leur souplesse, leur capacité d'adaptation. Mais cette souplesse n'a rien à voir avec l'ancien jeu-espace, elle dépend au contraire de la précision de l'assemblage. L'entreprise même libre est parfaitement contrôlée, sinon par l'État, du moins par la « grande Société ».

On pourrait facilement soutenir que le déplacement du travailleur, comme l'enfermement de l'enfant à l'école, du fou à l'asile, de n'importe quel petit délinquant à la prison, a été l'un des moyens de « surveiller et punir » (Michel Foucault), en tout cas un moyen de contrôler et d'ordonner.

Le troisième et dernier grand phénomène qui a agi sur les transformations du XVIIIe-XIXe siècle est très différent des deux précédents, il est de nature psychologique. Mais la corrélation chronologique avec les deux autres est impressionnante. L'époque n'est pas seulement celle de la révolution industrielle, elle est aussi celle d'une *grande révolution de l'affectivité*. Celle-ci était auparavant diffuse, répartie sur une certaine quantité de sujets, naturels et surnaturels, Dieu, saints, parents, enfants, amis, chevaux et chiens, vergers et jardins. Elle va se concentrer à l'intérieur de la famille, sur le couple et les enfants, objets d'un amour passionné et exclusif que la mort n'arrêtera pas.

Désormais la vie de chaque travailleur sera partagée entre deux pôles, celui de son travail, où naît aussi une sensibilité nouvelle, et celui de sa famille. La vie de celui qui ne travaille pas ou ne travaille plus, femme, enfant, vieillard, est entièrement absorbée par le pôle familial. Cependant le partage entre le travail et la famille n'est pas égal ni symétrique. Sans doute existe-t-il aussi de l'affectivité dans le travail, mais le travail et son lieu appartiennent au monde soumis à une surveillance exacte et constante, tandis que la famille est au contraire un refuge qui échappe à ce contrôle [2]. La famille est devenue un espace qui ressemble au « domaine » individuel de l'ancienne société, avec cette différence qu'elle n'est pas un espace individuel : l'individu s'y est effacé au profit du groupe familial, et en particulier des enfants et de leur promotion. D'autre part, elle est plus détachée qu'autrefois de la collectivité, et elle tend plutôt à s'opposer au monde extérieur et à se replier sur elle-même. Elle est donc devenue *le* domaine privé, le seul endroit où l'on puisse légalement échapper au regard inquisiteur de la société industrielle. Celle-ci n'a cessé jusqu'à nos jours de remplir les vides laissés par la société traditionnelle : elle a cependant respecté l'espace nouveau qui s'était constitué dans son sein comme une défense et un refuge : la famille. Cet espace, elle l'admettait d'ailleurs comme une « réserve », facile à surveiller, et elle contraignait les récalcitrants (les concubins) à y entrer [3].

La séparation entre le lieu de travail et le lieu de famille correspond donc à un partage entre un secteur public et un secteur privé, ce dernier coïncidant avec la famille.

La nouvelle sociabilité du XIXe siècle : la ville, le café

Telles sont les grandes lignes du modèle. Mais celui-ci ne s'est pas imposé tout d'un coup à l'Occident industriel, et il n'a pas été partout également accepté. Deux périodes importantes doivent être distinguées : le long XIXe siècle jusqu'à la conquête de l'espace par l'automobile et le dernier demi-siècle. Ce qui change entre ces deux périodes est le degré de privatisation de la vie et la nature du secteur public.

Au cours de la première période, disons en gros le XIXe siècle, la famille apparaît déjà dans la bourgeoisie et chez les paysans telle qu'elle est aujourd'hui, c'est-à-dire comme un domaine privé, mais, et la réserve est très importante, la privatisation avait gagné seulement les femmes (y compris celles qui travaillaient) et les enfants ; les hommes y avaient partiellement échappé, et sans doute voyaient-ils là l'un de leurs privilèges de mâles. Pour les femmes et les enfants, il n'y avait presque plus de vie en dehors de la famille et de l'école, qui constituaient tout leur univers. Au contraire, pour les hommes, il existait toujours entre la famille et le travail un lieu de rencontre et d'animation : la ville.

On me permettra ici de concentrer l'attention sur la ville et de laisser de côté le cas des sociétés paysannes, où les survivances traditionnelles et les nouveautés de l'époque industrielle se combinent si bien qu'il n'est pas facile à l'analyse de les distinguer. Toutefois, remarquons-le, les historiens sont d'accord aujourd'hui pour admettre le développement dans l'Europe occidentale du XIXe siècle d'une florissante civilisation rurale, due à la prospérité agricole. Cela doit être vrai aussi des États-Unis. Ne dit-on pas que des régions du Middle West ont conservé des traditions déjà disparues dans les pays d'origine des émigrants ? Cet épanouissement témoigne d'une grande vitalité de la communauté paysanne à cette époque, qui fut pourtant celle des progrès de la *privacy*, de la famille, de l'école.

L'exode rural n'avait pas encore détruit la vie paysanne, il l'avait plutôt allégée et aidée. C'est l'époque des beaux costumes et des beaux meubles régionaux, exposés dans les musées de folklore. C'est l'époque où l'on recueille sans difficulté les contes populaires. Et c'est cependant aussi l'époque où les paysans s'efforcent, avec ténacité, d'ouvrir à leurs enfants, moins nombreux, les carrières de l'État, de la ville, grâce à l'école ; l'instituteur est devenu une personnalité de la communauté rurale du XIXᵉ siècle : aujourd'hui il ne l'est plus.

Mais c'est plutôt le phénomène urbain que je voudrais retenir et analyser.

Le long XIXᵉ siècle est une grande époque de la ville et de la civilisation urbaine. Sans doute la population des villes a-t-elle augmenté au point de faire déjà peur : les pauvres immigrés venus en masse des campagnes ont d'abord paru dangereux aux bourgeoisies possédantes qui les voyaient camper comme une armée du crime et de la révolution. Mais l'image née de cette grande peur ne doit pas nous tromper aujourd'hui.

Certes, la grande ville n'était plus ce qu'elle était encore au XVIIᵉ siècle, une réunion de quartiers, chaque quartier, parfois une rue, ayant sa physionomie propre et constituant une communauté de fait. Dès le XVIIIᵉ siècle, à Paris, l'arrivée d'une population mobile, sans domicile fixe, avait bouleversé l'ancien modèle. La sociabilité traditionnelle par quartier et par rue disparaissait. *Mais une nouvelle sociabilité se substituait à l'ancienne, maintenant et développant les fonctions essentielles de la ville.*

Le véhicule de cette nouvelle sociabilité a été le café, le restaurant (le café-restaurant) — c'est-à-dire un endroit public où l'on se rencontre, où on cause autant qu'on boit ou qu'on mange : l'endroit du discours. C'est une invention de la fin du XVIIIᵉ siècle. On connaissait autrefois le traiteur (la *trattoria* italienne), l'auberge *(albergo)* ou l'hôtellerie *(osteria)*, des endroits destinés soit à servir un repas d'abord à domicile, soit à héberger et à restaurer un hôte de passage. On connaissait aussi la taverne et le cabaret, où l'on buvait, où on débitait du vin et où on faisait des rencontres souvent mauvaises, un lieu mal famé, parfois à demi bordel. Le café est tout autre chose : il n'y a pas de café dans les campagnes, seulement à la ville. Le café est un lieu de rencontre, dans une ville qui justement s'accroît démesurément et où on ne se connaît pas aussi bien qu'auparavant. En Angleterre, il restera sans doute un endroit clos et restreint à la manière du vieux cabaret, mais son nom dit bien sa fonction, le *pub*. Dans l'Europe continentale, il est ouvert sur la rue et la colonise grâce à ses « terrasses ». Le café avec ses grandes terrasses est l'un des traits les plus frappants des villes du XIXe siècle. Il n'existe guère dans les parties médiévales ou Renaissance des vieilles villes, comme Rome. En revanche, il s'étale dans les mêmes villes italiennes autour des grandes places dues à l'urbanisme colossal de Cavour et de l'Unité. Il était, il est encore, à Vienne le cœur de la cité. A Paris, il a peut-être été la cause du déplacement de la vie publique depuis l'espace clos comme un cloître du Palais-Royal jusqu'à l'espace linéaire du Boulevard, siège de la vie nocturne.

Sans doute le café apparaît-il à l'origine comme un phénomène mondain, aristocratique plus encore que bourgeois. Mais il a été vite vulgarisé, étendu à toutes les conditions et à tous les quartiers. Dans la ville du XIXe siècle, pas de quartier sans café, et sans plusieurs cafés. Dans le quartier populaire, le petit café joue un rôle essentiel : il permet des communications qui n'existeraient pas autrement, entre les résidents mal logés, souvent absents, retenus qu'ils sont par un travail lointain. Le café est l'endroit par où transitent les messages. C'est pourquoi il est devenu tout de suite l'accès au téléphone de ses habitués, le lieu où ceux-ci utilisent le téléphone, où on peut les atteindre par téléphone, leur laisser un message. Chacun s'étonnera avec Maurice Agulhon de la prodigieuse quantité de petits cafés dans une ville comme Marseille, chacun groupant autour d'un comptoir et d'un téléphone un minuscule réseau de voisins et d'amis.

Le nombre et la densité des cafés nous suggèrent qu'un secteur public nouveau a pu se développer spontanément dans la ville du XIXe siècle.

Ce secteur public n'a pas échappé à la volonté de contrôle de l'État. Tout de suite l'État a compris le danger qu'il représentait et il a cherché à l'encadrer par une police et des règlements. Mais, en fait, il n'y a jamais réussi complètement. Aussi les bien-pensants, les gens d'ordre et de morale s'en sont-ils toujours méfiés et l'ont traité comme un mauvais lieu, foyer d'alcoolisme, d'anarchie, de paresse, de vice et de contestation politique. Dans la France contemporaine, les projets d'urbanisme l'éloignent du voisinage des écoles et des lycées, et l'oublient dans les implantations commerciales près des nouvelles résidences. La méfiance du pouvoir et des bien-pensants n'a cependant pas nui à sa fréquentation ni à sa popularité. *La civilisation du XIXe siècle est une civilisation du café* [4].

Ce rôle du café doit être comparé à celui de la famille à la même époque. La famille est un lieu privé et le café est un lieu public. Mais l'une et l'autre échappent au contrôle de la « grande Société », véhicule des pouvoirs. La famille y échappe de droit, le café y échappe de fait. Ils sont l'une et l'autre les deux seules exceptions au système moderne de surveillance et d'ordre et à son extension à tout l'espace social. Il existe donc, au XIXe et au début du XXe siècle, dans les villes, et même dans les très grandes villes, à côté de la maison et de la *privacy*, une vie publique, différente de celle des sociétés traditionnelles et très réelle. C'est pourquoi les villes de cette époque ont été si vivantes et les progrès de la *privacy* n'y ont pas affaibli la sociabilité publique, du moins celle des mâles.

Le pourrissement de la ville au XXe siècle

Vers le milieu du XXe siècle, dans l'Occident industriel, cette sociabilité publique s'est effondrée. La fonction sociale et sociabilisante de la ville disparaît. Plus il y a de population urbanisée et moins il y a de ville, de cité. Je ne sais plus quel humoriste conseillait de mettre les villes à la campagne. C'est bien, en fait, ce qui s'est passé.

Un tissu urbain, ou d'apparence urbaine, recouvre d'immenses espaces continus, dans tous nos pays, mais plus spécialement aux États-Unis, où il a remplacé la ville. Il n'y a plus de villes. Ce phénomène, sans doute l'un des plus importants de l'histoire de nos sociétés, doit être rapproché de ce que nous savons de la famille et de ses changements. Je voudrais en effet montrer les incidences sur la famille contemporaine du pourrissement de la ville et de la perte de sa fonction sociale.

A partir d'une époque variable d'un endroit à l'autre, mais qui commence à la fin du XIXᵉ siècle, c'est-à-dire avant l'automobile, les habitants les plus riches ont fui la ville agglomérée et dense, qu'ils trouvaient à la fois malsaine et dangereuse. Ils cherchèrent loin des endroits habités un air plus pur et un voisinage plus décent. Ils commencèrent par occuper en masse des quartiers périphériques encore peu peuplés, comme à Paris le XVIᵉ et le XVIIᵉ arrondissement, proches d'espaces verts, comme le parc Monceau et le bois de Boulogne. Puis, grâce au chemin de fer, au tramway électrique, et bientôt grâce à l'automobile, ils poussèrent de plus en plus loin. Le fait est bien connu. Il est général à tout l'Occident industrialisé, mais c'est en Amérique du Nord qu'il a pris le plus d'ampleur et qu'il a atteint ses extrêmes conséquences. C'est là qu'il faut l'observer.

Une ségrégation s'opère, non seulement une ségrégation sociale, entre quartiers riches et bourgeois et quartiers pauvres et populaires, mais aussi une ségrégation de fonctions, entre quartiers de travail et quartiers de résidence. Ici le bureau, l'entreprise, l'usine, l'atelier, là la maison et son jardin. Entre les deux, le moyen de transport le plus souvent individuel, la voiture. Dans ce schéma il n'y a plus de place pour le forum, l'agora, la *plaza mayor*, le *corso*, etc. Pas de place non plus pour le café comme lieu de rencontre et de sociabilité. Il n'existe que la cafétéria, débit de boissons (douces) et de nourritures (rapides). Les commerces se sont accrochés aux deux pôles de la vie. Ils sont ici et là animés à des heures différentes. Dans les quartiers d'affaires et de travail, ils bourdonnent à l'heure du lunch. Dans les quartiers de résidence, ils font leur pointe le soir. Aux heures creuses, ils sont également vides et silencieux, sous le regard ennuyé de la caissière, seule présence à peine vivante au milieu des choses et de la lumière électrique.

Ce qui est tout à fait remarquable est la disparition de la vie collective dont l'entretien caractérisait autrefois la fonction urbaine. Aussi la ville américaine est-elle ou encombrée par la circulation pressée des voitures et des hommes en déplacement, ou *vide*. Les quartiers d'affaires retrouvent toutefois un peu de l'ancienne flânerie, les beaux jours, vers midi, quand le peuple des bureaux s'attarde un petit moment à siroter au soleil un *Coke* ou un *icecream*. Mais, après cinq heures, la solitude s'étend sans que les quartiers de résidence compensent à la même heure l'abandon des quartiers d'affaires. La rue y est aussi déserte, sauf au voisinage des centres commerciaux et de leur parking : l'homme est rentré dans sa maison, comme dans une coquille, dans l'intimité de sa famille et de temps en temps dans la société triée sur le volet de quelques amis.

L'agglomération urbaine est constituée désormais d'îlots, maisons, bureaux, centres commerciaux, isolés par un grand vide. L'espace interstitiel a disparu.

Cette évolution a été précipitée par la voiture et par la télévision. Mais elle était déjà préparée par le culte de la *privacy* et par ses progrès au long du XIXᵉ siècle, d'abord dans la bourgeoisie et les classes moyennes. Dans les générations nées entre 1890 et 1920, chez ceux qui ont aujourd'hui entre cinquante et quatre-vingts ans, le modèle de vie était le *green suburb*, la possibilité de fuir la ville pour vivre comme à la campagne, dans la nature, une nature reconstituée et opposée au fourmillement urbain. Le déplacement de l'habitat vers les *suburbs* verdoyants, loin des boulevards bruyants et denses, répond à l'attraction de la vie familiale, repliée sur son intimité. Là où la privatisation de la famille a été moins poussée, comme dans les milieux populaires, dans les régions méditerranéennes, c'est-à-dire dans des sociétés de mâles entêtés, la vie collective a mieux résisté.

Tout se passe comme si, au cours du XIXᵉ siècle et du début du XXᵉ, les effets de la privatisation et du nouveau modèle de la famille avaient été limités par la vigueur de la vie collective dans les villes comme dans les campagnes. Un équilibre s'était produit entre une vie familiale à la maison et une vie collective au café, à la terrasse, dans la rue. Cet équilibre s'est rompu et l'attraction de la vie familiale l'a emporté grâce au rayonnement de son modèle et à l'aide inattendue des techniques nouvelles, comme l'automobile et la télévision. Alors la vie sociale tout entière a été absorbée par la vie vie privée et par la famille.

La rue, le café, l'espace public n'ont plus désormais d'autre fonction que de permettre et d'entretenir le déplacement physique entre la maison, le travail, les commerces. Ils ne sont plus des lieux de rencontre, d'échange, de divertissement. C'est la maison, le couple, la famille qui prétendent désormais remplir ces fonctions. Et quand le couple ou la famille quittent la maison pour chercher quelque chose de non accessible à la maison, c'est dans une annexe mobile de la maison, dans la voiture. Celle-ci permet de traverser sans trop de risques un monde hostile et dangereux, qui commence à la porte de la maison, comme l'arche permit à Noé de survivre au Déluge.

Il n'y a pas longtemps, je me trouvais à minuit à Rome dans le quartier populaire du Trastevere. Il y avait encore plein de monde dans la rue, mais pas d'adultes, seulement des *ragazzi* de dix-huit et vingt ans, surtout des garçons, car ce n'est pas encore l'habitude à Rome, au moins dans les milieux populaires, de laisser les filles courir la nuit. On sait que l'attrait de la télévision, si fort chez les enfants et les adultes, est interrompu pendant le temps de l'adolescence. La jeunesse est plus avide de vie extérieure, d'expérience directe et spontanée. Les jeunes gens du Trastevere étaient accueillis par la merveilleuse rue romaine, décor chaleureux et pittoresque du théâtre encore permanent de la vie quotidienne. Mais là où ce décor n'existe plus ? Où se réunissent alors les adolescents ? dans le *basement* des maisons, dans les parkings souterrains ? Ou dans la chambre d'un camarade ? Toujours dans des *espaces clos*. Ils peuvent bien rejeter leur famille : ils en conservent la tendance à s'enfermer. La frontière d'aujourd'hui est ce mur intérieur qui subsiste, même s'il ne protège plus grand-chose.

Conclusion

Ainsi, vers le milieu du XXᵉ siècle, à l'âge qu'on appelle post-industriel, le secteur public du XIXᵉ siècle a craqué et les contemporains ont cru qu'ils pouvaient le compenser par l'extension du secteur privé familial.

On a donc alors *tout* demandé à la famille : l'amour-passion de Tristan et Iseut comme la paisible tendresse de Philémon et Baucis, l'éducation et la promotion des enfants, mais aussi leur maintien dans un réseau prolongé d'affection exclusive, la constitution d'une petite société complète, élargie parfois jusqu'à quelques cousins, le monde nostalgique des Jalna, les plaisirs de l'intimité à la maison, et aussi la découverte du monde extérieur, mais dans l'intimité de la voiture, les adolescences qui n'en finissent pas et se prolongent au-delà du mariage. Cela a commencé à l'époque du *baby-boom*. La famille a alors eu le monopole de l'affectivité, de la préparation à la vie, des loisirs. Par cette tendance au monopole, elle réagissait à la contraction de la sociabilité publique. On peut penser que cette situation a créé un malaise et une intolérance.

Il n'y aurait donc pas aujourd'hui à proprement parler crise de la famille, comme on le dit souvent, mais impossibilité de la famille à remplir toutes les fonctions dont elle a été sans doute provisoirement investie pendant le dernier demi-siècle. Or, si mon analyse est exacte, cette hypertrophie des rôles familiaux est une conséquence de la décadence de la ville et de la sociabilité publique.

Le monde postindustriel du XXᵉ siècle n'a pas été jusqu'à présent capable ni de maintenir la sociabilité du XIXᵉ siècle, ni de la remplacer par une autre forme plus neuve. La famille a dû prendre l'impossible relais. *La cause profonde de la crise actuelle de la famille n'est pas dans la famille, mais dans la ville.*

269

NOTES

(1) Voir Yves Castan, *Honnêteté et relations sociales en Languedoc (1715-1780), op. cit.*

(2) Jacques Donzelot, *La Police des familles*, Éd. de Minuit, 1977, et Philippe Meyer, *L'Enfant et la raison d'État, op. cit*, pensent au contraire que la famille est devenue aussi l'un des canaux du pouvoir.

(3) Un processus bien analysé par Jacques Donzelot et Philippe Meyer.

(4) Citons ici le dernier livre de Maurice Agulhon, *Le Cercle dans la France bourgeoise, 1810-1848. Étude d'une mutation de sociabilité*, Paris, Armand Colin, «Cahiers des *Annales*», n° 36, 1977, mais il faudrait citer toute l'œuvre de notre historien de la sociabilité.

12

Les âges de la vie*

Il faudrait s'entendre. Assistons-nous à l'insurrection de la jeunesse, comme classe d'âge, soit contre les cultures, les morales, les disciplines du passé, soit contre les excès invivables des sociétés postindustrielles ?

Les émeutes sur les campus le laisseraient croire.

Faut-il admettre, au contraire, que la masse de la jeunesse ait peu changé, qu'elle ne s'oppose pas plus qu'il n'a toujours été accoutumé à la génération précédente et que, malgré les apparences, persiste une continuité ?

On le croirait aussi à la lecture des sondages d'opinion.

Comment concilier les deux témoignages ? Admettra-t-on que le seul vrai soit le plus rassurant et que les mouvements de la surface soient dus seulement à une petite poignée d'agitateurs ? Ou bien celle-ci se révélerait-elle une minorité déterminée, puissante, capable d'encadrer et d'entraîner une masse encore prisonnière du passé, mais prête à céder ?

Durée courte et longue durée

Les mouvements de la jeunesse n'ont pas fait vraiment question tant qu'ils sont restés confinés dans le domaine des mœurs : manifestations de Noël 1956 à Stockholm, expéditions de bandes de

* Ce texte a été publié dans *Contrepoint*, 1, mai 1970, p. 23-30.

jeunes, etc. Ils ont bouleversé les habitudes des adultes quand ils ont débouché sur la politique, et cela s'est fait en France, tout d'un coup, en mai 1968. Auparavant, on se préoccupait au contraire de la dépolitisation de la jeunesse, on tentait de l'interpréter. On disait par exemple qu'elle n'était pas une véritable indifférence, mais le signe de la substitution des syndicats d'étudiants aux vieux partis. Et voici que la jeunesse fait irruption dans la politique. Tant qu'ils ont appartenu au monde des profondeurs, les phénomènes de la jeunesse n'ont guère intéressé que quelques curieux ou quelques savants, comme les insectes ou les champignons. Dès qu'ils sont devenus politiques, ils ont bouleversé l'opinion.

Pris au dépourvu par l'événement, les observateurs, journalistes, hommes d'étude ou d'action, se sont efforcés de faire entrer ces phénomènes insolites dans les systèmes d'explication classiques de la science politique. Bien entendu, ils n'y entraient pas. Ils n'y entraient pas parce que les faits politiques et leurs interprétations habituelles appartiennent à une durée courte.

Les faits de mentalité collective se situent au contraire dans une très longue durée et, à cette échelle, les catégories habituelles perdent le sens qui leur est autrement attribué. On s'aperçoit que le changement et la modernité sont là où on croyait qu'il y avait permanence et tradition.

L'importance conservée par les facteurs politiques, malgré la concurrence des faits socio-économiques, grâce au marxisme, des faits psychologiques grâce à la psychanalyse a restreint l'explication du monde moderne à des séries d'alternatives sommaires : Résistance ou Mouvement, Conservation ou Progrès, Réformisme ou Révolution, Immobilisme ou Modernité, etc.

Et cependant, aujourd'hui, malgré la continuité apparente du discours politique, d'énormes masses de faits, jusqu'alors vécus plutôt qu'aperçus, forcent le seuil de la conscience collective et pénètrent dans le domaine de l'expérience, de la critique, de la connaissance, et bientôt de la pratique. Par exemple les relations de l'homme et du milieu naturel, par exemple les âges de la vie.

On n'avait pas naguère l'idée d'une histoire de la vie ou de la mort, de la vieillesse ou de la jeunesse. Une biologie, une écologie, une médecine, oui. Une histoire, non, car des phénomènes qui tenaient beaucoup de la nature et des déterminismes naturels ne variaient pas assez vite et surtout ne subissaient pas assez l'empire de l'homme pour constituer une histoire. La politique, la religion, l'art, puis l'économie ont été les terrains favoris de l'Histoire parce qu'ils paraissaient être les plus exposés à l'action des hommes.

Or voici que ce qu'on croyait hors de leur action leur est maintenant soumis. Des blocs entiers sont passés de la nature dans la culture, et nous nous apercevons que notre vie quotidienne dépend d'un tissu de relations qui n'a plus rien à voir avec le langage politique des anciens ni des modernes.

On peut d'ailleurs se demander si le malaise d'aujourd'hui ne provient pas d'une hypertrophie brutale du monde du connu et du parlé, et d'un rétrécissement proportionnel du monde du secret. Il ne s'agit pas seulement du progrès des sciences. C'est preque tout l'imaginaire et le rêve qui sont devenus objets de connaissance, de discours, de représentations. Autrefois, les sentiments les plus forts étaient les moins avoués, parce qu'ils étaient les moins aperçus. Dès qu'ils montaient à la surface de la conscience collective, ils avaient déjà perdu de leur pouvoir universel, ils commençaient à être jugés de l'extérieur, critiqués, condamnés ou défendus. Peut-être, après tout, recelons-nous, nous aussi, dans des abîmes ignorés de nous, les germes d'un nouvel imaginaire, auquel il appartient de ne pas être perçu, et que nous ferions avorter par trop de compréhension. Nous le saurons un jour — ou plutôt nos neveux !

Mais si nous nous tenons aux apparences, heureusement trompeuses, en un demi-siècle, le monde très ancien, et qu'on pouvait croire biologique, des rêves, des sentiments inaperçus, a été exposé et épuisé.

Cette découverte contemporaine nous a, il est vrai, donné aussi l'idée d'explorer les lacs profonds du passé. Si on veut comprendre, c'est-à-dire situer, les attitudes collectives qui nous surprennent aujourd'hui, il faut remonter à leurs racines lointaines, suivre leurs traces dans le silence des âges.

La logique de la scolarisation

Essayons d'appliquer cette méthode à la jeunesse. Des ethnologues et aussi des historiens de l'Antiquité ont montré que dans les sociétés « sauvages », la jeunesse existait en tant que classe d'âge. On y entrait et on en sortait, à la suite de rites d'initiation, de passage. La jeunesse exerçait des fonctions, occupait sa place dans la société, parmi les autres classes d'âge, les adultes mariés, les vieillards. Cela est bien connu. Ce que l'on sait moins et qui importe à notre sujet est que cette classification par âge s'est effacée dans nos sociétés occidentales au Moyen Age. [A-t-elle été conservée dans l'Islam, qui a gardé tant d'usages matériels de l'ancienne Méditerranée ?] Certes, on en trouve les traces plus ou moins vivaces dans le folklore, c'est-à-dire dans les traditions rurales, en particulier dans le Midi provençal, où elles ont rejoué, comme l'a montré Maurice Agulhon [1], et servi de cadre d'accueil à des contenus nouveaux. Mais il s'agit seulement de survivances qui ont influencé les structures nouvelles, et celles-ci ne leur doivent pas leurs caractères spécifiques.

Dans les sociétés médiévales et d'Ancien Régime, on simplifie à peine en disant qu'il n'y avait pas de jeunesse ; ni au sens des ethnologues, ni au sens que nous lui donnons aujourd'hui. Le mot existait, la « verte jeunesse » ; il désignait non pas l'adolescence, mais la plénitude de la force, la maturité de l'adulte, le sommet des degrés des âges, symbolisé par le roi, père et triomphateur.

J'ai essayé ailleurs de montrer que la notion d'enfance est restée longtemps inconnue [2]. Ce qui est vrai de l'enfant l'est encore plus de l'adolescent. Sortis des jupes de leur mère ou de leur mie, les enfants étaient jetés, sans la transition que connaissaient les sociétés primitives, dans le monde des adultes, et ils étaient alors confondus avec eux et traités comme eux. Il n'y avait pas de jeunes hommes, mais des hommes jeunes. L'âge adulte commençait très tôt, bien avant la puberté, et il finissait aussi très tôt, peu après la trentaine, au seuil d'une vieillesse précoce exposée aux infirmi-

274

tés et à la mort. Des exemples ont été maintenant souvent cités de garçons de douze ans aux armées et de filles du même âge dirigeant un ménage.

Nous sommes frappés dans la peinture ou la gravure par le mélange constant des enfants, des jeunes et des adultes, au cours des travaux et des jeux, à la maison, au cabaret, dans la rue, au bivouac.

La disparition de la jeunesse comme classe d'âge reconnue est due aux moyens adoptés par les sociétés d'Ancien Régime pour transmettre la culture.

A l'éducation par les « compaings », à l'intérieur de la classe d'âge, des sociétés néolithiques se substitua l'apprentissage par les anciens. Les jeunesses du Moyen Age et de l'Ancien Régime ont été formées par l'expérience directe de la vie, au contact incessant des adultes, aux champs, à l'atelier, à la Cour, à l'ost.

L'école n'était pas inconnue, mais elle était réservée aux usagers du latin, aux futurs clercs. Et même ceux-ci ne tenaient d'elle que le savoir, et non pas la pratique, qui s'acquérait aussi par l'usage. Beaucoup de jeunes clercs vivaient comme des apprentis ou des stagiaires chez un homme d'Église, qu'ils servaient, qui s'engageait à leur laisser la liberté d'aller aux écoles et leur communiquait une culture orale.

Le grand phénomène qui va donner naissance à la jeunesse telle que nous la connaissons a été la scolarisation progressive de l'éducation. Elle a commencé aux XVᵉ, XVIᵉ siècles et elle se termine aujourd'hui sous nos yeux.

C'est l'école, c'est la culture écrite qui ont créé l'adolescence auparavant inconnue. Pas n'importe quelle école : une école où la fréquentation était continue, sans interruptions, qui commençait assez tôt, mais ne se prolongeait pas trop longtemps, comme c'était le cas dans la pratique médiévale, ou dans l'idéal humaniste, qui donnait une formation progressive selon l'âge (le système des classes), une formation générale qui n'était pas réservée à quelques spécialités. L'école latine et cléricale du Moyen Age mit du temps à se conformer à ce modèle, aussi ses effets furent-ils lents. Elle a progressivement séparé les écoliers du reste de la population, en les mettant à l'écart des adultes pendant le temps de leur scolarité.

Cette séparation, d'abord incomplète, est devenue de plus en plus rigoureuse du XVIIe au XIXe siècle. Elle a abouti à une réclusion, à un régime pénitentiaire dont Jules Vallès et Dickens nous ont laissé l'amère peinture.

La jeunesse a été reformée en classe d'âge par son enfermement à l'intérieur des écoles.

L'évolution fut d'abord lente ; elle s'est précipitée au cours du XVIIIe siècle, au point qu'on a pu, alors, parler de «torrent d'éducation», comme nous parlions, il y a quelques années, d'«explosion scolaire». C'est alors le temps de Chérubin, le premier type moderne d'adolescent : mais Chérubin n'avait pas encore mué.

Il est remarquable qu'à la fin de la première grande poussée de scolarisation, au début du XIXe («ce siècle avait deux ans»), apparaît une jeunesse consciente d'elle-même, et que cette prise de conscience s'accompagne d'un malaise : le mal du siècle.

Le romantisme des enfants du siècle est un mal de la jeunesse. «Alors s'assit sur un monde en ruines une jeunesse soucieuse.» «Un sentiment de malaise inexprimable commença donc à fermenter dans tous les jeunes cœurs.»

Les glossateurs actuels de la crise de la jeunesse se réfèrent parfois au romantisme pour étayer une thèse rassurante de la permanence de la crise : elle serait propre à l'âge et on la retrouverait tout au long de l'Histoire.

Il est possible en effet que dans les sociétés où les classes d'âge n'ont ni stabilité ni fonction, l'accès collectif à la jeunesse s'accompagne toujours, désormais, d'un malaise, mais encore faut-il que jeunesse il y ait. Or avant le XVIIe siècle il n'y avait pas de jeunesse consciente ni reconnue.

La turbulence des écoliers du Moyen Age, qu'on a exhumée dans le même but de prouver l'éternel retour de phénomènes identiques, n'a rien à voir avec les émotions du romantisme ou de nos universités contemporaines. On la retrouve sans peine ailleurs, dans les églises, les moutiers ou les cours de justice. Cette turbulence est le fait d'une société violente, où chacun a la tête près du bonnet et le poignard facile. Les jeunes écoliers se battaient comme des hommes.

Il n'en est plus de même des manifestations de la jeunesse romantique. Elles sont présentées par les contemporains comme la révolte d'une génération. De froids observateurs du milieu du XIXe siècle comme Rémusat ou Pasquier se rendaient bien compte du retard de l'entrée dans la vie active, conséquence d'un long purgatoire scolaire. Le chancelier Pasquier rappelait qu'à la fin du XVIIIe siècle on devenait magistrat (sans voix délibérative) à dix-sept ans, officier à quinze ou seize ans. « Aujourd'hui, s'étonnait-il, le jeune homme entre dans le monde à vingt-deux, vingt-trois, vingt-quatre ans. »

Toutefois, les effets de cette première ségrégation n'allaient pas au-delà d'un malaise ressenti seulement dans la très petite minorité de la jeunesse des classes supérieures. Elle se traduit dans les faits par une épidémie de suicides, par la participation aux révolutions, et surtout dans l'art et la littérature. D'une part, la plus grande partie des jeunes n'était pas touchée par la quarantaine scolaire et était toujours mêlée aux adultes. D'autre part, la jeunesse romantique elle-même ne subissait pas jusqu'au bout les conséquences psychologiques de sa séparation : les « écoliers » n'étaient pas assez nombreux dans l'ensemble de la société pour que cette séparation fût totale. Les relations coutumières, qui tissaient des liens étroits de sociabilité au-delà des petites unités familiales, conservaient assez de force pour compenser l'isolement du collège. Aussi le mal du siècle, s'il paraît bien le signe de l'apparition de la jeunesse ne s'est-il pas étendu au-delà de la bourgeoisie.

Une invention des adultes

De cette analyse il ne faudrait pas conclure que la jeunesse s'est seulement distinguée du reste de la société par l'isolement mécanique d'une tranche d'âge scolarisée. L'isolement a bien séparé une population qu'on peut dénombrer, mais, en outre, la catégorie représentée par cette population a été moralement privilégiée et considérée par la société globale comme créatrice de valeurs. Enfin, ces valeurs n'ont pas été seulement reconnues comme passagères, attachées à un état passager de la vie humaine, mais caractéristiques d'une conception nouvelle de l'homme total. En réalité, ces valeurs ont été découvertes par les adultes à travers les expériences récentes de la jeunesse, et imposées par eux à la jeunesse au moyen de l'éducation.

Auparavant, l'enfance avait été considérée comme un état non raisonnable. Le but alors assigné à l'éducation était donc de transformer d'abord l'enfant, puis le jeune homme en un être raisonnable par la contrainte, et de le préparer ainsi à entrer dans la société des adultes civilisés.

L'éducation moderne, qui s'est, peu à peu et très lentement, substituée à celle-ci, mais dont l'origine remonte au XVIIIᵉ siècle, consiste à faire le contraire, à maintenir aussi longtemps que possible l'enfant et le jeune homme dans son état et de retarder volontairement son passage chez les adultes. Cela correspondit évidemment à l'allongement du purgatoire scolaire. Mais les premiers âges de la vie étaient aussi considérés comme les dépositaires et les conservateurs de valeurs essentielles de l'homme total, dont la perte ou la diminution étaient ressenties par l'adulte comme un appauvrissement grave : plus longtemps ils en conserveraient le plein usage, plus il leur en resterait quelque chose. Ainsi naîtra le mythe de la jeunesse, qui s'exprime chez l'adulte par la nostalgie de sa propre jeunesse et par une tendance à prolonger et à préserver celle de ses enfants.

Sous la double influence de la durée de la scolarité et du sentiment des adultes, la jeunesse a été maintenue plus longtemps qu'auparavant, à partir du début du XIXᵉ siècle, dans la dépendance économique et morale de la famille. L'évolution du droit libère apparemment la femme et les enfants de l'autorité quasi absolue du père. L'évolution des mœurs, au contraire, prolonge le séjour des enfants et, dans la réalité quotidienne, les assujettit par les contraintes d'une affection plus vigilante que jamais.

Or, tandis que la maturité sociale du jeune homme était ainsi retardée, sa maturité physiologique était avancée. Le phénomène a été mesuré : l'âge de la maturité sexuelle des filles est passé en Suède de quinze ans sept mois en 1905 à quatorze ans un mois en 1948, et aux États-Unis de quatorze ans un mois en 1904 à douze ans neuf mois en 1959. C'est peut-être pourquoi Chérubin n'avait pas encore mué tandis que Siegfried possède une voix de ténor...

Le jeune homme de plus en plus précoce a été maintenu à la maison dans une situation de dépendance que le libéralisme récent des parents a rendue moins apparente, mais guère plus supportable. Les effets, de toute façon inévitables, de ce long séjour ont été aggravés par un changement dans les équilibres sentimentaux de la famille. Celle-ci n'est plus dominée par la conservation du patrimoine, par le souci d'assurer les meilleurs moyens de transmettre ce patrimoine composé à la fois de biens et d'honneur. Je ne veux pas dire que ces préoccupations ont disparu mais elles sont passées au second rang, ou, bien plutôt, ont-elles changé de sens. Dans la société capitaliste du XIXᵉ siècle et encore plus dans la société d'abondance du XXᵉ, les biens ne sont pas seulement des valeurs mobilières ou immobilières, mais encore la promotion nouvelle des enfants dans l'échelle sociale, l'éducation qu'ils auront reçue. Les sociétés capitalistes contemporaines sont beaucoup plus idéalisantes que les sociétés précapitalistes, plus matérialistes en réalité. Celles-ci ont aimé les choses pour elles-mêmes, jusqu'à créer un art de leur représentation, la nature morte. Celles-là recherchent plutôt les moyens de produire sans jouir ou de consommer sans conserver, et elles ont remplacé les trésors inaliénables de leurs ancêtres par les richesses de l'éducation.

Le couple mère-enfant

Dès le début du XIXᵉ siècle, la famille a été dominée par sa fonction éducatrice, assurée par la mère. Aussi, malgré les précautions du Code civil, la mère est-elle vite devenue le maître réel d'une maison d'où le père était le plus souvent absent. A mesure que l'exercice d'un métier ou d'une profession l'éloignait de l'étude ou de l'atelier familial, *le centre de gravité est passé au XIXᵉ siècle du père à la mère.*

C'est le temps des enfances roses, celles de Lamartine, d'Anatole France, de Mistral, des enfances noires de Balzac, de Jules Vallès, de Poil de Carotte et, plus près de nous, d'Hervé Bazin. Les unes et les autres ont réagi diversement à l'amour écrasant de la mère. Les mauvais souvenirs sont le plus souvent ceux d'enfants mal aimés plutôt que pas aimés. Les mères trop aimantes pèsent sur toutes les enfances, les roses s'y sont faites et les noires se sont révoltées.

« Au centre de ma vie était ma mère, écrit Marcel Arland [cela se passe avant 1914] [...] Peut-être n'y a-t-il pas de drame plus âpre et plus vivace que celui qui s'élève entre une mère et son fils ; il me semble que j'aurais tout accepté d'elle, si elle m'était apparue pareille aux autres femmes du village, mais pas une ne l'égalait à mes propres yeux. Et comme tout aurait été plus facile si elle nous avait moins aimés [3]. »

Il s'est donc créé à l'intérieur de la famille un couple auparavant inconnu, constitué par la mère et l'enfant, l'enfant désiré, peu nombreux, parfois unique, tandis que l'image du père ne cessait de s'affaiblir ou n'intervenait que tard, de plus en plus tard.

Le séjour prolongé du jeune homme, biologiquement précoce, économiquement et moralement dépendant, sous l'influence possessive de sa mère, a provoqué, dès le début du XXe siècle au moins, un deuxième mal de la jeunesse. Il ne s'est pas manifesté directement dans l'art et la politique comme le romantisme. Nous aurions de la peine à saisir ses effets s'il n'avait trouvé un incomparable observateur : le docteur Freud. La famille bourgeoise de la fin du siècle dernier a été le milieu de culture de la psychanalyse. Rappelons les analyses de Van den Berg dans *Metabletica* [4], si utiles aujourd'hui où le succès incline la psychanalyse à se constituer hors de l'Histoire. La psychanalyse est née à la fin du XIXe siècle et au début du XXe, en même temps que les « socioses » qui l'ont révélée à elle-même. A-t-elle alors découvert une partie de l'homme jusqu'alors cachée, mais qui a toujours existé et secrètement influencé les comportements apparents ? Ou bien est-elle une réponse non répétitive à une situation inédite qui est encore la nôtre aujourd'hui ? Le lien entre la psychanalyse et l'extraordinaire révolution du sentiment familial depuis le XVIIIe siècle, dont les nouveaux protagonistes ont été la mère et les enfants, me fait pencher vers la seconde hypothèse.

Toujours est-il qu'au cours du XIXᵉ siècle la famille s'est séparée du reste de la société et s'est enfermée sur le couple insulaire de la mère et de l'enfant. Nous n'y pensons pas, rendus indifférents par l'accoutumance, mais c'est une situation tout à fait nouvelle et extraordinaire.

Un phénomène bourgeois

Les caractères que nous avons relevés et qui nous ont permis de dégager la formation progressive de la jeunesse comme classe d'âge sont exclusivement bourgeois. Bourgeois, le romantisme des enfants du siècle ; au moins aussi bourgeoises, les socioses du docteur Freud. Aussi, dans la vieille Europe, les malaises inséparables d'une jeunesse ainsi prolongée étaient-ils tolérés, parce que encore plus ou moins corrigés par le milieu ambiant et noyés dans l'ensemble de la société. Dans toute la société non ou peu scolarisée persistaient les anciennes habitudes de mélange des âges, quoique le service militaire universel ait introduit un signe séparateur dans la continuité coutumière ; mais le service militaire a eu un autre effet que la longue scolarisation : il a fait rejouer d'anciens souvenirs de rites de passage en voie d'effacement depuis plus d'un millénaire, et conservés, çà et là, dans le bizutage et les brimades d'initiation.

Le conseil de révision réanimait de très anciens usages, empruntait quelques-unes de ses formalités aux pratiques du compagnonnage. C'est dans le même sens qu'ont joué, tout de suite après la Deuxième Guerre mondiale, les bandes d'adolescents : on les a du moins interprétées en Amérique, à la lumière de la littérature ethnologique, comme des essais de reconstitution de classe d'âge.

La séparation de la jeunesse et des adultes par l'école et la famille est d'une autre nature : elle ne marque pas un passage, elle prolonge le plus longtemps possible un état dont aucun événement ni aucune cérémonie ne signale le début ou la fin. Or ce n'est pas la définition populaire du conseil de révision ni des bandes d'adolescents qui s'est imposée à la société globale, mais celle de la famille et de l'école bourgeoises.

Le grand phénomène de la seconde moitié du XXᵉ siècle a été la généralisation brutale à la société tout entière des traits qui pendant près d'un siècle avaient été propres à la classe autant qu'à l'âge. La cause a été l'«explosion scolaire» de 1930 à nos jours, elle-même due aux grandes transformations de l'âge postindustriel. L'entrée massive de la population scolaire dans un cycle long a amené la création rapide d'une classe d'âge, compacte, épaisse, aux frontières floues, dont les mouvements inattendus étonnent et inquiètent. Ce qui était négligé par une opinion indifférente fait question depuis que c'est devenu un phénomène de masse, incontrôlable et menaçant. On analyse, on s'affole, on est rassuré. On espère ou on désespère : réactions physiologiques, selon les tempéraments, devant l'inconnu.

Face au phénomène contemporain, nous ne perdons pas la tête soit en agitant le péril de subversion, soit en proclamant les bienfaits nécessaires de la modernité, et nous n'essaierons pas de tricher en réduisant sa portée. Nous n'oublierons pas de le situer dans le long mouvement de l'Histoire, hors duquel il est incompréhensible, aberrant ou terrifiant.

La substitution de l'éducation par l'école et la famille à l'éducation par l'apprentissage a eu pour effet à long terme de reconstituer une classe d'âge disparue, l'adolescence, sans lui attribuer de fonctions actives dans la société.

Aussi la nouvelle adolescence d'aujourd'hui est-elle très différente des classes d'âge des sociétés primitives, ou même des séparations introduites par le service militaire dans les sociétés du XIXᵉ siècle. Celles-ci préparaient à la condition d'adulte. L'adolescence d'aujourd'hui s'enferme dans sa condition et la prolonge au-delà de l'âge des artères, dans une société imaginaire, jeune indéfiniment. Comme elle demeure dans une situation de dépendance, en particulier à l'égard de la mère, elle est secouée par des poussées de révolte, d'émancipation, qui accompagnent, prolongent ou remplacent les tensions dévoilées par la psychanalyse.

COMPRENDRE LE PRÉSENT

Si inédite qu'elle soit vraiment, la révolution actuelle de la jeunesse cesse de surprendre quand on la situe dans la longue histoire des âges de la vie.

NOTES

[1] Maurice Agulhon, *Pénitents et francs-maçons dans l'ancienne Provence. Essai sur la sociabilité méridionale*, Paris, Fayard, 1968.

(2) Philipe Ariès, *L'Enfant et la vie familiale sous l'Ancien Régime*, Paris, Plon, 1960.

(3) Marcel Arland, *Terre natale*, Paris, Gallimard, 1938.

[4] Jean Hendrik Van den Berg, *Metabletica ou la psychologie historique*, trad. fr. du néerlandais, Paris, Buchet-Chastel, 1962.

13

Familles du demi-siècle*

Dans la série des dix dernières années, les statistiques de population adoptent des tracés surprenants. La prudence des démographes a d'abord hésité à y reconnaître autre chose que la conséquence éphémère de la guerre et de ses séquelles. Mais la persistance du phénomène sur un nombre suffisant d'observations a montré qu'il ne s'agissait pas d'une crise de récupération, au terme de laquelle on eût retrouvé les conditions normales du malthusianisme.

Jusque vers 1940, la courbe des natalités déclinait régulièrement, selon une tendance séculaire. C'est le signe statistique de l'extension, dans des couches sociales toujours plus larges, du type de la famille restreinte, tel qu'il s'était fixé en bourgeoisie aux XVIIIᵉ et XIXᵉ siècles. Il existe, en effet, un rapport évident entre les taux de natalité, le comportement devant la maternité et la structure de la famille.

Or, depuis 1940 au moins, et parfois auparavant, la courbe des natalités a modifié son dessin séculaire : son déclin s'est interrompu, et les naissances ont remonté ou se sont stabilisées à un niveau supérieur à celui de l'avant-guerre. Ce décrochement des courbes laisse entendre que la famille de ce temps ne réagit plus comme celle du XIXᵉ siècle. Un changement est intervenu.

Cette impression se précise encore si on examine la répartition géographique du phénomène et si on analyse de plus près ses

* Ce texte a été publié dans le recueil *Renouveau des idées sur la famille*, réalisé sous la direction de Robert Prigent, Paris, PUF, « Travaux et documents de l'INED », cahier n° 18, 1954, p. 162-170.

composantes. Il ne s'étend pas également à toute l'Europe. Chez les populations méridionales, méditerranéennes, il ne se produit pas, et les taux de natalité, qui étaient élevés, poursuivent leur baisse antérieure. On remarquera que ces populations ont longtemps conservé la famille féconde d'Ancien Régime, qui y subsiste encore dans les classes les plus arriérées. Mais la famille restreinte du XIXᵉ siècle ne cesse de progresser, et, en Italie, en 1952, son extension abaisse la natalité au-dessous du taux français, il est vrai relevé.

Au contraire, dans tout le reste de l'Europe occidentale, le fléchissement s'est arrêté. Cela est vrai de pays où la chute avait mis en péril le renouvellement des générations, comme la France ou l'Angleterre. On pourrait soutenir que la baisse séculaire y avait atteint son point minimum. Mais cela est vrai aussi des Pays-Bas, où la natalité, si elle avait diminué, restait encore très haute, parmi les plus élevées d'Europe, supérieure à celle des fécondités de type ancien, comme celles de l'Espagne. On ne peut donc dire que le relèvement des naissances intéresse seulement les populations les plus affaiblies par la décrue du XIXᵉ siècle, puisqu'il touche aussi des pays de hautes fécondités et d'économie évoluée.

Néanmoins, cette poussée nataliste, si curieuse, intéresse particulièrement la France, dont le taux de natalité (19,5 pour 1 000) dépassait en 1952 le taux italien (17,6 seulement). La France passe alors dans le groupe européen des fortes natalités.

Une nouvelle classe d'âge : l'adolescence

A quel facteur démographique convient-il d'attribuer ce redressement des naissances ?

Ici, il faut encore distinguer le groupe nordique (Angleterre, Danemark, Finlande, Norvège, Suède, auquel on ajoutera la Suisse) et le groupe méridional (France, Italie, Espagne, Portugal). Dans le groupe nordique, la nuptialité a augmenté, grâce à la fois à une diminution du nombre des célibataires et à un avancement de l'âge du mariage. Les vieilles filles sont moins nombreuses et les jeunes ménages plus fréquents.

Au contraire, dans le groupe méridional, où les structures malthusiennes étaient moins poussées, l'âge du mariage était déjà bas, le célibat tardif, plus rare, parfois exceptionnel, la nuptialité paraît stabilisée : ce qui est, d'ailleurs, un signe d'évolution, de modernisme, car les nuptialités d'Ancien Régime étaient très variables.

En France, on considère que l'âge du mariage paraît aussi constant, d'après les statistiques, c'est-à-dire d'après l'ensemble de la population. Toutefois, on peut admettre que cet âge s'est abaissé dans des classes sociales où les mariages étaient souvent plus tardifs, dans les bourgeoisies, insuffisamment nombreuses pour impressionner les statistiques.

On sait que le recrutement des facultés et grandes écoles est bourgeois. Or la proportion des étudiants mariés a augmenté. L'Institut national de statistiques signale qu'elle est passée de 9 % à 12 % de 1946 à 1949. D'ailleurs, la proportion de 1946 devait être anormalement relevée par le retour des étudiants démobilisés, prisonniers, retardés par la guerre. Je ne connais pas les chiffres de 1939, mais, dans mes souvenirs de cet avant-guerre, l'étudiant marié était encore très rare, et l'étudiant père de famille un phénomène exceptionnel. Et le nombre des étudiants pères de famille a doublé de 1946 à 1949.

Ménages de jeunes

Dans ces milieux aisés et bourgeois, l'âge du mariage s'est abaissé. Même là où il était déjà bas depuis longtemps, parmi d'autres couches sociales, cette précocité, si elle ne changeait pas les mœurs, prit cependant, dans les consciences, un sens nouveau, une sorte de valeur. Aussi doit-on admettre qu'il existe une tendance psychologique, sinon statistique, au mariage précoce et qu'elle caractérise la famille contemporaine. Une relation nouvelle s'est établie entre les idées de famille et d'adolescence.

Dans les milieux malthusiens du XIXe siècle, où les parents exigeaient que le futur époux soit établi, le mariage suivait la situation, et une situation qui assurait l'avenir. Aujourd'hui, le mariage dépend moins qu'avant de la situation économique des conjoints, et c'est particulièrement frappant pour les ménages d'étudiants, où des jeunes femmes mènent une vie de bohème qui eût épouvanté leurs mères, quelques lustres plus tôt.

C'est que, dans l'opinion commune, le mariage ne marque plus le terme de l'adolescence. Il ne confère plus la respectabilité qui s'attachait aux hommes qui avaient franchi les limites de l'adolescence. Chez beaucoup de jeunes ménages, la vie à deux continue, souvent sans grande différence, la vie de l'étudiant ou de l'employé célibataire. Désormais, *l'adolescence préserve dans le mariage son genre de vie particulier*, et cela est très remarquable. Il n'y a pas de doute que la structure de la famille du XIXe siècle s'en trouve profondément modifiée, car ce prolongement de l'adolescence, que nous saisissons là où il a varié, dans les milieux où l'âge du mariage s'est abaissé, se retrouve aussi dans les milieux plus populaires, où l'âge du mariage n'a guère varié ; au même âge, le jeune marié a changé toutefois de mentalité, il a conservé l'adolescence qu'il eût auparavant dépouillée. C'est un type nouveau : *l'adolescent marié*.

Cette attitude nouvelle du couple paraît bien liée à l'apparition dans la société contemporaine d'une classe d'âge, jadis moins distincte, l'adolescence. Si le sentiment de l'enfance est né au XVIIIe siècle, le sentiment de l'adolescence appartient au XXe siècle, quoiqu'il ait une préhistoire masculine avec le « conscrit ». Au XIXe siècle, l'enfance avait été allongée, mais la période transitoire qui la séparait de l'âge viril n'était pas bien distinguée. Aujourd'hui, où les progrès de la longévité ont reculé la vieillesse, l'adolescence s'est séparée sans équivoque de la maturité comme de l'enfance. Elle devient une classe d'âge que particularisent des caractères propres et, surtout, le rôle consciemment réservé à la sexualité : la sexualité dans la vie quotidienne, l'érotisme dans la littérature ou l'art.

La spécificité de cette nouvelle catégorie se révèle encore dans le langage : le mot « adolescent » disparaît du vocabulaire commun, à cause de sa noblesse et, aussi, parce qu'il garde un sens de passage et de transition. Il est désormais remplacé par le mot « jeune » : mouvement, rassemblement de jeunes, camps de jeunes ; « on est entre jeunes », « il n'y aura que des jeunes », et on entend par « jeunesse » un état plus durable, mieux établi que l'adolescence physiologique. Le jeune est garçon ou fille, célibataire ou marié, ouvrier ou paysan, communiste ou chrétien. S'il néglige sa frontière avec l'enfance, suffisamment marquée par le sport et la sexualité (par une même idée du corps), il souligne avec force, souvent avec brutalité, son opposition aux anciens. En dernière analyse, de cette jeunesse, ainsi singularisée, il se dégage une mentalité collective qui s'est imposée comme une valeur. On dit : « Il faut faire jeune », là ou autrefois on eût dit : « Il faut faire nouveau. » Or cette mentalité est celle des « couples de jeunes », des « jeunes ménages » formés pendant les dix dernières années ; c'est ce qu'il faut avoir présent à l'esprit quand on observe le comportement de la famille contemporaine.

Le cas des familles nombreuses

Le relèvement des naissances n'affecte pas également toutes les familles : il dépend de leurs dimensions.

La proportion des ménages sans enfant n'a guère varié depuis un demi-siècle, et leur stérilité doit donc avoir une cause physiologique. Les familles malthusiennes ne sont pas des familles sans enfant : elles désirent l'enfant rare.

D'autre part, les familles nombreuses de quatre enfants et plus n'ont pas augmenté leur fécondité, elles l'ont seulement maintenue : le relèvement général ne leur est pas dû, mais elles n'ont pas diminué. Leur cas est intéressant, en particulier celui des familles où les parents ont environ quarante ans, où les naissances sont espacées, et irrégulièrement espacées. Il ne s'agit pas d'un retour à la famille ancienne, où les grossesses se succédaient presque sans interruption pendant tout le cycle reproducteur de la femme. Ces familles nombreuses, moins nombreuses que celles du type ancien, plus nombreuses que celles du type réduit du XIXᵉ siècle, n'en sont pas moins aussi malthusiennes. Rien de plus caractéristique à cet égard que l'attitude actuelle des milieux catholiques au sujet de la contraception : leur opinion, si elle sauvegarde toujours les principes, est moins radicale qu'autrefois. Tout se passe comme s'il y avait obligation morale pour le catholique d'étendre sa famille jusqu'aux dimensions limites, physiques et économiques, non plus fixées par la nature, mais estimées par chacun, en conscience, selon les conditions sociologiques du milieu et du moment.

Cette attitude implique toujours un souci de prévoyance et d'intervention : mais cet outillage mental, hérité du XIXᵉ siècle, n'est plus utilisé dans le même sens qu'au XIXᵉ siècle. Dans une société, on compare toujours sa condition à celle du voisin. Les familles nombreuses d'aujourd'hui ne se comparent pas aux familles très fécondes de type ancien, qui sont devenues très rares et limitées à des classes inférieures, arriérées et méprisées. Elles se rapportent au contraire à la situation socialement plus proche des familles trop restreintes, qui se sont tant multipliées depuis le XIXᵉ siècle. C'est donc par référence à ces familles restreintes qu'elles réagissent et qu'elles fixent leur comportement. Il s'est alors formé, dans les milieux bourgeois, un préjugé social favorable aux familles assez nombreuses, qui reste cependant toujours hostile aux familles trop nombreuses : une sorte de « snobisme » de l'enfant qui rejoint un sentiment, plus fort, de l'enfance. Ainsi règle-t-on la nature, pour éviter l'excès, mais aussi pour amortir la tendance restrictive.

Évolution des familles restreintes

Ce n'est pas aux familles nombreuses qu'il faut attribuer le relèvement actuel des natalités. Celui-ci est dû en France, comme dans l'Europe occidentale, à la *hausse de la fécondité des familles restreintes*. Les ménages qui avaient un ou deux enfants ont augmenté d'une naissance. D'autre part, les naissances se sont succédé dès le mariage, et leur espacement, qui était autrefois plus long et plus irrégulier, s'est réduit. L'« enfant unique » a diminué et n'est plus un idéal. Des parents très jeunes ont deux ou trois enfants, en moins de cinq ans de mariage, et ensuite, sauf accident alors déploré, les dimensions de la famille ne varient plus. Tout se passe comme si la famille réduite du XIXe siècle avait relevé son minimum et limité la durée de sa fécondité. C'est un phénomène considérable, malaisé à interpréter et qui annonce une structure familiale nouvelle, un comportement nouveau devant la vie.

On est d'abord tenté de l'expliquer par les conséquences du Code de la famille. Ainsi l'allocation de maternité, suspendue quand l'intervalle mariage-naissances dépasse une certaine durée, provoquerait le rapprochement des naissances. Certes, le Code de la famille a protégé la formation d'une mentalité et facilité son développement. On a signalé, à propos de la crise des naissances de 1950-1951, la fragilité de ce mouvement qui risquerait d'être écrasé s'il n'était soutenu par la législation. Mais l'aide de l'État est compensée par les difficultés matérielles d'installation, la crise du logement. L'allocation, si elle l'a protégé et étendu, n'a pas pu provoquer ce renversement d'une coutume séculaire, enracinée dans les mœurs. Il y a autre chose.

L'augmentation des naissances a porté sur des jeunes ménages qui, vingt ou trente ans plus tôt, avec ou sans allocations, auraient plus restreint et plus espacé leurs naissances. Il s'agit d'un changement dans l'idée de la famille et de la maternité, qu'il faut rapprocher de phénomènes voisins : la revalorisation du mariage, le désir de l'enfant, la mentalité d'insouciance.

La revalorisation du mariage

Dans la collection de nos mythes contemporains, l'amour conjugal tend (avec l'érotisme) à se substituer aux autres formes de l'amour qui, depuis le Moyen Age, inspiraient la littérature occidentale. Entendons-nous : la littérature ne restitue pas l'état réel des mœurs, mais elle reflète l'idée que s'en font les contemporains et la valeur qu'ils leur attribuent. On ne peut déduire du dédain où la littérature a longtemps tenu l'amour conjugal que celui-ci n'était ni éprouvé ni répandu. Ce silence donne cependant une indication sur la place du mariage dans l'opinion. Dans une société qu'on a coutume de qualifier de chrétienne, l'amour idéal, platonique ou non, était un amour extraconjugal. L'Église luttait contre cette mentalité, mais elle plaça longtemps son idéal hors du monde, dans le cloître plutôt que dans la famille. Encore à la fin du XIXe siècle, le théâtre de boulevard épuisait les ressources comiques de l'adultère. Le ménage à trois, s'il est plus littéraire que vécu, révèle tout un état d'esprit : un divorce entre le monde extraconjugal de la fiction et les réalités matrimoniales de la vie quotidienne.

Il n'en est plus ainsi aujourd'hui. On sait l'importance que l'Église attribue désormais au laïcat, et plus particulièrement à la spiritualité du mariage. Dans cette perspective nouvelle, le mariage n'est plus considéré sous l'angle unique de la procréation. L'amour, pris en lui-même, est tenu pour une valeur spirituelle, quoiqu'elle ait été auparavant négligée au profit des états de chasteté.

A vrai dire, cette attitude de l'Église à l'égard de l'union conjugale dépasse le point de vue confessionnel. En France, les dirigeants catholiques sont très sensibles aux courants d'opinion et de mœurs et cherchent à s'y adapter. Aussi leur attitude devant le mariage témoigne-t-elle d'un comportement général qui apparaît ailleurs sous d'autres signes. Par exemple, la littérature romanesque : les auteurs qui, par leur âge ou leur éducation, appartiennent encore au XIXe siècle restent attachés à des situations extraconjugales. Au contraire, les romanciers plus jeunes situent naturellement leurs intrigues à l'intérieur du mariage, du couple régulier, sans aucune intention morale ou religieuse. C'est le cas des derniers romans de Pingaud et de Blondin. Au moment où, au théâtre, l'adultère classique ne fait plus rire, le mariage est devenu une situation qui s'impose au romancier, à l'auteur dramatique.

Et cela correspond, sans aucun doute, à un état, difficile à apercevoir, des mœurs vécues, qu'il faut rapprocher de l'abaissement de l'âge du mariage, au moins dans la bourgeoisie. De même que le cocuage n'excite plus la verve gauloise, la liaison extraconjugale est moins bien portée et tend à devenir plus honteuse. L'amour dans le mariage déborde désormais le domaine domestique où il avait été relégué pendant des siècles. Il n'est plus seulement vécu, mais senti, réfléchi et analysé sous tous ses aspects : sexuels, sentimentaux, sociaux, moraux, psychologiques.

Aussi n'est-ce pas un hasard si les divorces augmentent justement quand les familles réduites deviennent plus fécondes, les mariages plus précoces, les naissances plus rapprochées. La « liaison » hors mariage devient plus rare ou, tout au moins, elle n'est plus aussi bien supportée par les conjoints. Elle tend à passer en marge des modes de vie adoptés par la conscience commune. Dans le langage vulgaire, on dit qu'elle est « démodée ».

Le désir de l'enfant

Il y a aussi un désir de l'enfant. Tout un ensemble de petits faits le révèle. Et d'abord l'augmentation du nombre des adoptions et des demandes d'adoption qu'une législation restrictive ne permet pas de satisfaire.

Nous avons déjà noté le sens de l'adoption dans un type de famille moins liée que la famille traditionnelle aux puissances du sang. Ce rôle ne cesse de se développer, et il correspond à un besoin accru d'enfants : non plus pour continuer le nom ou assurer l'héritage, mais pour assouvir un sens énervé de paternité.

A la fréquence de l'adoption il faut ajouter la prétention que les familles nourricières opposent désormais moins rarement aux parents par le sang. Je ne sais si les cas où une femme refuse de rendre à la mère l'enfant qu'elle a élevé sont plus nombreux. Mais ils apparaissent plus souvent dans les comptes rendus de presse. L'opinion, ni même la jurisprudence ne sont aussi hostiles aux parents nourriciers qu'elles l'eussent été autrefois, à une époque où le refus des nourriciers eût soulevé un intolérable scandale.

On cite parfois le cas, dans des milieux bourgeois d'éducation stricte, de femmes qui sont devenues mères, soit sans se marier, soit du fait d'un autre homme que leur mari, pour s'assurer un enfant.

Si ce type particulier de fille mère honorable reste exceptionnel, il est plus fréquent que dans ces mêmes milieux, aujourd'hui bien informés des pratiques contraceptives, les mariages soient hâtés par une grossesse anticipée.

Enfin, il est remarquable que les techniques de la vie ne s'exercent plus seulement dans un sens malthusien. Depuis un siècle, elles n'avaient servi qu'à limiter les naissances, et voici qu'aujourd'hui elles les provoquent aussi ! C'est le cas des procédés de fécondation artificielle, qui suscitent des débats aussi passionnés que les pratiques contraceptives. Ces procédés ne sont pas théoriques ; peut-être commencent-ils à se répandre, puisque les autorités ecclésiastiques ont dû prendre position à ce sujet. Ils sont le signe le plus explicite d'une nouvelle mentalité. L'idée d'agir sur son corps, comme on agit sur la nature pour l'exploiter, avait ruiné au XIXe siècle l'antique notion de la famille soumise aux forces biologiques. Elle suscite aujourd'hui une reconstitution artificielle de la famille et de l'enfant.

Toutefois, il s'agit ici seulement d'un aspect partiel de la structure familiale contemporaine, à un niveau de conscience et de réflexion déjà élevé. Il convient de noter avec soin l'importance nouvelle que l'enfant a prise dans une société où le mariage est devenu non plus une nécessité coutumière, mais une situation existentielle.

La mentalité d'insouciance

Ces phénomènes sont trop limités pour rendre compte tout à fait d'une évolution collective qui apparaît aussi générale. Les dernières générations témoignent d'une mentalité nouvelle, opposée à celle du XIXe siècle, une *mentalité d'insouciance*, non pas que la connaissance technique de la vie ait été oubliée : il ne s'agit pas d'un retour à l'antique naïveté ! Mais la familiarité avec la biologie, avec les techniques biologiques, s'accommode désormais d'une insouciance qui s'est substituée à l'esprit calculateur du XIXᵉ siècle. Il y a là un fait de grande importance qui rattache la transformation de la condition familiale à un vaste changement de civilisation, où une certaine irrationalité remplace le positivisme défunt. *Les familles ne s'organisent plus selon une prévision délibérée.* On n'attend plus toujours pour se marier d'«avoir une situation», on n'espace plus ses naissances d'après la conjoncture domestique, elles viennent dès le mariage, comme le mariage vient dès l'adolescence, sans égard aux sollicitations de liberté, de bien-être qui avaient multiplié les célibataires dans les classes et les pays malthusiens. Il semble bien que, dans des ménages pourtant avertis, et détachés des morales religieuses, les enfants arrivent vite et souvent, et surtout sans qu'on les ait désirés ; mais l'événement n'a plus l'importance que lui conféraient le calcul et la prévision, quand une naissance, longtemps retardée, corespondait à un moment d'une politique délibérée, ou bien, au contraire, quand une naissance anticipée et dérobée bouleversait un plan arrêté de longue date. Tout se passe comme si, dans la joie comme dans le regret, les sentiments s'étaient amortis, affectés d'indifférence. Une indifférence qu'il ne faut pas confondre avec l'abandon antique à la loi naturelle. La prévention n'est jamais absente, mais elle ne joue plus ni avec la même continuité, ni au même moment. Elle intervient seulement au-delà d'un nombre variable de naissances. Elle s'éclipse au contraire dans la première période de la vie conjugale.

Démission de l'individualisme

Mais comment la foi dans l'organisation personnelle de la vie pourrait-elle subsister dans l'instabilité du monde moderne, en particulier dans l'Europe occidentale ? Les variations de la monnaie ou du pouvoir d'achat, la disparition de l'épargne privée, la diffusion des modes de redistribution collective des revenus, la pratique du crédit différé... et surtout l'inertie d'une économie qui évolue par masse, la familiarité, sinon la connaissance, des mécanismes de cette économie, tout cela porte chacun à s'abandonner à un déterminisme social qui annule la foi dans l'individu et dans son efficacité. Il y a une cinquantaine d'années, les classes inférieures, qui s'estimaient exploitées, éprouvaient un sentiment d'impuissance : celui-ci s'est désormais étendu aux classes moyennes, plus nombreuses et plus significatives. Certes, le désir d'avancement social subsiste toujours : il se traduit en particulier par l'attrait persistant des études secondaires. Mais, dans la mesure où il s'est étendu, où il s'est délivré du risque, il a perdu son pouvoir de contrainte sur les mœurs. Cela va avec l'anonymat croissant des nouveaux groupes humains, dans les villes, dans les banlieues, avec l'extension des dimensions où l'homme se meut : l'individu est devenu trop petit dans la masse. Ce monde n'est, d'ailleurs, pas toujours menaçant : il a même un aspect providentiel, et l'État y distribue allocations, indemnités, assurances, retraites. Mais dans ce monde hors d'atteinte, la prévision personnelle est disproportionnée. Il est curieux que, dans ce relâchement des valeurs personnelles, le couple ait retrouvé une cohésion que des théoriciens ou des moralistes lui contestaient. Comme si la communauté la plus élémentaire pouvait seule résister au relâchement des groupes historiques : familles (au sens large qui englobe plusieurs ménages), cités, pays, nations... étirés à l'excès.

Mais, si le couple a victorieusement résisté, c'est au détriment des puissances d'attention et de contrainte qui le gouvernaient au XIXᵉ siècle ; un équilibre nouveau s'est donc établi, entre l'abandon et la résistance, aussi loin du contrôle calculateur du XIXᵉ siècle que de la naïveté archaïque. Les ménages que le mariage n'a pas dégagés d'une « jeunesse » ou adolescence prolongée ont été facilement gagnés à cette mentalité d'insouciance. Mais leur comportement change lorsqu'ils quittent cette « jeunesse » avec une famille déjà nombreuse. Alors les anciennes mentalités malthusiennes reprennent leur empire.

Ainsi la nouvelle structure familiale paraît-elle liée à la fois à un sentiment d'impuissance sur le monde et à une conscience de classe, mais d'une classe d'âge où les jeunes mariés conservent les mœurs de l'adolescence.

IV

GÉNÉALOGIE DU PRIVÉ

14

Attitudes devant la vie et devant la mort
du XVIIe au XIXe siècle*

Les attitudes devant la vie

Il existe depuis le XIXe siècle une littérature historique considérable. Et pourtant, une des révolutions les plus profondes de cette époque est demeurée dans l'ombre, sans retenir l'attention des savants qui ont mission de reconnaître et d'expliquer les modifications des sociétés. Il s'agit de ce phénomène qu'Adolphe Landry a baptisé la *révolution démographique* [1]. Il y une révolution démographique, comme il y a une révolution industrielle, mais on l'a découverte beaucoup plus tard. Et qui l'a découverte ? Non pas un historien, mais des hommes pratiques, face aux difficultés de la situation économique, ou militaire, ou politique. On s'est aperçu tout d'un coup des conséquences considérables d'un phénomène qui avait longtemps cheminé dans l'indifférence générale.

Pendant des millénaires, l'homme a ignoré, à quelques exceptions près — et sans valeur exemplaire — l'existence de moyens puissants d'actions sur la vie, sur la longévité et sur la fécondité. Et subitement, en un siècle environ, l'homme occidental a découvert un outillage technique qui lui a permis de modifier sa mortalité et sa natalité au point de transformer les structures numériques des populations et les règles coutumières de leurs mouvements : jadis, progressions interrompues par les famines, les épidémies et les guerres — au XIXe et au XXe siècle, diminution continue des naissances et des morts, sans égards aux fluctuations vite régulari-

---

* Ce texte a été publié dans *Population*, IV, janvier-mars 1949, p. 463-470.

sées de la conjoncture. On n'a pas été sans noter ce phénomène, surtout à partir du moment où le changement de la pyramide des âges a été sensible à tous, au point d'émouvoir l'opinion publique et de provoquer l'intervention du législateur.

Mais a-t-on bien réfléchi à ce passage d'une humanité coutumière et résignée à une humanité outillée et déterminée à s'appliquer elle-même les nouvelles techniques scientifiques ? C'est, sans conteste, un des phénomènes les plus considérables de l'histoire contemporaine, moins encore par ses conséquences que par l'intensité du changement imposé au comportement psychologique. C'est l'interprétation psychologique de la révolution démographique, dont il convient de signaler ici l'intérêt, pour le démographe sans doute, mais aussi pour le sociologue et l'historien, trop souvent fermés à cet ordre de phénomènes. Il y a eu changement dans l'attitude fondamentale de l'homme devant l'existence, devant la vie et la mort.

La fécondité au XVIIe siècle, d'après Racine

Jean Racine s'était marié tard pour l'époque : à trente-huit ans, en 1677. Il mourut une vingtaine d'années plus tard, vers la soixantaine, laissant sept enfants, dont l'aîné, Jean-Baptiste, naquit un an après le mariage de ses parents. Celui-ci avait une vingtaine d'années quand son père, déjà atteint du mal qui devait l'emporter, lui écrivait à propos d'un projet de mariage. Il s'agissait d'un mariage à l'ancienne manière, considéré comme un établissement. Quand Racine écrivait ces lignes, qui peuvent paraître aujourd'hui un tantinet sordides à la morale de notre siècle, il était presque moribond, avait abandonné tout souci mondain pour une dévotion dépouillée et ascétique. Il ne s'agit donc pas d'un ambitieux : mais il a un devoir de père de famille, c'est-à-dire qu'il doit veiller à la prospérité de la société familiale — et non pas au bonheur de son fils, comme on dirait communément aujourd'hui, prospérité qui exige un certain revenu. Mais voyons le texte :

« J'ai enfin rompu entièrememnt, avec l'avis de tous mes meilleurs amis, le mariage qu'on m'avait proposé pour vous. » La fille n'était pas assez riche. Racine le confesse très naïvement : « On vous aurait donné une fille avec quatre-vingt-quatre mille francs ; elle en a autant ou environ à espérer après la mort de père et mère. » Il y a un mais : « Mais ils sont encore jeunes tous deux et peuvent au moins vivre une vingtaine d'années. » Plus grave encore : « L'un ou l'autre même pourrait se remarier : ainsi vous courez le risque de n'avoir très longtemps que quatre mille livres de rente, *chargé peut-être de huit ou dix enfants, avant que vous eussiez trente ans !* » Lisez bien cette dernière phrase : au moment de son mariage, Jean-Baptiste aurait vingt à vingt et un ans. En moins de dix ans, les prévisions prudentes de son père lui attribuent tout naturellement huit ou dix enfants, environ un enfant par an. Nous sommes bien près d'une fécondité physiologique où la femme subit des grossesses successives et continues.

Ce texte est caractéristique par la naïveté du ton. Cette fécondité physiologique paraît à Racine une conséquence si naturelle du mariage qu'il convient de calculer, d'après elle, les charges du ménage. Nous sommes à une époque où, même chez une bourgeoisie officière, avisée et prudente, il n'y a pas trace d'une restriction des naissances. On n'en dirait pas autant dans un milieu plus mondain, moins bourgeois que celui où, après sa rupture avec le théâtre, sa réconciliation avec Port-Royal, Racine a voulu vivre. Sa femme est une bonne ménagère, et rien de plus.

Mme de Sévigné est plus audacieuse quand, seize ans avant la lettre citée plus haut de Racine, elle écrivait à Mme de Grignan cette phrase célèbre, reprise par Adolphe Landry dans son *Traité de démographie* : « Je veux vous louer de n'être point grosse et vous conjure de ne le point devenir. M. de Grignan doit vous donner et à moi cette marque de sa complaisance. » « Je suis ravie, ma bonne, que vous ne soyez point grosse, j'en aime M. de Grignan de tout mon cœur, mandez-moi si on doit ce bonheur à sa tempérance [c'est-à-dire son indifférence ou sa froideur] ou à sa véritable tendresse pour vous. » Bien sûr, il ne s'agit ici d'autre moyen que de la continence conjugale, pour retarder ou éviter les naissances. Mais on sent une préoccupation encore absente de la pensée de Racine, une préoccupation nouvelle et déjà malthusienne. La marquise de Sévigné est une grande dame. Ce n'est pas sentiment de bourgeois, et Racine est un bourgeois, fils d'un contrôleur du petit grenier à sel de La Ferté-Milon, petit-fils d'un receveur du domaine et du duché de Valois par son père, d'un procureur des Eaux et Forêts par sa mère. Sa femme appartient aussi à la bourgeoisie d'offices, d'un rang plus élevé : elle est fille d'un trésorier de France. Sa carrière d'auteur dramatique — de tragédies profanes — a duré seulement treize ans. L'année de *Phèdre*, il se mariait et se rangeait, reprenant les traditions de vie de ses ancêtres.

On voit donc, à la lumière de la comparaison de ces deux textes, comment deux manières de vivre, deux classes sociales adoptent deux attitudes distinctes devant la naissance. L'évolution va se faire dans un élargissement de la prudence de Mme de Sévigné, qui va gagner peu à peu la bourgeoisie. Il est curieux de constater chez deux personnes aussi peu suspectes et d'archaïsme ignorant et d'audace révolutionnaire des sentiments sur la fécondité féminine caractéristiques d'une structure démographique, l'un appartenant au passé instinctif et prolifique, l'autre annonçant un avenir malthusien.

Le médecin est antérieur à la médecine

Si la bourgeoisie et la noblesse, du moins la noblesse de cour, se distinguent alors d'après leurs attitudes devant la vie, elles se confondent, en cette fin du XVIIᵉ siècle, en face de la maladie et de la mort.

Pendant longtemps on n'avait pas eu l'idée, qui pourtant nous paraît aujourd'hui si « naturelle », qu'on pût intervenir sur le cours normal de la vie. Celui-ci était considéré comme lié au mouvement général d'un monde sur lequel l'homme n'avait pas de prise. Dans une telle perspective, la médecine ne trouvait pas de place. Elle exista cependant, soit en tant que science et enseignement, soit comme un art de grand luxe à la disposition de princes temporels et spirituels, qui, seuls dans toute la société, n'avaient pas le droit ou la possibilité de cesser d'agir avant leur mort. Qu'on songe aux difficultés de la vie quotidienne au XVIᵉ et au XVIIᵉ siècle, aux premiers carrosses, mal suspendus, aux grandes salles sans intimité ni confort, qui sont au Louvre du roi, mais aussi dans les demeures plus modestes des bourgeois, gravées par Abraham Bosse. Le vieillard infirme — et on était vite goutteux avec une nourriture épicée et lourde, qui ignorait les crudités et pratiquait peu les grillades —, le vieillard infirme était immobilisé, réduit à une inaction, antichambre de la mort, qu'il occupait généralement de dévotions. Il acceptait son sort et ne recourait guère au médecin dans son attente résignée de la fin.

Mais il y avait des vieillards qui ne pouvaient s'arrêter, qui devaient poursuivre : les rois, les princes alors ne se retirent pas pour terminer leur vie dans le privé : Charles Quint est la seule exception. Ceux-là ont besoin des médecins et les entretiennent à leurs cours. Pendant longtemps, il n'y aura d'autres médecins que des professeurs de faculté ou des « physiciens » de cours.

Dans la seconde moitié du XVIIᵉ siècle, il n'en est plus ainsi. On ne croyait pas encore beaucoup à l'efficacité du médecin, qui apparaît comme un donneur de clystères un peu libertin ou un pédant ignorant et ridicule. Mais peu importe : la maladie et son remède occupent une place déjà importante dans les soucis de la bourgeoisie et c'est là une grande étape dans la formation des attitudes modernes devant la vie.

Qu'on se reporte à cette même correspondance de Racine, dont nous avons déjà extrait un passage. Que ce soit dans ses lettres à son fils, la description de la maladie et des remèdes, l'avis des médecins occupent une place inconnue un demi-siècle auparavant. Et, cependant, les progrès plutôt lents des sciences médicales pendant ce demi-siècle ne suffisent pas à expliquer ce soudain intérêt porté aux soins du corps. « J'ai encore été un peu incommodé de ma colique depuis le dernier billet que je vous ai écrit, mais n'en soyez pas en peine [...]. Le mal est qu'il me survient toujours quelques affaires qui m'ôtent le loisir de *penser bien sérieusement à ma santé.* » Si étrange que cela puisse nous apparaître aujourd'hui, le fait de penser sérieusement à sa santé est un phénomène nouveau.

C'est lui qui est nouveau et révolutionnaire et non pas les progrès de sciences qu'il provoquera plus qu'il n'en profitera. On dirait presque, si cette formule n'apparaissait comme un paradoxe, que *le médecin précède la médecine.* C'est seulement à la fin du XVIIIᵉ siècle et surtout au début du XIXᵉ siècle que la science médicale rattrapera le médecin, légitimera et étendra son rôle social : qu'on pense aux médecins de Balzac.

La révolution démographique se décompose à l'analyse en une révolution de la vie et une révolution de la mort. Il est curieux de remarquer que la révolution de la mort a précédé celle de la vie. Cessons de scruter une malheureuse phrase de Mme de Sévigné, suggestive sans doute, mais plutôt exceptionnelle. La position du temps reste celle de Racine : huit à dix enfants en dix ans, fécondité quasi physiologique. Mais Racine parle de ses coliques comme un homme d'aujourd'hui de son foie malade. Or ce décalage entre la révolution de la vie et celle de la mort est très important, car il explique le brusque essor numérique des populations occidentales depuis le dernier tiers du XVIIIᵉ siècle — prolongement de la longévité et persistance des hautes natalités —, puis le vieillissement de la population et bientôt le déficit des naissances, avec le progrès du malthusianisme.

La pénétration dans les masses des attitudes nouvelles devant la vie

L'usage des techniques médicales et malthusiennes n'est pas un phénomène tout à fait inconnu dans l'Histoire. On connaît l'affaiblissement démographique de la société romaine à l'époque d'Auguste. Mais il s'agissait alors d'une classe sociale numériquement faible. On a toutes les raisons de croire que les masses qui eussent constitué le nombre, si on avait établi des statistiques, demeuraient hors de cette évolution pseudo-malthusienne. Seulement, sans chiffres, ces masses sont inconnues, tandis que les textes littéraires et juridiques renseignent sur l'état des classes urbaines et évoluées.

Au contraire, le mouvement démographique moderne présente cette originalité qu'il a débordé les limites des classes où il est né pour mobiliser la totalité des populations occidentales. Personne n'y a échappé, pas même les milieux qu'une doctrine religieuse aurait pu préserver : l'affaiblissement relatif des taux de natalité et de fécondité a été général. Comme l'usage médical, la restriction des naissances s'est imposée avec une telle souveraineté qu'elle est devenue un des traits les plus caractéristiques de la civilisation moderne. C'est par l'action sur la naissance et la mort que la technicité propre à notre époque a cessé d'être périphérique à l'homme, pour pénétrer profondément son comportement, phénomène qui est devenu l'un des faits les plus importants de l'histoire contemporaine.

Nous avons regardé à la loupe quelques lignes de Mme de Sévigné ou de Racine. Pour observer les attitudes populaires, nous n'avons pas de correspondance familière, qui laisserait échapper une lumière sur leur comportement. Mais il suffit de considérer les courbes en dents de scie des données de l'état civil, quand on le peut, pour apercevoir quelques traits essentiels, en particulier l'irrégularité des naissances et des décès. Montée brusque des décès à chaque crise : guerre, famine, etc., supprimant d'un seul coup les éléments les moins résistants — étiage des naissances à ces mêmes moments.

Cette baisse de la natalité, en période de crise, a besoin d'être soulignée et expliquée. Elle est généralement suivie d'une pointe très accentuée, d'où l'aspect dents de scie de la courbe. On a l'impression d'une compression temporaire et c'est bien le cas. Il ne s'agit pas en effet d'une restriction des naissances à l'intérieur du mariage, soit par continence conjugale, soit par l'emploi des techniques anticonceptionnelles. La condition normale demeure une fécondité quasi physiologique. Mais celle-ci est suspendue, retardée ou abrégée dans les mauvaises conjonctures. Ce n'est pas une crise de la natalité, mais de la nuptialité, à l'inverse de nos démographies contemporaines où la nuptialité n'adopte pas l'allure dégressive de la natalité. En 1749, d'Argenson écrivait : « Dans la campagne où je suis, j'entends dire que la peuplade et le mariage y périssent absolument de tous côtés. Dans ma paroisse qui a peu de feux, il y a plus de trente garçons qui sont parvenus à l'âge plus que nubile. Il ne se fait aucun mariage et il n'en est pas seulement question entre eux. »

Et Paul-Louis Courier opposait les âges des époux sous l'Ancien Régime et au début du XIXe siècle : « Autrefois, dans ce pays une mariée de village avait rarement moins de trente ou trente-cinq ans. » El le folkloriste Sebillot remarque dans l'Ille-et-Vilaine, plus archaïque que le Val-de-Loire où vivait Paul-Louis Courier, que de jeunes garçons épousaient souvent des filles plus âgées d'une quinzaine d'années. Les témoignages concordent. On s'efforçait de se marier plus tard ou d'épouser une fille presque vieille — car trente à trente-cinq ans sous l'Ancien Régime représente un âge plus avancé qu'à notre époque — afin de réduire la période de fécondité de la femme. Diverses observations, malheureusement difficiles à répéter sur un grand nombre, permettent de fixer à cette période une durée moyenne de dix à douze ans. Ou bien le mariage était tardif, et avait lieu dix à douze ans avant la ménopause, ou bien les rapports entre les époux s'arrêtaient. Ce n'est pas, bien sûr, une règle absolue, mais le nombre des grossesses s'établissait le plus souvent autour de dix, et les familles de sept à neuf enfants étaient fréquentes.

Par conséquent, on ne peut pas dire qu'à cette époque l'accroissement de la famille et ses conséquences économiques n'étaient pas redoutés dans le peuple. Seulement, on ne cherchait pas à restreindre la famille en agissant sur la nature des relations sexuelles. La véritable révolution démographique est probablement antérieure à l'époque où elle apparaît dans le fléchissement de la courbe des taux de fécondité, c'est-à-dire après 1890 ; elle doit dater du moment où les procédés anticonceptionnels sont apparus comme un moyen d'éviter une fécondité physiologique à l'intérieur des rapports conjugaux, avant de devenir le moyen moderne de limiter la famille au nombre habituel de deux ou trois enfants. Telles sont en effet les trois étapes :

1. Une fécondité physiologique réduite à dix ou douze grossesses par le célibat ou le mariage tardif (XVIIe-XVIIIe siècles).

2. L'avance de l'âge du mariage, en particulier pour la femme, sans que le nombre des naissances puisse augmenter, grâce à l'intervention, encore discrète, de certains procédés anticonceptionnels.

3. L'utilisation généralisée de ces techniques pour modifier complètement la structure de la famille, régler le nombre et l'époque des naissances. Cette dernière étape se situe, dans l'ensemble des classes populaires, à partir des années 1890.

Il est inutile d'insister ici sur les différences entre les deux états extrêmes de cette évolution. Contentons-nous d'insister sur cette observation : au moment où, aujourd'hui, les diverses techniques anticonceptionnelles sont devenues d'un usage courant, on est étonné quand on constate la date récente de leur usage. C'est une technique du XIXe et du XXe siècle, comme le chemin de fer et l'électricité. Le souci de restreindre les naissances était antérieur sinon à leur découverte, du moins à leur emploi. On a peine à croire que les contraintes religieuses fussent assez fortes pour suffire à les interdire sur une si vaste échelle. Le silence de la littérature érotique à ce propos est assez significatif. Ce n'était ni ignorance, ni soumission, mais bien, si on me pardonne cet affreux néologisme, impensabilité. Dans un monde donné, il y a des actes impossibles, des choses impensables. Et on a vécu longtemps dans un monde d'où était exclue l'idée d'une réflexion, d'une prévision, d'une intervention qui eussent dissocié la totalité rigoureuse, quoique implicite, de l'acte sexuel. A ce monde s'est substitué un autre, le nôtre, où l'acte sexuel, comme la maladie, ne se distingue plus essentiellement des autres opérations de la nature animée ou inanimée que les techniques modifient selon un plan déterminé. Deux mondes ou deux civilisations.

NOTES

[1] Adolphe Landry, *Traité de démographie*, Paris, Payot, 1949.

15

Sur les origines
de la contraception en France*

On admet sans discussion que les procédés contraceptifs n'étaient pas pratiqués dans les sociétés occidentales, du Moyen Age jusqu'au XVIIᵉ siècle au moins. Mais cet accord ne persiste plus dès qu'on tente d'interpréter le fait et qu'on essaie de caractériser l'état des mœurs auquel il correspond. On est si loin de nos façons modernes de penser et d'agir !

De deux choses l'une : si les hommes d'autrefois ne pratiquaient pas des techniques aujourd'hui familières même à ceux qui les condamnent :

— Ou bien ils n'en avaient pas l'idée, soit qu'ils les ignorassent tout à fait, soit qu'ils les connussent à peine, comme des curiosités indifférentes, parce que les conditions sociologiques du temps ne leur permettaient pas de les intégrer à leur univers mental. C'est la thèse de l'impensabilité, que j'ai défendue [1].

— Ou bien, ils savaient à quoi s'en tenir, mais se soumettaient à une discipline morale, dérivée de la finalité chrétienne de l'acte sexuel. C'est la thèse qu'ici même le R. P. Riquet a opposée à celle de l'impensabilité [2]. « Cela permet de douter, écrit-il, qu'à cette époque ancienne [du VIIᵉ au IXᵉ siècle], comme dans la précédente et la suivante, les chrétiens aient respecté la sainteté du mariage uniquement par incapacité d'imaginer autre chose, ou, comme on l'a dit, par "impensabilité" du contraire. »

Il est très important, en effet, de savoir si, à ces époques, l'homme ignorait la contraception ou la refusait. Selon la réponse, on

* Ce texte a été publié dans *Population*, VIII, juillet-septembre 1953, p. 465-472.

accentue la différence de l'homme dans l'Histoire ou sa continuité.

La première donnée du problème est le silence des textes. Le
R. P. Riquet, loin de l'écarter, nous donne au contraire de précieuses indications sur l'époque où il s'est établi. Il constate, en
effet, en se référant aux travaux de Gabriel Le Bras, que les *pénitentiels* du VIIe au IXe siècle n'ignorent pas les pratiques contraceptives, énumérées parmi les perversions sexuelles. Néanmoins,
je me demande si les documents juridiques que sont les pénitentiels reflètent les mœurs contemporaines de leur rédaction, ou plutôt
un état plus ancien, comme c'est souvent le cas en droit médiéval.
On aurait alors affaire à une survivance scripturaire des mœurs
du Bas-Empire, époque où il est indiscutable que, au moins dans
les milieux urbains ou riches, la contraception était connue et pratiquée. En effet, le R. P. Riquet est obligé d'admettre que les théologiens du IXe au XIVe siècle ignoraient les pratiques signalées par
les pénitentiels. Or le silence de la scolastique étonne, parce que
c'est justement alors que se précise une conception rigoureuse de
la finalité reproductrice de l'acte sexuel. « Saint Thomas, nous dit
le R. P. Riquet, a dû insister sur la légitimité des rapports sexuels
pendant les périodes stériles de la femme, parce que d'autres moralistes, plus rigoureux, les condamnaient. » Dans un tel climat philosophique, comment admettre qu'il n'ait pas fait un sort aux idées
anticonceptionnelles, si elles avaient existé ?

Au silence des théologiens, signalé par le R. P. Riquet, j'ajou-
terai un autre silence, qui me paraît au moins aussi significatif,
celui de Dante. Certes, dans *La Divine Comédie*, les luxurieux occupent les premiers cercles de l'Enfer, les plus bénins, et le péché de
la chair n'est pas le plus horrible. Aussi les sodomites ne sont-ils
pas associés aux luxurieux, mais ils partagent les peines, beaucoup
plus cruelles, des fraudeurs, pour avoir détourné la création du but
assigné par Dieu. Ils ont trahi Dieu. C'est assurément la moralité
sexuelle de la scolastique. Toutefois, parmi ces trompeurs de Dieu,
on cherchera vainement Onan et son disciple. Tout se passe comme
si Dante n'avait pas l'idée que la contraception fût possible, au
moins dans le monde concret où il vivait.

A vrai dire, à partir du XVIe siècle (mais on trouvera peut-être, en cherchant mieux, des références plus anciennes), le silence n'est plus aussi complet. Certes, les allusions restent rares, très rares, et cette rareté demeure toujours le trait caractéristique de l'histoire de la contraception. Elle est d'autant plus remarquable que la langue, sinon les mœurs sont très libres et, au moins au XVIe siècle, ne reculent devant aucune licence. Cependant, quelques textes existent, que je voudrais verser ici au dossier. Voici d'abord un texte de 1546, date de la traduction française du *Livre de la police humaine* de Gilles d'Aurigny [3], extrait du chapitre consacré à « l'enseignement pour les femmes grosses ». L'auteur leur conseille le repos, l'absence d'agitation, « un doux cheminement ». Il invoque à ce propos l'autorité d'Hippocrate : « Ce qu'a montré, par exemple, Hypocras. Comme quelques foys une certaine femme eust reçeu la semence d'ung homme et *ne l'eust rejectée*, elle pria le dict Hypocras qu'il luy donnast conseil comme elle ne demeureroit point enceinte. Adonc luy dict qu'elle saillist tous les jours, et par saulter, qu'elle esmeut la dicte semence, et en ce poinct par continuer à saulter, le septième jour, elle jecta la dicte semence déjà envelopée en une petite feuille semblable à la petite peau d'ung œuf. » Il s'agit donc d'une pratique abortive, entreprise à la suite de l'échec d'une pratique anticonceptionnelle : « et ne l'eut rejectée ». Elle est d'ailleurs présentée à l'appui d'une hygiène de la grossesse, qui n'était pas superflue à une époque où les déplacements se faisaient à cheval ou en chars sans suspension, et où la vie quotidienne exigeait des efforts violents. Notons que l'initiative revient à la femme.

Cependant l'auteur poursuit : « Je laisse icy beaucoup d'autres abus qui se commettent par l'acte vénérien, qui seraient trop sales à exprimer, par lesquels les enfants n'ont point de vie, et par quoy aussi se produisent monstres très vilains et abominables. » Les pratiques abortives et contraceptives sont ainsi confondues avec les « abus » de la perversité sexuelle.

Dans toute la littérature gauloise de Brantôme, il n'y a peut-être qu'un passage intéressant notre sujet [4] (je dis peut-être, parce qu'on n'est jamais sûr d'avoir laissé échapper quelque allusion, dans cette masse d'anecdotes). Il s'agit du médecin marron qui distribue à sa clientèle féminine « des antidotes pour engarder d'engroisser, car c'est ce que les filles craignent le plus », les filles non mariées exclusivement, et cette réserve est très importante. « Dont en cela y en a de si experts qui leur donnent des drogues qui les engardent très bien d'engroisser ; ou bien si elles engroissent, leur font escouller leur groisse si subtilement et si sagement que jamais on ne s'en aperçoit, et n'en sent on rien que le vent. » La stérilité est désirée par la femme et associée à l'avortement : on ne distingue pas alors entre les potions stérilisantes et les drogues abortives. Brantôme cite, à la suite, le cas d'une fille, toujours non mariée, qui « vint *par cas fortuit, ou à son escient*, à engroisser, sans qu'elle y pensast pourtant. Elle rencontra un subtil apothicaire, qui, luy ayant donné un breuvage, luy fit évader son fruit, qui avait déjà *six mois*, pièce par pièce, morceau par morceau, si aisément qu'estant à ses affaires, jamais elle n'en sentit ny mal ny doulleur. » Brantôme passe facilement d'un « antidote pour engarder d'engroisser » à un avortement de six mois. C'est la même confusion qu'on remarque chez Montaigne, quand il oppose à la vertueuse femme de Sabinus « tant de garces qui desrobent tous les jours leurs enfans en la génération comme en la conception [5] ». Après son avortement, la fille de Brantôme « se marya gallantement sans que le mary y cogneut aucune trace. Quel habile médecin ! car on leur donne des remèdes pour se faire paraître vierge et pucelle comme devant ». Nous retrouvons ici le thème, classique dans la tradition gauloise, de la virginité raccommodée. En effet, Brantôme est moins un observateur qu'un compilateur de racontars érotiques et grivois. Aussi ses anecdotes disent assez peu sur les mœurs vécues, mais elles renseignent sur le folklore sexuel de son temps, et elles sont alors significatives. Il suffit de comparer la rareté des allusions contraceptives au thème du préservatif dans le folklore sexuel contemporain. Toujours est-il que, dans le cas qui nous occupe, s'il ne s'agit pas de « garce » comme chez Montaigne, la pratique contraceptive ou abortive intéresse seulement parce qu'elle corse le cas classique du mari trompé par sa femme ou sa fiancée. On reste dans le monde fermé des filles non mariées. Les hommes ignorent ce souci. C'est ce qu'indiquent deux textes extraits de *Francion* de Charles Sorel. Le premier traite d'un souvenir de collège, l'initiation précoce d'un enfant impubère par une fille [6] : «Que n'ay-je maintenant la faveur que j'avais alors, ou que n'avais-je alors la puissance que j'ay maintenant ! J'eusse chatouillé cette mignarde [...] et possible en eust-elle été bien ayse, bien qu'il est croyable qu'en ce temps-là, *craignant l'enflure*, elle flattait encore ses désirs...» N'avait-elle donc pas l'idée d'autres moyens d'éviter l'«enflure»?

Plus loin, Sorel imagine l'entrevue galante d'un brillant seigneur, Cleronte, et d'une bourgeoise mariée, dont il est amoureux. Cleronte s'est introduit dans la chambre de la dame en l'absence du mari, et voici le dialogue : La bourgeoise : «Vous m'accusez d'une faute que je n'ay point commise, ni ne veux point commettre à ceste heure. Car la pièce que vous me demandez appartient à mon mary, j'ai promis de la luy garder. — J'y mettrai plus que je n'en emporterai, respondit Cleronte. Nous devons nous fascher quand un autre ensemence nostre terre de son grain propre? — Mon mary est conscientieux, repartit la bourgeoise, il ne voudra pas retenir les fruits qui y seront produits. — Hé bien, mon amie, dit Cleronte, *envoyez-les-moi, ils seront en bonne main* [7].» Ce texte est le premier que je connaisse où la femme explique à l'homme sa crainte de la conception illégitime. Et l'homme répond en proposant d'élever le bâtard. C'est évidemment un autre monde de mœurs que le nôtre, où le recours à la contraception est plus familier. Mais ce n'est pas un monde chrétien que celui où la bâtardise est ainsi acceptée par les mœurs. En tout cas, l'homme n'a absolument pas le réflexe contraceptif qui, au contraire, n'est pas tout à fait étranger à la femme.

Résumons-nous : il existe quelques textes au XVIe siècle, et au début du XVIIe siècle, qui font allusion à des procédés contraceptifs ou à une répugnance à la conception. Mais ces textes sont rares. Ils n'indiquent jamais une fuite devant de trop nombreuses naissances. Ils ne mettent en scène que la femme; et la collaboration ou la complicité de l'homme demeurent inconnues. Enfin, il y a confusion entre la contraception et l'avortement. C'est pourquoi il s'agit de mœurs spéciales aux milieux galants, «garces» ou «finettes».

Il n'est pas impossible, il est même probable que la répugnance à la grossesse ait assez tôt gagné au-delà des milieux galants ou légers : elle est cependant toujours restée un sentiment exclusivement féminin. Représentons-nous quelle pouvait être la vie de la mère d'Angélique Arnauld. Mariée à douze ans en 1585, elle commençait à quatorze ans le cycle de ses vingt maternités, dont les quatorze premières se suivirent à un an d'intervalle ; les dernières mirent sa vie en péril, et les médecins en dénonçaient le retour. Or son cas, pour être connu dans le détail, grâce au soin des biographes du jansénisme, n'est certes pas unique [8].

Or c'est justement à la fin de l'époque Louis XIV que nous relevons des indices d'une répugnance aux maternités trop fréquentes. Ou du moins est-ce à cette époque que cette répugnance s'exprime sans scandale. Il s'agit de la légende d'une gravure, sortie de l'atelier des Bonnart, qui, sous le titre « Le caquet des femmes », illustre le thème familier de la visite à l'accouchée. Nous ne sommes plus en pays galant, comme chez Brantôme : la scène se situe dans un intérieur bourgeois. Voici cette légende :

LA COMMÈRE : Le bel enfant que vous avez !
J'en ressens un plaisir extrême.
Faites-en encore de même
Dans neuf mois, si vous le pouvez.

L'ACCOUCHÉE : Que dites-vous là, ma commère !
Ah ! j'aimerais autant mourir.
Si j'eus du plaisir d'être mère,
Le mal passe bien le plaisir [9].

La peur de la maternité s'exprime ici sans détours, ni scandale. Mais de là à un emploi plus habituel des contraceptifs, le pas est grand et n'a pas été franchi. Toutefois, pour appuyer sa thèse, sur la permanence de la tentation, le R. P. Riquet a invoqué un texte important où saint François de Sales condamne l'acte d'Onan [10]. Mais ce texte ne va pas exactement dans le sens où l'interprète le R. P. Riquet : saint François de Sales vise moins la fraude et le détournement que le libertinage, ce que l'on note également chez les auteurs galants de son époque. Il invoque en effet la loi naturelle de procréation, mais c'est pour interdire toutes les anomalies sexuelles : « On ne peut loisiblement se départir de l'ordre qu'elle requiert [la procréation], quoique pour quelque autre accident elle ne puisse pas pour lors estre effectuée », par exemple dans les cas de stérilité ou de « grossesse déjà survenue ». « Car en ces occurrences, le commerce corporel ne laisse pourtant pas de pouvoir estre juste et sainct, moyennant que les règles de la génération soient suivies. » Ainsi, même si la procréation est impossible, les rapports amoureux doivent suivre leur cours naturel, et la stérilité ne justifie pas leur perversion. Loin d'être le but recherché, la stérilité paraît alors une excuse à des pratiques sexuelles sans objet contraceptif.

Toutefois, une incidence du texte salésien mérite d'être soulignée : « Certes l'infâme action que Onan faisait en son mariage était détestable à Dieu [...]. Et bien que quelques hérétiques de *notre âge* [...] ayant voulu dire que c'était la perverse intention de ce meschant qui déplaisait à Dieu, l'Escriture toutefois parle autrement et asseure en particulier que la chose mesme qu'il faisait était détestable et abominable devant Dieu. » La contraception reprendrait-elle alors une certaine actualité ? Dans ce cas, il s'agirait d'une actualité théorique, dans les débats théologiques. Or ces débats théologiques révèlent-ils toujours une tendance réelle des mœurs vécues ? Rien n'est moins sûr, comme le prouve une observation pénétrante de M. Bousquet sur « L'islam et la limitation volontaire des naissances [11] ». Chez les docteurs de l'islam, nous apprend M. Bousquet, le *coitus interruptus* est connu, discuté, sans être d'ailleurs condamné avec la rigueur des moralistes catholiques. Or les pratiques contraceptives, quoique signalées dans la littérature religieuse traditionnelle, demeurent toujours inconnues des musulmans d'Afrique du Nord, même à Alger, au contact du néomalthusianisme européen. Ainsi le texte de saint François de Sales ne diffère-t-il guère des autres textes contemporains qui visent les dépravations sexuelles, plutôt qu'un contrôle de la fécondité.

On peut alors se demander — mais il faudrait trouver, selon la réserve d'usage, d'autres signes, d'autres témoins — si la répugnance aux naissances répétées n'a pas été d'abord un sentiment féminin, exclusivement féminin, inconnu et ignoré des hommes. Aussi n'a-t-il pas dépassé les limites de la mauvaise humeur tant que la femme est demeurée à la place subalterne qui lui était dévolue dans la famille paternaliste et traditionnelle. Mais bien avant l'émancipation tapageuse des années 1900, au cours des XVIIIe et XIXe siècles, la femme exerça dans la famille une influence parfois occulte, toujours pressante, qu'elle n'avait pas encore connue. Dans le domaine de la pratique religieuse, cette influence apparaît d'une manière incontestable. Niera-t-on que la fidélité catholique ait été transmise au XIXe siècle par les femmes, au moins dans la bourgeoisie, et malgré l'incrédulité de la majorité des hommes ? Le réveil religieux contemporain eût été impossible si les mères n'avaient été capables d'imposer leurs convictions à leurs enfants, malgré l'exemple et l'ironie des pères.

Si la femme a dès lors partagé avec l'homme le gouvernement moral de la famille, elle a pu exercer l'autorité nécessaire pour persuader l'homme, autrefois indifférent, de tenir compte de sa répugnance aux trop fréquentes maternités. Elle réussit donc à faire passer dans la réalité des mœurs vécues un sentiment auparavant limité au secret du gynécée.

A la même époque que la gravure des Bonnart, on constate que ce sentiment gagne la classe des hommes. On le trouve dans les *Chansons* de Coulanges [12] (1694), c'est-à-dire dans le milieu de Mme de Sévigné, dont on sait déjà qu'elle conseillait à sa fille de restreindre ses maternités.

Pour la comtesse de ... :

> Ma pauvre sœur, qu'il est aisé
> De vous faire au ventre une bosse...
> Tous les neuf mois vous êtes grosse.
> Quand votre époux sera venu,
> Envoyez-le chez la Cornu.

Ce n'est plus seulement l'appréhension de l'accouchement, ni le risque du déshonneur : sentiments féminins. Le pullulement des enfants, jadis accepté avec indifférence, apparaît comme une charge insupportable :

Fut-il jamais rien moins charmant
Qu'un tas d'enfants qui crie.
L'un dit papa, l'autre maman,
Et l'autre pleure après sa mie.
Et pour avoir cet entretien,
Vous êtes maigre comme un chien.

On remarquera que le malthusianisme n'est pas envisagé ici comme un moyen d'améliorer l'éducation et l'établissement d'une famille réduite au niveau du XIXᵉ siècle. C'est plutôt une réaction de la sensibilité contre l'abondance de la nature, contre la soumission naïve à son ordre : quelque chose de proche encore de ce sentiment propre aux femmes, qui me paraît à l'origine de la contraception.

NOTES

(1) Philippe Ariès, *Histoire des populations françaises et de leurs attitudes devant la vie depuis le XVIIIᵉ siècle*, Paris, Self, 1948, p. 494-531.

(2) R. P. Riquet, « Christianisme et population », dans *Population*, IV, octobre-décembre 1949, p. 616-630.

(3) Gilles d'Aurigny, *Le Livre de police humaine [...] lequel a été extraict des amples volumes de François Patrice [...] et nouvellement traduit de latin en français par maître Jehan Le Blond, curé de Branville*, Paris, 1544, rééd. 1549 (citation p. 74). Cet ouvrage avait été tiré de celui de Francesco Patrizzi, évêque de Gaète, qu'on peut considérer comme le premier démographe des Temps modernes.

(4) Brantôme, *Œuvres complètes*, publiées d'après les manuscrits, avec variantes et fragments inédits, par Ludovic Lalanne, Paris, 1864-1882, 11 vol., t. IX, p. 567-569.

(5) Par opposition « aux Souisses ; parmi nos gens de pied, quel changement y trouvez-vous, sinon que trottant après leurs maris, vous les voyez aujourd'hui porter au col l'enfant qu'elles avaient hier au ventre », Montaigne, *Essais*, liv. I, chap. XIV.

(6) Charles Sorel, *Histoire comique de Francion, réimprimée sur l'exemplaire unique de l'édition originale (1623) et précédée d'une notice par Émile Roy*, Paris, 1924-1931, 4 vol., t. II, p. 14.

(7) *Ibid.*, p. 205.

(8) On trouvera la généalogie précise et complète de la famille Arnauld en appendice du livre de Louis Cognet *La Réforme de Port-Royal*, Paris, 1951.

(9) Bibliothèque nationale, Estampe, pet. f°s 0 à 52, p. 36.

(10) Saint François de Sales, *Introduction à la vie dévote*, troisième partie, chap. 39.

(11) M. Bousquet, « L'islam et la limitation volontaire des naissances », dans *Population*, V, janvier-mars 1950, p. 121.

(12) Philippe-Emmanuel de Coulanges, *Recueil de chansons choisies, divisé en deux parties*, Paris, 1694, p. 65.

16

Contribution à l'histoire des pratiques contraceptives : Chaucer et Mme de Sévigné*

Dans cet article, je commenterai deux textes sur l'histoire de la contraception. L'un, de la fin du XIVe siècle, permet de comprendre la morale conjugale du temps, non pas selon les docteurs de la scolastique, où il est délicat de déterminer l'héritage du passé et la part du présent, mais d'après un sentiment plus commun. Le second, de la deuxième moitié du XVIIe siècle, prouve un usage plus familier des pratiques contraceptives, sans que celles-ci répondent encore aux intentions que suppose le malthusianisme moderne.

« Le conte du curé »

Le premier de ces textes est extrait des *Contes de Canterbury*, « Le conte du curé [1] ». De tous les narrateurs pèlerins de Saint-Thomas-de-Canterbury, le curé parle le dernier, après des chevaliers, des moines, des femmes, de tout âge, de toute condition, le plus souvent de langue verte, ne reculant ni devant les choses, ni devant les mots. Le curé termine les récits de ses compagnons de route par un sermon. Ce sermon reprend et parfois paraphrase « des manuels de dévotion populaire [2] » et en particulier le manuscrit

* Ce texte a été publié dans *Population*, IX, octobre-décembre 1954, p. 692-698, comme deuxième partie d'un article intitulé « Deux contributions à l'histoire des pratiques contraceptives ». La première partie, « Saint François de Sales et Thomas Sanchez », p. 683-692, était due à André Venard.

d'un dominicain, écrit en 1275, très répandu des deux côtés de la Manche et connu sous le nom de *Somme Le Roy*. On dit qu'un exemplaire ouvert était à la disposition des fidèles à l'église des Saints-Innocents, à Paris. Encore en 1502, on en imprima une édition abrégée.

Le sermon du curé de Chaucer, à la fin d'un recueil de contes libres et de veine populaire, comme nos fabliaux, n'est donc pas une étude exhaustive de théologie ; ces réflexions morales, à la portée de tous, traduisent, plutôt que l'état de la doctrine, l'opinion commune qu'on avait vulgairement. Chaucer n'était ni théologien, ni même clerc, mais chevalier, diplomate, homme de cour, fils de marchand de vins. S'il déforme les raisonnements des docteurs, c'est dans le sens des idées familières de son temps, et cette déformation, ce grossissement, est plus significatif pour nous que la continuité d'une tradition théologique savante, soucieuse de préserver l'héritage des prédécesseurs.

L'adultère dans le mariage

Le sermon de Chaucer traite des sept péchés capitaux, et par conséquent de la luxure. Le curé distingue plusieurs types de luxure : l'inceste, l'abominable péché biblique [3] (n'est-ce pas encore aujourd'hui la périphrase du style officiel américain ?), la « pollution » nocturne, qui arrive à la fois aux hommes chastes et aux corrompus, et enfin l'adultère. Mais l'adultère n'existe pas seulement hors du mariage. « Beaucoup d'hommes pensent qu'ils ne peuvent pécher par luxure s'ils le font avec leur propre femme. Mais cette opinion est fausse, car Dieu a voulu que l'homme puisse se blesser avec son propre couteau et s'enivrer à son propre tonneau. » Il pèche, alors, en préférant un être créé à Dieu. « Si un homme aime une femme, ou un enfant, ou quelque chose de ce monde plus que Dieu, cette chose devient une idole et lui-même un idolâtre. » Dans le mariage, cet excès se traduit par les abus du plaisir : « L'homme doit aimer sa femme avec discrétion, patience et tempérance, et *comme si elle était sa sœur.* » Il faut se méfier du plaisir.

Le curé revient plus loin, avec insistance, à cet adultère entre époux : «Cela se passe quand les conjoints cherchent seulement dans leurs rapports le plaisir charnel, comme dit saint Jérôme, et ne se soucient de rien, sinon de leur union ; parce qu'ils sont mari et femme, ils pensent que tout est bien. [C'est vraiment le ton du prône, dans une église de campagne, avec la liberté médiévale.] Mais de tels gens sont tombés dans la main du diable, comme dit l'ange Gabriel à Tobie, car, dans leur union, ils chassent Jésus-Christ de leur cœur, et s'abandonnent à l'ordure.»

Puis le curé énumère les mobiles qui poussent les hommes et les femmes à l'union charnelle : 1) «engendrer des enfants pour le service de Dieu, et c'est certainement la fin dernière du mariage» ; 2) «payer à chacun d'eux la dette de leurs corps, car personne ne possède son corps» ; 3) «éviter luxure et vilenie», en les fixant, je suppose, dans le mariage ; 4) le «péché mortel», c'est-à-dire, je crois, la passion amoureuse, plutôt que la dépravation sexuelle, à laquelle Chaucer ne fait guère allusion.

Les mobiles du mariage

Ensuite, le curé commente les quatre mobiles du mariage et leur valeur morale. Le premier — la procréation — est méritoire, car, dans le mariage, le péché, qui est autrement mortel, devient véniel. C'est-à-dire que les péchés de la chair, qui sont mortels, deviennent véniels dans le mariage, mais le péché demeure, à moins qu'il ne soit à peu près éliminé par l'intention de procréer. Le second mobile, aussi, est méritoire, «car, comme dit le droit canon, elle conserve le mérite de la chasteté celle qui paye à son mari la dette de son corps, *surtout si c'est contre son désir et le vœu de son cœur*». Ainsi, les rapports sexuels dans le mariage deviennent méritoires, s'ils sont recherchés comme les moyens d'engendrer, et si le plaisir est seulement accepté ou, mieux encore, subi. A un autre endroit de son conte, le curé souligne la dignité de l'état de mariage, puisqu'il est antérieur à la faute du premier homme. Mais la faute a eu pour conséquence la concupiscence. Le plaisir n'est pas compatible avec l'état de grâce, sauf s'il est dépassé dans l'intention par le désir d'«engendrer des enfants pour le service de Dieu». Dans cette perspective, la volonté de procréer est la seule légitimité des rapports sexuels. Les deux autres mobiles que l'homme y cherche sont suspects ou coupables. Le troisième (calmer la concupiscence) «est péché véniel» — et non mortel —, et notre prêcheur reconnaît de bonne foi qu'il est pratiquement inévitable dans la vie réelle; «à vrai dire, bien peu, dans ces rapports charnels, parviennent à éviter le péché véniel, à cause de la corruption [originelle] et du plaisir [*delit : delight*]». A plus forte raison, les époux que réunit seulement l'ardeur de leur passion : «Ceux qui suivent le quatrième mobile doivent entendre qu'en s'unissant pour leur passion amoureuse, et en négligeant les motifs précédents, mais seulement pour assouvir leur *ardent plaisir* [*brennynge delit*], ils oublient combien de fois ils pèchent mortellement, et encore, je le dis avec tristesse, bien des gens en font-ils plus que leur appétit le permet ! »

Voici donc un texte, quasi populaire, qui examine les fautes des époux dans leurs relations conjugales. Le narrateur part du principe que, si le mariage participe de la sainteté du monde avant la chute, la sensualité qui l'affecte depuis est toujours coupable, au moins en fait; il est pratiquement impossible d'éviter le péché véniel dans la vie sexuelle, même légitime; ainsi la chasteté des époux demeure-t-elle l'idéal, la chasteté du saint roi Henri et de sa sainte épouse Cunégonde. L'union charnelle cessera cependant d'être coupable si la recherche du plaisir y est absente, et elle devient méritoire si elle a pour but la procréation — et aussi le don de soi et de son corps. La valeur de cette union se dégrade, et le péché qu'elle provoque s'aggrave, à mesure qu'on s'éloigne de la volonté d'engendrer, pour se rapprocher d'un état où la passion l'emporte. Par conséquent, l'adultère entre époux, pour parler comme Chaucer, ne consiste pas à détourner l'acte sexuel de sa fin naturelle. Ce serait l'interprétation du moderne, et c'est peut-être déjà — ou encore — celle du théologien savant, ou du casuiste exhaustif, mais le curé de Chaucer n'a pas l'idée de cette faute, ou tout au moins, dans son petit sermon de morale conjugale, n'éprouve-t-il pas le besoin de la dénoncer, comme si elle était étrangère aux tentations habituelles de son auditoire d'Anglais moyens, à la fin du XVIe siècle. *Le péché apparaît quand la fin procréatrice est non pas détournée, mais négligée et passe après le plaisir et l'amour :* « *amorous love* » [4].

Ainsi, d'après ce texte de Chaucer, dans l'idée commune qu'à la fin du XIVe siècle on se faisait de la morale conjugale, le plaisir était suspect, sinon coupable. Toutefois, pour qu'il y ait faute, il n'était pas nécessaire qu'intervînt une volonté délibérée d'échapper aux conséquences naturelles de l'acte, il n'en était pas même question, comme si le problème ne se posait pas dans la pratique courante ; il suffisait que la recherche du plaisir passât *avant* l'intention d'engendrer, sans autres complications.

Cette condamnation du plaisir dans le mariage est un lieu commun de la littérature morale de vulgarisation à la fin du Moyen Age. On la retrouve encore chez les humanistes : ainsi, dans son traité sur le mariage, tant de fois traduit jusqu'au XVIIIe siècle [5], Érasme réprouve cette anomalie, quand « le mari s'imagine être plutôt avec une maîtresse qu'avec sa femme, et la femme croit de même être plutôt avec un galant qu'avec son mari ». Et il montre la nécessité de longues et fréquentes périodes de continence : les jours de prière, pendant l'Avent jusqu'à l'octave de l'Épiphanie, pendant le Carême, des rogations à l'octave de la Pentecôte, les jours de grande fête et le temps de la grossesse, jusqu'aux relevailles [6]. Mais cette pratique de la continence n'est pas considérée comme un frein de la fécondité : bien plus, elle est sa condition. On pensait — et ce devait être une croyance commune — que « si l'on veut avoir des enfants, il faut user rarement du mariage ».

Nous sommes ici à des époques prémalthusiennes.

Les soucis de Mme de Sévigné

Françoise Marguerite de Sévigné avait épousé le conte de Grignan en 1669. En 1670, elle accouchait à Paris d'une fille qu'elle laissait aux soins de sa mère et, sitôt rétablie, partait pour la Provence, rejoindre son mari. Mme de Sévigné s'inquiète ; elle redoute une nouvelle grossesse, une « rechute », comme elle dit [7]. D'ailleurs ses soupçons sont justifiés : quelques mois plus tard, Mme de Grignan est enceinte. A son septième mois, Mme de Sévigné lui écrit : « Si après cette couche-ci, M. de Grignan ne vous donne quelque repos, comme on fait une bonne terre, bien loin d'être persuadée de son amitié, je croirai qu'il veut se défaire de vous. [Cette insinuation prend toute sa saveur quand on sait que M. de Grignan en était à sa troisième femme.] Et le moyen de résister à ses continuelles fatigues ? Il n'y a ni jeunesse ni santé qui n'en soient détruites [...]. Je ne veux point vous trouver grosse [8]. »

Cinq jours plus tard : « Vous voilà donc à Lambesc, ma fille, mais vous êtes grosse jusqu'au menton. La mode de votre pays me fait peur. Quoi ! ce n'est donc rien de ne faire qu'un enfant ! Une fille n'oserait s'en plaindre, et les dames en font ordinairement deux ou trois. Je n'aime point cette grosseur excessive. Tout au moins, cela vous donne de cruelles incommodités. » Et Mme de Sévigné se tourne vers le principal responsable, pour lui faire entendre raison : « Écoutez-moi, mon gendre, c'est à vous que je parle ; vous n'aurez que des rudesses de moi pour toutes vos douceurs. Vous vous plaisez dans vos œuvres ; au lieu d'avoir pitié de ma fille, vous ne faites qu'en rire. Il paraît bien que vous ne savez ce que c'est que d'accoucher. Mais écoutez, voici une nouvelle que j'ai à vous dire : c'est que si, après ce garçon-ci [on espérait un garçon], vous ne lui donnez quelque repos, je croirai que vous ne l'aimez point. [...] Je vous ôterai votre femme. Pensez-vous que je vous l'ai donnée pour la tuer, pour détruire sa santé, sa beauté, sa jeunesse [...] Pourvu que [à son voyage en Provence] je ne trouve point une femme grosse, toujours grosse et encore grosse [9]. »

Les moyens proposés

Un mois plus tard, le 29 novembre 1671, elle apprenait la naissance du petit-fils attendu et écrit aussitôt une lettre, où elle se réjouit sans arrière-pensée. Mais elle n'attend pas plus de trois jours pour mettre sa fille en garde contre une « rechute » : « Vous voyez bien, ma bonne, que je vous écris comme à une femme qui sera dans son 22ᵉ ou 23ᵉ jour de couche. Je commence à croire qu'il est temps de faire souvenir à M. de Grignan de la parole qu'il m'a donnée. Enfin, songez que voici la troisième fois que vous accouchez au mois de novembre ; ce sera au mois de septembre cette fois-ci, si vous ne le gouvernez [...] vous avez beaucoup plus souffert que si on vous avait rouée, cela est certain. Ne serait-il au désespoir, s'il vous aime, que tous les ans vous souffrissiez un pareil supplice ? Ne craint-il pas tout à la fin de vous perdre [10] ? » « J'embrasse ce Grignan [le nouveau-né] et je vous prie de vous souvenir de vos douleurs en temps et lieu, comme vous me le promettez [11]. »

S'agissait-il seulement d'écarter M. de Grignan de la couche conjugale, et le recours à la chasteté conjugale était-il le seul moyen prévu par Mme de Sévigné pour éviter à sa fille le retour de pénibles grossesses ? Je le croyais jusqu'à ce que mon attention ait été attirée par les deux textes suivants, très importants pour l'histoire de la contraception.

D'abord, une réponse de Mme de Sévigné à une manière d'apaisement de sa fille semble bien indiquer que les sages-femmes conseillaient, pour éviter la conception, des recettes dont l'efficacité paraissait douteuse aux esprits avisés : « Si, *après s'être purgée*, vous avez seulement la pensée (et c'est bien peu) de coucher avec M. de Grignan, comptez que vous êtes grosse ; et si quelqu'une de vos matrones dit le contraire, elle sera corrompue par votre époux [12]. » Il s'agit là de ces pratiques féminines qu'on peut estimer alors traditionnelles.

Mais un autre texte donne un ton nouveau et déjà moderne : une apostille à une lettre collective, c'est-à-dire une lettre où Mme de Sévigné avait cédé la plume à Emmanuel de Coulanges [13]. On notera qu'une telle lettre ne peut être considérée comme à proprement parler confidentielle : « *Quoi! on ne connaît point les restringents en Provence? Hélas! que deviennent donc les pauvres maris et les pauvres* [...] je ne veux croire qu'il y en ait [14]. » Quels sont ces mystérieux restringents? Sans doute des potions, mais nous n'en savons rien. Dans la langue du temps, le mot « restringent » est un « terme de médecine : qui a la vertu de resserrer le ventre ou une autre partie relâchée [15] ». Mme de Sévigné l'emploie dans un sens nettement contraceptif et comme s'il était assez courant pour être compris sans commentaire.

Nous apprenons donc que, dans cette seconde moitié du XVIIᵉ siècle, si les femmes se transmettaient toujours des recettes comme la purge contraceptive de Mme de Grignan, on connaissait déjà des remèdes plus actifs. Nous avons la certitude qu'il existait alors une pratique d'usages contraceptifs, désignés par un mot emprunté à la langue médicale (et non pas par un mot populaire) : les *restringents*. Mais il est plus important encore de voir ce mot écrit sans ambages, et la chose conseillée avec le minimum de discrétion par Mme de Sévigné. Sans être une dévote, la marquise tenait à sa réputation, et même si son amour maternel l'entraînait très loin, elle ne pouvait conseiller à sa fille presque publiquement l'usage des restringents que si celui-ci paraissait moins déshonnête, dans une société où on commençait à s'inquiéter des dangers des grossesses trop fréquentes. Toujours est-il que Mme de Sévigné ne compte pas seulement sur la réserve de M. de Grignan. Mais le motif de son calcul demeure la crainte de couches trop répétées, et M. de Grignan ne la partage pas, car ce « matou », comme elle appelle son gendre insatiable, rendit inutiles toutes les précautions de sa belle-mère.

Les motifs

Toutefois, quand elle invoque l'usage des restringents par les *pauvres maris*, Mme de Sévigné indique que le malthusianisme à motif économique n'était pas inconnu, qu'on en avait l'idée, qu'on en parlait à l'occasion. C'est tout ce que nous pouvons dire, et il faut se garder de tirer ce texte dans un sens trop moderne. Il est surprenant que, pour calmer son gendre, la marquise, qui était plutôt économe, n'ajoutât pas à des raisons sentimentales les frais entraînés par une trop nombreuse progéniture dans une famille couverte de dettes, souvent proche de la ruine. D'autre part, Mme de Sévigné n'a pu désigner la prudence calculatrice des familles populaires, dont elle souligne ailleurs la naïveté, quand elle écrit, à propos de la femme de son maître d'hôtel, alors enceinte : elle « n'est point encore accouchée ; ces créatures-là ne comptent point juste ». Le *fait* devait être encore assez exceptionnel, mais l'*idée* était devenue plus familière ; comme si le langage avait précédé les mœurs, dans la mesure où il traduisait des intentions qui tardaient à se réaliser objectivement, à triompher des obstacles dressés par les traditions mentales et sociales.

Conclusion

De Chaucer à Mme de Sévigné, il s'est écoulé à peu près le même temps que de Mme de Sévigné à nos jours. Le monde de Chaucer est encore *prémalthusien* : un sermon de morale commune sur le mariage se dispense de faire allusion aux pratiques contraceptives. Le monde de Mme de Sévigné est *protomalthusien* : il connaît les restringents, mais — c'est au moins mon interprétation — le motif est la crainte que les femmes éprouvent de grossesses répétées, de couches dangereuses. Le protomalthusianisme est essentiellement féminin, non seulement il connaît les pratiques contraceptives, mais il ne les confond plus avec les interventions abortives ; elles ne sont plus considérées comme criminelles, et l'expression avouée de ce sentiment est un fait nouveau. Enfin, on devine à peine l'apparition du *malthusianisme moderne*, où le motif économique l'emporte et dont l'usage est démontré au cours du XVIII\ :sup:`e` siècle.

NOTES

(1) *The Parson's Tale.* Ce conte n'est pas traduit, mais seulement résumé dans la traduction française publiée par la Société pour l'étude des langues et littératures modernes, *Les Contes de Canterbury*, Paris, Alcan, 1908.

(2) Selon l'expression de l'auteur de l'analyse dans la traduction citée à la note précédente.

(3) «*Openly reherced in holy writ*».

(4) Entendons-nous : cela ne signifie pas qu'il n'y eût, avec la courtoisie, toute une doctrine de l'amour. Mais elle n'était pas religieuse, et l'idéal moral et religieux la condamnait. Elle était d'ailleurs non conjugale. Le divorce était alors profond entre les mœurs et les modes de vie religieuse, et on concevait une sorte d'incompatibilité entre le monde et le salut, si bien que le converti devait quitter le monde pour le cloître. On notera que les exemples de vertu conjugale sont tirés de la vie des rois : saint Henri, saint Louis, c'est-à-dire des laïques consacrés, que leur fonction, d'ailleurs religieuse, écartait de la réclusion monastique. Plus tard, avec la réforme tridentine, l'idée s'est répandue qu'on pouvait faire son salut dans le monde et que la religion du laïque «dévot» pouvait atteindre la perfection, dans la pratique de ses vertus d'état. Dès lors, la morale s'éloignait des idéaux de cloître ; elle s'assouplit, non par laxisme, mais, au contraire, par une exigence de vertu dans la vie quotidienne. Cette évolution n'est pas sans importance pour l'intelligence des phénomènes qui nous occupent.

(5) [Érasme, *Christiani matrimonii institutio*, Bâle, 1526.] Il existe une traduction française expurgée de 1714, *Le Mariage chrétien*, traduit du latin d'Érasme [par Claude Bosc], Paris, 1714.

(6) *Ibid.*, chap. XXVIII.

(7) Lettre du 2 décembre 1671.

(8) Lettre du 11 octobre 1671.

(9) Lettre du 18 octobre 1671.

(10) Lettre du 2 décembre 1671.

(11) Lettre du 13 décembre 1671.

(12) Lettre du 8 janvier 1672.

(13) L'auteur des chansons. Cf. *Population*, VIII, juillet-septembre 1953, p. 471. [Cf. l'article de Philippe Ariès «Sur les origines de la contraception en France», *supra*, p. 316.]

(14) Lettre du 18 décembre 1671.

(15) *Dictionnaire* de Furetière, 1680.

17

La contraception autrefois*

Les faits sont bien connus : jusqu'à la fin du XVIIIᵉ siècle et malgré des variations séculaires, la population reste presque stable, quoique en lente croissance ; les taux de natalité et de mortalité sont également élevés et assez voisins. Tout se passe comme si la natalité était à peu près constante, comme si l'élément déterminant des grandes dépressions démographiques était la mortalité due à la guerre, aux famines, aux épidémies. Ou encore, à un degré moindre, la nuptialité, qui variait en fonction des mêmes paramètres. Mais, toutes choses égales, la natalité, elle, ne changeait pas, les intervalles entre les naissances restaient égaux. Même si les historiens de la démographie n'aiment pas le mot (ils préfèrent celui d'« ancien régime démographique »), nous parlerons de démographie « naturelle » : les naissances se succédaient au rythme imposé par les conditions naturelles d'espacement, comme les périodes de lactation, les aménorrhées, les fausses couches, ou encore des périodes de continence « culturelle » d'origine religieuse, comme l'Avent ou le Carême. Rien n'indique, à la lecture naïve des statistiques, une intervention volontaire de l'homme sur l'acte sexuel pour contrôler les naissances. Si elle existait, elle n'apparaît pas. Au contraire, à partir du XIXᵉ siècle, un autre régime démographique surgit assez brutalement, caractérisé par la baisse de la mortalité dans toute l'Europe occidentale et aussi par la baisse générale de la natalité : en France depuis la fin du XVIIIᵉ siècle et dans le reste de l'Europe depuis la fin du XIXᵉ siècle.

Le décalage chronologique entre le déclin de la mortalité et celui

* Ce texte a été publié dans *L'Histoire*, n° 1, mai 1978, p. 36-44.

de la natalité en Europe (sans la France) a une grande importance historique et politique, parce qu'il a permis l'augmentation considérable de la population européenne et alimenté l'émigration vers les autres mondes. Mais il ne change pas les données psychologiques essentielles du problème, communes à la France et au reste de l'Europe : quelle relation s'établit entre les mouvements de la natalité et ceux de la mortalité, et, pour la question qui nous intéresse ici, comment l'intervention de la volonté humaine dans le contrôle des naissances devient-elle possible ? Un phénomène capital est en effet intervenu : l'action de l'homme en vue du contrôle des effets procréateurs de sa propre sexualité. Le lecteur naïf des statistiques que nous évoquions plus haut ne manquera pas d'en être frappé : le développement de la contraception crève les yeux. Le problème est donc le suivant : comment, en un siècle, entre 1780 et 1880, est-on passé d'une natalité plus ou moins naturelle à une natalité de plus en plus volontaire et contrôlée ?

Un crime impensable

Il s'agit d'un problème capital, car sa résolution implique, comme on va le voir, la reconnaissance d'un changement radical de mentalité. Nous disions, au début de cet article, que les faits sont connus : en vérité, cela ne fait qu'une trentaine d'années qu'ils ont été perçus comme un ensemble cohérent. On a cherché, alors, des explications, et, encore aujourd'hui, on ne peut pas faire l'économie de ces explications anciennes, parce qu'elles ont provoqué une chaîne de critiques, de discussions et de nouvelles propositions.

La première tentative pour rassembler un corpus de données sur la contraception date de 1936 et est l'œuvre d'un médecin américain, Norman Himes, dont la « Medical history of contraception » [1] constitue une somme, précieuse à l'époque, de recettes et trucs parfois les plus cocasses et les moins utilisables. Dans mon *Histoire des populations françaises et de leurs attitudes devant la vie*, préparée pendant les années quarante, et dans des articles de

Population et des recueils de l'INED [2], j'avais développé avec quelque témérité, malgré l'indigence de la documentation, une théorie de l'*impensabilité*, selon laquelle les pratiques contraceptives ou bien n'étaient pas connues dans nos sociétés traditionnelles, ou tout au moins y étaient considérées comme des pratiques ésotériques, hors de l'univers mental quotidien. Selon cette hypothèse, il n'était pas alors possible qu'on intervînt sur le déroulement de l'acte sexuel. Celui-ci appartenait à la nature, à un domaine de la nature sur lequel l'homme n'avait pas encore imaginé qu'il pût intervenir. Car j'avais bien compris que, parmi toute la panoplie de potions, d'étuis phalliques, de tampons vaginaux, pessaires et autres pratiques répertoriées par Norman Himes, seul le *coitus interruptus*, le « crime d'Onan », était responsable du formidable renversement de la démographie contemporaine et de la chute des natalités, devenue vertigineuse au XXᵉ siècle. Le retrait, au moment culminant du plaisir, de l'homme en rut ne me paraissait pas concevable dans ce type de mentalité. La fièvre sexuelle impliquait une suspension des facultés de calcul. Au contraire, la persistance d'une prudence attentive à ce moment-là n'était possible que dans un univers mental tout à fait différent, où la maîtrise de soi l'emportait sur le désordre des sens, où une ascèse ne permettait plus au plaisir de dépasser un seuil imposé d'avance. Cet univers-là est celui d'aujourd'hui. La différence des attitudes devant la vie ne venait donc pas de ce que l'Église ou la religion exerçait dans les sociétés traditionnelles un pouvoir qu'elle avait ensuite perdu. Elle ne venait pas plus d'une libération hédoniste de la société contemporaine à l'égard des tabous sexuels. Cette différence tenait essentiellement à un comportement spécifique. Dans une mentalité donnée, tout n'est pas possible — en particulier dans le domaine de la sexualité et des relations profondes, intimes, secrètes, avec la nature. Il a fallu un renversement des relations avec la nature pour que ce qui n'était pas concevable ni possible le devienne, autant d'ailleurs dans la lutte contre la mort que dans le contrôle de la vie : le corps cessa d'être un élément d'une nature redoutable, vigilante et vindicative, pour devenir, comme le reste de cette nature, un objet que la technique humaine pouvait désormais manipuler et modifier.

Le rôle de l'Église

Je m'aperçois, en exposant ma théorie de 1948, que je triche un peu, et que je l'expose plutôt comme je la vois aujourd'hui. A l'époque, j'avais mis en avant non seulement l'impensabilité, mais aussi l'ignorance des procédés contraceptifs, et là j'avais prêté le flanc à la critique. Il a été facile, en effet, de m'opposer une masse de citations pêchées un peu dans la littérature érotique et beaucoup dans les pénitentiels et dans la littérature religieuse, théologique ou morale, canoniste, dans les manuels de confesseurs, etc., qui décrivaient des pratiques sexuelles interprétées par mes contradicteurs comme contraceptives. La contraception était donc bel et bien connue et était le sujet de controverses subtiles, à travers lesquelles on pouvait définir les raisons précises, et cependant discutables, qui la faisaient condamner par l'Église.

Une autre hypothèse apparaissait donc, selon laquelle l'interdit de l'Église avait suffi à proscrire la contraception, sauf dans des cas, qui deviendront de plus en plus fréquents au XVIIe et surtout au XVIIIe siècle, où la pression économique sera la plus forte : les techniques de plus en plus fines des historiens de la démographie, en France et en Angleterre, décelèrent des traces de ces pratiques (par exemple dans le fameux Colyton de Wrigley) [3].

Le débat devait être dominé, jusqu'à nos jours, par la publication d'un livre considérable, paru en 1966 aux États-Unis sous le titre *Contraception. A History of its Treatment by the Catholic Theologians and Canonists*, et traduit en français en 1969 sous le titre *Contraception et Mariage* [4]. Son auteur, le juriste catholique américain J.T. Noonan, avait entrepris ses recherches et écrit cette remarquable somme dans l'esprit de l'*aggiornamento* de Vatican II. Le sous-titre que les éditions dominicaines du Cerf ajoutèrent à la version française traduit bien l'arrière-pensée de l'auteur : *Évolution ou contradiction dans la pensée chrétienne ?* En fait, il s'agissait de réunir un dossier sérieux et incontestable qui trouvât à l'hostilité de l'Église à la contraception une origine non biblique, essentiellement païenne, ou particulière à quelques individus comme saint Augustin, ou bien encore provoquée par des réactions conjoncturelles de défense contre telle ou telle hérésie ; un dossier qui montrât les contradictions de la doctrine, les hésitations et même, à certaines époques, une tendance à l'indulgence, interrompue par le raidissement de la doctrine au XXe siècle et par l'intransigeance des papes antimodernistes. Le livre fournissait ainsi une documentation aux partisans d'une attitude plus libérale à l'égard de la contraception, dans le cadre de la grande réconciliation de l'Église et du monde moderne voulue par Vatican II. Ce gros livre plein de substance a tout de suite intéressé les historiens, et Jean-Louis Flandrin l'a immédiatement analysé et commenté dans un petit livre intelligent où tout l'essentiel du débat est clairement exposé [5].

Contraception ou érotisme ?

Nous n'allons pas ici ouvrir ce dossier très complexe, et qui nous obligerait à envisager toute la morale sexuelle de l'Église, sa position à l'égard de la virginité, etc. Nous retiendrons seulement du dossier Noonan-Flandrin ce qui intéresse l'existence et la nature des procédés contraceptifs au Moyen Age et dans les Temps modernes. D'abord, il n'est pas toujours aisé de distinguer les pratiques contraceptives et abortives : par exemple une potion stérilisante d'un poison. Ensuite, certains procédés stérilisants ne sont pas recherchés par les bénéficiaires eux-mêmes, mais au contraire sont des actes de sorcellerie dirigés contre des victimes non consentantes. Enfin, et ce sera ma remarque principale, le plus souvent on ne sait pas si une conduite sexuelle stérile, qui provoque une insémination *extra vas*, a été pratiquée et condamnée parce qu'elle était stérile, destinée à éviter la procréation, ou si la stérilité n'est qu'un effet d'une stratégie érotique plus subtile que le simple coït. Et cette confusion est essentielle. Le bon M. Noonan a l'air de croire qu'on sodomisait, qu'on s'unissait *more canum* — à la manière des chiens — uniquement parce qu'on ne voulait pas d'enfants ! C'est ignorer la différence essentielle que toutes les cultures anciennes ont faite entre le mariage, où tout n'était pas permis, qui était le lieu du coït dit naturel, et l'érotisme, où au contraire tout était permis : tous les gestes homo- ou hétérosexuels. S'élevant contre ce laxisme, les auteurs religieux anciens expliquent longuement pourquoi ces pratiques érotiques sont condamnables, parce qu'elles ne sont pas « naturelles » et parce qu'elles gaspillent la semence « hors des murs ».

La doctrine amène alors les juristes du temps à condamner aussi les rapports stériles, même « naturels », comme les relations entre époux pendant la grossesse ou les règles. Mais l'insistance mise sur la fonction de procréation est motivée autant par le refus de l'érotisme que par celui de la contraception. Par conséquent, je ne trouve pas convaincants les arguments qui ont essayé de faire admettre que la panoplie des contraceptifs était *familière* (plutôt que connue) dans les sociétés d'Ancien Régime. Je persiste à croire que, même vaguement connus, ils étaient ésotériques, et qu'on n'avait pas idée d'y recourir habituellement, même quand ils auraient rendu grand service.

Il se pourrait cependant que la confusion répétée par les historiens (qui sont en général des hommes chastes !) entre l'érotisme et la contraception, inadmissible pour un malthusien du XIXe siècle et du début du XXe (mais plus compréhensible pour un actuel lecteur de *Playboy*), trahisse une parenté secrète entre les deux stratégies, à l'origine de la contraception, aux XVIIe et XVIIIe siècles. C'est pourquoi la contribution récente des historiens de la sexualité est très intéressante à ce sujet. Nous y reviendrons.

. *Lorsque l'enfant paraît*

Je maintiens donc l'hypothèse de l'« impensabilité » de la contraception dans les sociétés traditionnelles (celles de l'Occident d'hier, comme celles des pays en voie de développement d'aujourd'hui). A quoi correspond alors la seconde étape de l'évolution démographique, l'adoption par les sociétés contemporaines du contrôle des naissances, dans la clandestinité, contre l'opposition de l'Église, dans l'indifférence plutôt hostile des États ?

Dans mon hypothèse, la cause du passage d'une natalité naturelle à une natalité contrôlée est le changement de la famile, le développement de l'effectivité à l'intérieur de la famille et son repli sur l'enfant. L'éducation et la promotion de l'enfant sont devenues la fin principale de la famille au XIXe siècle. Il n'était plus tolérable de le semer comme graine au vent. Il devenait trop précieux, trop unique. Il fit partie d'un plan, préparé dans des conversations chuchotées autour de la table ou sur l'oreiller. La diminution du nombre des enfants appartient au modèle nouveau d'une famille bourgeoise ou petite-bourgeoise, qui se propose d'atteindre son but en favorisant l'ascension du fils (plutôt que de la fille) là où le père lui-même espérait accéder. Tous ces calculs, tous ces efforts ne peuvent pas être répartis sur trop de têtes. Ce type de famille en ascension sociale est forcément malthusien. Là où cette ambition n'existe pas encore, le modèle ancien d'insouciance a persisté, en particulier dans les zones les plus « prolétariennes » des classes populaires. La famille malthusienne est un phénomène bourgeois, petit-bourgeois ou paysan. Elle est plus rare dans les prolétariats industriels, du moins dans ceux encore tout neufs du début du XIXe siècle.

Certes, l'hypothèse ici exposée ne fait pas l'unanimité, et on continue toujours à écrire, ici et là, que la réduction de la natalité est un phénomène mystérieux, mal expliqué (alors que, pour moi, il est très clair), ou qu'on explique par une série nombreuse de causes sociales, géographiques, économiques : quand on vous dit qu'un phénomène s'explique par *n* causes, vous devez en conclure qu'on ne l'explique pas du tout. Mais revenons à mon hypothèse de la « capillarité sociale » et de la promotion des enfants : elle rend compte des motifs psychologiques qui ont animé les époux ; mais elle n'explique pas comment, dans la réalité concrète de l'alcôve, on est passé d'un acte sexuel mené tambour battant, sans arrière-pensée, au *coitus interruptus*. Il y avait une lacune dans ma théorie. Les historiens récents de la sexualité me permettent maintenant de la combler, en particulier le meilleur d'entre eux en France, Jean-Louis Flandrin.

Que faisaient-ils avant le mariage?

Laissons donc de côté un moment le problème de la contraception pour envisager la question de la sexualité. Dans les pages précédentes, nous avons traité des sociétés traditionnelles d'une manière générale, sans faire de distinction. Or les historiens démographes (F. Goubert, Hajnal et le groupe de Cambridge de P. Laslett et E.A. Wrigley) ont montré qu'il existait une différence essentielle entre les sociétés de l'Europe du Nord-Ouest et les autres : c'est l'une des grandes trouvailles de la jeune histoire démographique que d'avoir ainsi souligné l'originalité de cette aire culturelle, berceau de la future révolution industrielle et déjà siège, depuis le Moyen Age, d'innovations agricoles (Pays-Bas). L'originalité tient essentiellement à l'âge du mariage. Reprenant ces données, Pierre Chaunu a brossé une vaste synthèse [6] où il oppose le petit groupe occidental des pays où l'âge du mariage est tardif, principalement celui de la femme (parfois plus de vingt-cinq ans), à la grande masse des populations où ont persisté des habitudes plus anciennes et où le mariage suit de peu l'âge de la puberté. On ne sait pas quand le petit peloton des mariages tardifs s'est séparé de la grande masse des mariages post-pubertaires, mais cela remonte à la fin du Moyen Age. Le problème s'est tout de suite posé de savoir ce que faisaient les garçons et les filles pendant la longue période de leur adolescence, entre leur puberté (il est vrai moins précoce qu'aujourd'hui) et leur mariage tardif. Eh bien, en apparence, ils ne faisaient rien, du moins rien qui laissât des traces ; le retard de l'âge du mariage ne s'est accompagné d'aucune augmentation des naissances illégitimes : celles-ci étaient très rares. Alors ?

Deux explications, qui ne sont pas contradictoires, ont été apportées : l'une, chaste, par Pierre Chaunu, qui attribue l'absence d'illégitimité à l'absence de rapports, l'autre, érotique, par Jean-Louis

Flandrin, qui explique le même phénomène par la fréquence d'une sexualité préconjugale d'adolescents ; celle-ci peut être solitaire, bestiale, homosexuelle, hétérosexuelle, mais elle est toujours *absque coitu*, en anglais le *non coital pattern*. Les deux thèses sont moins éloignées qu'on ne croit, car il existe dans cet érotisme préconjugal une part d'ascétisme (comme, peut-être, dans tout véritable érotisme). La continence d'inspiration religieuse est moins opposée à certaines formes élaborées d'érotisme qu'à la crise violente, mais vite dénouée, du coït conjugal traditionnel (ou du viol).

Deux amours

Ce n'est pas le lieu de développer ces idées et de tenter une histoire de la sexualité moderne. Nous ne manquerons pas cependant d'être frappés par le rapprochement entre ce qui vient d'être dit ici sur l'existence d'une sexualité commune préconjugale *absque coitu* et ce que nous relevions tout à l'heure dans les pratiques « contre nature » condamnées par l'Église parce qu'elles aboutissaient *extra vas*. Un cas est particulièrement remarquable, celui de l'*amplexus reservatus*, qu'on pourrait appeler un rapport prolongé sans éjaculation. Le procédé a été récemment sorti d'un long oubli par le sexologue catholique français Paul Chanson, et il a alors soulevé l'hilarité ou l'indignation, accueil qui prouve seulement notre ignorance érotique et notre grande naïveté. En fait, le procédé provient de la panoplie érotique de l'Inde, très ancienne, très fournie et très variée. On comprend bien que les Indiens de ces hautes époques ne s'attardaient pas ainci *in vas*, tout en évitant d'éjaculer, par crainte de ne pouvoir, ensuite, élever leurs enfants. Le souci anticonceptionnel leur était étranger : c'était pour le plaisir.

Or, à partir du XVIe siècle (et même avant), Noonan a noté un changement considérable dans l'opinion de certains moralistes, comme le jésuite Sanchez. Celui-ci admet l'existence et même la légitimité, dans le cas de familles pauvres trop nombreuses, de rapports sexuels inféconds, et il va chercher (après d'autres) dans l'arsenal érotique de l'Inde païenne et diabolique l'*amplexus reservatus*, où tout se passe bien *in vas*, selon la bonne doctrine. Remarquons que nous sommes ici en pleine spéculation, car il y a peu de chances que les paysans, dont la sexualité a été résumée par Edward Shorter en quatre points (l'homme par-dessus, pas de préparation, éjaculation rapide, indifférence au plaisir du partenaire), se soient pliés à cette discipline de l'Art [7]. Mais ce qui est intéressant, c'est le rapprochement conscient dans la réflexion savante de l'érotisme *absque coitu* et de la contraception. Le même rapprochement s'est fait aussi dans les mentalités collectives.

Sans doute, depuis la fin du Moyen Age (l'époque médiévale est caractérisée par une sexualité différente, partiellement décrite dans un article éblouissant de Jacques Rossiaud [8]) jusqu'au XVIIIe siècle, chaque individu, homme et femme, adoptait-il successivement deux types de sexualité, l'une *absque coitu* avant le mariage, l'autre *nisi coitu* ensuite. C'est encore Jean-Louis Flandrin qui a fait remarquer que dans toutes les civilisations — sauf la nôtre, celle de l'Occident contemporain — il y avait deux amours bien distinctes, l'amour-passion hors du mariage et l'amour conjugal, et qu'il était souverainement inconvenant de mélanger les genres.

Romantic love

Mais il s'est passé au XVIIIe siècle dans les classes supérieures occidentales (et pas seulement en France) un phénomène considérable, le même d'ailleurs que nous avons évoqué plus haut à propos du repli sur l'enfant d'une famille désormais moins nombreuse : la révolution de l'affectivité dans le cadre de la famille. La famille a acquis le monopole du sentiment et de l'amour. La société a désormais exigé dans le mariage l'amour autrefois réservé aux amants : *romantic love* (et parfois la réciprocité dans l'adultère). Je suppose que la sexualité préconjugale a fait alors une entrée timide dans le mariage, mais cette fois dans un but plus anticonceptionnel qu'érotique, sous la forme du *coitus interruptus*. Un choix, dans l'arsenal contraceptif, qui ne s'imposait pas, mais un choix qui a été d'une très grande efficacité, même s'il a laissé passer 20 % de naissances non désirées (aujourd'hui ou demain supprimées par l'arme absolue de la pilule ou du stérilet...). Au XVIIIe siècle, les moralistes avertis le connaissaient et le dénonçaient comme le plus redoutable des «funestes secrets» pour tromper la nature. Aujourd'hui, il est rejeté par l'opinion comme archaïque et réactionnaire, non seulement parce qu'il n'est pas sûr, mais parce qu'il implique une discipline, une ascèse, qui n'est plus tolérée. Et l'analyse de l'hédoniste contemporain est plus exacte que celle du moraliste des Lumières!

Les populations pauvres et non occidentalisées de l'Afrique ou de l'Asie nous donnent une preuve *a contrario*. Les efforts des agences de développement, des États-Unis, des Nations unies, pour imposer le contrôle des naissances rencontrent des résistances parfois inébranlables, parce que ces populations où le mariage est précoce, post-pubertaire, n'ont pas connu jadis cette longue pratique, cet apprentissage semi-clandestin d'un mélange de continence et de sexualité *absque coitu* avant un mariage tardif.

Ainsi la contraception occidentale peut-elle s'expliquer par deux causes : d'abord un motif psychologique profond : l'investissement sur l'enfant de toute l'affection et de toute l'ambition du couple ; ensuite un instrument sexuel : le *coitus interruptus*, dont l'usage a été préparé par l'ancienne sexualité stérile préconjugale.

L'amour industriel

Dans ce qui précède, nous avons opposé, avant l'industrialisation et la révolution démographique qui l'accompagne, le pays à mariages post-pubertaires orientaux et méditerranéens aux pays à mariages tardifs de l'Europe du Nord-Ouest. Pendant l'industrialisation et la période de transition démographique, c'est-à-dire pendant les deux premiers tiers du XIXe siècle, une autre distinction s'impose : d'une part la France, d'autre part le reste de l'Europe.

La différence réside essentiellement dans l'avance de la France, une avance de plus d'un demi-siècle, dans l'amorçage du déclin de la natalité. Celui-ci commence en France dès la fin du XVIIIe siècle et s'accélère à partir de 1830. En Angleterre, il est à peine perceptible, sans être nul, de 1810 à 1880, et c'est vraiment à partir de 1880 que le mouvement prend toute son ampleur, les taux de reproduction demeurant cependant toujours supérieurs à ceux de la France jusqu'après la Première Guerre mondiale ; ensuite les évolutions démographiques des deux pays se rapprochent et se confondent.

Faudrait-il admettre que l'analyse faite plus haut des causes psychologiques de la dénatalité soit vraie seulement pour la France ? Évidemment non, elle vaut aussi pour les classes supérieures et bourgeoises de l'Angleterre et des autres pays de l'Europe occidentale appartenant à l'aire culturelle des pays à mariage tardif : les statistiques y laissent très bien deviner une tendance, quoique parfois à peine perceptible à la faiblesse des taux de natalité, tendance qui est due à la proportion croissante des couples calculateurs. Seulement, cette tendance ne va pas jusqu'au fléchissement, tandis qu'en France celui-ci a été continu de 1800 à 1939. Nous laisserons de côté les pays situés au sud ou à l'est de la limite géographique des pays à mariage tardif et à industrialisation ou modernisation économique précoce, les pays méditerranéens par exemple. Il est normal que ceux-ci aient conservé plus longtemps des traits de l'ancien régime démographique, comme les fortes natalités.

La véritable anomalie apparaît dans la comparaison de la France et de l'Angleterre : la stagnation et le vieillissement de la population française du XIXe siècle et, pendant la même période, l'augmentation spectaculaire et la jeunesse de la population anglaise. Pourquoi cette différence des natalités ? Autrement dit, pourquoi le modèle bourgeois malthusien, déjà fixé à la fin du XVIIIe siècle, a-t-il mis tant de temps à se diffuser en Angleterre alors qu'il a été très rapidement adopté en France ? Je pense que la différence est due essentiellement à la rapidité et à la densité de l'industrialisation en Angleterre et au contraire à sa lenteur moyenne en France. En fait, jusqu'à présent, nous connaissions mal la famille populaire urbaine du XIXe siècle : seulement quelques intuitions par-ci, par-là. Dans un livre récent [9], Edward Shorter a mis en relief un phénomène général de la fin du XVIIIe et du début du XIXe siècle, « une très forte recrudescence des naissances illégitimes et des grossesses préconjugales », dont le nombre « s'élèvera de manière foudroyante, atteignant trois ou quatre fois les niveaux précédents », constituant « l'un des phénomènes marquants de l'histoire contemporaine ». Tous les témoignages contemporains, comme celui de Villermé, dont le *Tableau de l'état physique et moral des ouvriers* date de 1840, confirment cette opinion fondée sur une enquête statistique : les observateurs étaient très frappés par le grand nombre de bâtards dans les concentrations ouvrières récentes. D'ailleurs les enfants, légitimes ou non, devinrent alors une main-d'œuvre pour l'atelier ou la fabrique et, par conséquent, une source de revenus pour les parents qui les envoyaient au travail dès l'âge le plus tendre (« Le petit travailleur infatigable [10] ») et qui touchaient leurs payes. Ces parents-là avaient plutôt intérêt à augmenter leur fécondité !

Cela veut dire qu'à côté du modèle de la famille bourgeoise malthusienne, il existait, au début du XIXe siècle, un autre modèle, populaire et fécond, constitué par un couple instable de concubins et leurs très nombreux enfants : ce modèle a disparu, au profit du premier, grâce à une action moralisatrice de l'État et des philanthropes des classes supérieures (comme Villermé), action dont l'étude passionne aujourd'hui une nouvelle génération de chercheurs : Jacques Donzelot [11], Philippe Meyer [12], Isaac Joseph [13]. Mais peut-être les derniers échantillons de ce modèle subsistent-ils dans les milieux asociaux et marginaux qu'on appelle le « quart monde » [14]. Ainsi les concentrations sauvages que la révolution industrielle a provoquées quelquefois à la campagne, le plus souvent à la ville ont dû permettre le développement de ce modèle populaire de concubins féconds, qui d'ailleurs, de plus en plus souvent, régularisaient sur le tard leur situation et reconnaissaient leurs enfants.

Le développement de ce modèle a compensé la tendance à la réduction des naissances déjà amorcée dans les bourgeoisies et les paysanneries de la fin du XVIIIe siècle et il a pu même parfois la renverser complètement. Les choses se passèrent ainsi dans une

grande partie de l'Angleterre, mais seulement dans quelques rares
régions de France, par exemple celles observées par Villermé (Lille
et Rouen), et cette différence pourrait bien expliquer les disparités
des évolutions démographiques. En France, le modèle bourgeois
et paysan l'a emporté tout de suite ; en Angleterre, le modèle populaire industriel a réussi à maintenir, tant qu'il a duré, un taux de
fécondité élevé et à masquer la lente progression dans les mœurs
du modèle bourgeois.

Le baby-boom

Les disparités du XIXᵉ siècle se sont effacées après la Première
Guerre mondiale, et tout le monde occidental a dès lors suivi la
même courbe déclinante des natalités, a adopté le même modèle
de famille prudente, calculatrice, prévoyante, absorbée par la préparation de l'avenir meilleur d'un ou deux enfants. Dans ces
conditions, la réduction des naissances ne répondait pas à une quelconque poussée d'hédonisme. Elle correspondait au contraire à une
conception ascétique de la vie, où tout, y compris le plaisir du sexe,
était sacrifié à l'élevage patient de la génération suivante. Les exigences de l'enfant et de son avenir ont été alors beaucoup plus impé-
ratives qu'en d'autres temps les pressions des religions et des Églises.
L'époque a été marquée par l'importance à la fois morale et économique de l'épargne : l'épargne et l'éducation des enfants sont
les deux projets d'avenir essentiels, et sans doute sont-ils solidaires.
Or ce monde de calcul, de prudence, de prévision, va éclater au
moment de la Seconde Guerre mondiale. Tout se passe comme si
l'homme occidental avait alors perdu confiance dans l'efficacité
de son effort individuel : il ne devenait plus possible de « program-
mer » à long terme dans un monde qui s'était mis à bouger dans
tous les sens. Mais, à la même époque, la confiance en soi était
remplacée par l'adhésion unanime et fervente à une foi nouvelle,
qui rendait inutile cette confiance individuelle : la foi dans le progrès technique et scientifique, dans l'augmentation indéfinie du bien-

être. Certes, l'idée de progrès datait des Lumières, mais c'est seulement dans les années de l'après-guerre qu'elle est devenue populaire et banale, favorisée d'ailleurs par une longue prospérité économique et une vulgarisation des technologies sans précédent. Cette foi n'a pas touché également tout le monde. Elle a affecté particulièrement ceux que nous appelons les cadres, une classe moyenne en très rapide expansion. Il s'est passé alors un phénomène extraordinaire qui au début a déconcerté et même laissé incrédules les observateurs démographiques : ces cadres se sont mis à avoir des enfants, plus que leurs parents, et plus que ne le laissaient prévoir les prévisions fondées sur plus d'un siècle d'observations. Cette irruption surprenante d'une évolution séculaire, c'est le *baby-boom*. Je le cite ici, en conclusion, parce qu'il montre combien l'attitude devant la vie est un phénomène de mentalité. L'attitude contraceptive du XIXᵉ siècle s'était développée dans un climat psychologique particulier, qui s'est évanoui dans les années quarante. Un autre climat lui a succédé, où les calculs prudents de la période antérieure n'avaient plus leur place, dissipés par un climat de confiance dans un avenir de cocagne. Il n'y avait, alors, plus d'obstacle à augmenter un peu une famille devenue le lieu du bonheur : la «famille heureuse».

Le baby-boom a duré non pas l'espace d'un matin, comme le croyaient les démographes, mais celui d'une génération, celle qui est née entre 1910 et 1920, une génération dont il faudra écrire l'histoire, tant elle est différente de celle qui l'a précédée (la dernière du siècle) et de celle qui la suit et qu'il est trop tôt pour connaître. On sait seulement très bien que cette nouvelle génération reprend depuis les années soixante la pente déclinante des natalités au point où ses parents l'avaient laissée en 1939. Désormais, la contraception est sortie de la clandestinité du XIXᵉ siècle, qui n'avait d'ailleurs gêné ni son efficacité ni sa diffusion. Mais elle a changé complètement de caractère et de nature. C'est un tout autre phénomène, que nos jeunes contemporains répugnent à rapprocher de l'ascèse de leurs grands-pères.

ESSAIS DE MÉMOIRE

NOTES

[1] Norman Himes, « Medical history of contraception », *The New England Journal of Medicine*, 15 mars 1934.

(2) *La Prévention des naissances dans la famille. Ses origines dans les temps modernes*, Paris, PUF, « Travaux et documents de l'INED », cahier n° 35, 1960. [La contribution de Philippe Ariès, « Interprétation pour une histoire des mentalités », se trouve p. 311-327.]

[3] E.A. Wrigley, « Family limitation in pre-industrial England », *Economic History Review*, vol. 19, n° 1, 1966, p. 82-109.

[4] J.T. Noonan, *Contraception. A History of its Treatment by the Catholic Theologians and Canonists*, Cambridge, Mass., Harvard University Press, 1966 ; tr. fr. : *Contraception et Mariage*, Paris, Éd. du Cerf, 1969.

(5) Jean-Louis Flandrin, *L'Église et le contrôle des naissances*, Paris, Flammarion, « Questions d'histoire », 1970.

(6) Pierre Chaunu, *Histoire, science sociale*, Paris, SEDES, 1974.

[7] Edward Shorter, *The Making of the Modern Family*, op. cit. ; trad. fr. : *Naissance de la famille moderne, XVIIIᵉ-XXᵉ siècle*, Paris, Éd. du Seuil, 1977.

[8] Jacques Rossiaud, « Prostitution, jeunesse et société dans les villes du Sud-Est au XVᵉ siècle », *Annales ESC*, 1976, p. 289-325.

(9) Edward Shorter, *op. cit.*

(10) Lion Murard et Patrick Zylberman, *Le Petit Travailleur infatigable*, Paris, Recherches, 1976.

(11) Jacques Donzelot, *La Police des familles*, op. cit.

(12) Philippe Meyer, *L'Enfant et la Raison d'État*, op. cit.

(13) Isaac Joseph et Philippe Fritsch, *Discipline à domicile*, Paris, Recherches, 1977.

(14) Voir l'association Aide à toute détresse, 107, avenue du Général-Leclerc, 95480 Pierrelaye.

18

Pourquoi écrit-on des Mémoires* ?

Pourquoi écrire des Mémoires ? Un ami, à qui je posai la question, me répondit : « Mais pour transmettre un message, affirmer, par-delà la mort, une loi, une conviction, porter un témoignage, se justifier devant la postérité quand on a été un homme d'État ou, tout simplement, pour exprimer un sentiment profond, transmettre un message, dire adieu à ceux qu'on aime... » Nous en vînmes à discuter des similitudes ou des différences entre les Mémoires et l'autobiographie, entre l'autobiographie et le roman... Je mesurai alors, en nous écoutant, la distance qui séparait le mémorialiste d'aujourd'hui de celui du Moyen Age et du début des Temps modernes. Une distance que nous allons tenter d'explorer.

Histoire et renommée

A l'origine, le mémorialiste est un « historiographe ». C'est l'œuvre de Commynes qui reçut, la première fois, le nom de Mémoires. Or voici ce que rapportait en 1760 de ce mémorialiste, premier du nom, l'auteur du *Dictionnaire portatif*, Ladvocat : « Historien français, chambellan de Louis XI et sénéchal de Poi-

* Ce texte a été publié dans *Les Valeurs chez les mémorialistes français du XVIIᵉ siècle avant la Fronde*, colloque de Strasbourg et Metz, 18-20 mai 1978, sous le patronage de la Société d'étude du XVIIᵉ siècle, Paris, Klincksieck, 1979, p. 13-20.

tiers, naquit en Flandre d'une famille noble : Ses *Mémoires* contiennent ce qui s'est passé pendant trente-quatre ans sous les règnes de Louis XI et de Charles VIII. Ils sont très curieux et méritent l'éloge de tous les savants. » C'est donc bien une histoire, celle de trente-quatre ans, une chronique continue, mais écrite par un témoin et même un acteur des événements.

Les anciennes histoires sont destinées au souvenir : des *Monumenta rerum gestarum*. De même, le mot *memoria*, avant de désigner — au pluriel — une histoire avait-il signifié un tombeau vénérable, qui perpétuait un souvenir : *memoria martyris*. Les tombeaux à épitaphes et à effigies, comme les chroniques, sont les uns et les autres des monuments destinés à empêcher les grandes actions, les *virtutes*, de tomber dans l'oubli. Ils assurent une survie par la renommée, une survie qu'on croyait durable — malgré le pessimisme de quelques poètes —, aussi durable qu'un monde qu'on croyait proche de la fin.

Ainsi deux idées essentielles se trouvent-elles à l'origine du genre comme du mot : celle d'Histoire et celle de renommée.

Des histoires de famille

Les pré-Mémoires, c'est-à-dire les Mémoires avant le nom, ont été des biographies de grands hommes, des vies illustres — et des histoires de familles ou de grandes maisons. Peut-être l'un des premiers modèles du genre a-t-il été *La Vie de Charlemagne*, d'Eginhard, transposition de *La Vie d'Auguste*, de Suétone : des vies commandées par les héros eux-mêmes, ou plutôt par leurs descendants.

L'entreprise d'Eginhard n'eut pas de suite : le temps était plutôt celui des hagiographes.

Le silence des biographes durera plus de deux siècles : pendant la même période, les épitaphes et les effigies disparurent aussi des tombeaux, qui devinrent anonymes. La biographie réapparaîtra, en même temps que la sculpture et l'épigraphie funéraires, au

XII⁰ siècle, avec les vies de Louis VI et de Louis VII par Suger, l'abbé de Saint-Denis. Suger ne s'en tiendra pas là. Son but était de promouvoir une collection d'histoire dynastique, qui, à la longue, se confondît avec l'histoire de France : *Les Grandes Chroniques de France*. Cette histoire est d'abord une *généalogie* et elle s'appelle ainsi : « La généalogie Mérovée », « La génération Pépin », « La génération Hue Chapet ». « Pour ce que plusieurs genz doutaient de la genealogie des rois de France, de quel origenal et de quel lignie ils ont descendu, emprist-il ceste ouvre à fere par le commandement de tel home que il ne pout ni ne dut refuser. » Une histoire de famille : la famille des rois n'est pas la seule à tenir à sa généalogie et à son mémorial. Les comtes de Guines ont aussi leur histoire rédigée en latin par un prêtre de leur maison : Georges Duby s'en est récemment servi pour l'étude du mariage au Moyen Age [1].

Le premier but de ces pré-Mémoires est de déterminer les alliances et les parentés qui unissent les lignées. Le moine Primat explique comment « la generation du grant Challemaine fut recouvrée au tems du bon roi Philippe Dieudonné [Auguste], car il espousa tout apensement, pour la lignée du grant Challemaine recouvrer » une descendante du dernier carolingien. D'où « l'on puet dire certainement que li vaillant roi Loys, puiz le bon roi Philippe fu du lignage le grand Challemaine » : ce qu'il fallait démontrer.

La même volonté se retrouve au XVII⁰ siècle dans les *Mémoires* d'Henri de Campion [2] : « Comme je suis persuadé que les connaissances qu'on peut donner aux jeunes gens qu'ils sont sortis d'aïeux illustres sont capables de leur inspirer de l'émulation [...] je veux leur apprendre en peu de mots qu'ils ont l'avantage d'être issus d'une famille noble et [...] distinguée dès les premiers temps. »

Un individu, ou plutôt une famille sont distingués par leur naissance, par l'antiquité de leurs aïeux, mais aussi par les actions d'éclat et les bravoures chevaleresques des individus. En analysant les *Chroniques de Louis XII* de Jean d'Autun (chroniques des guerres d'Italie), Alberto Tenenti [3] remarque : « La guerre est un état générateur d'actions mémorables, elle est même un genre de vie exceptionnel où chacun a l'immortalité à portée de la main. »

On ne sera donc pas surpris de la matière chevaleresque des

Mémoires du XVIe et du début du XVIIe siècle : ils ne quittent le récit militaire que pour la diplomatie, la participation aux grandes affaires qui assurent aussi la célébrité. Les immortalités de la terre et du ciel étaient également assurées par la célébrité, celle de la valeur et celle de la sainteté, l'une et l'autre plutôt solidaires que contradictoires : on n'avait guère l'idée d'un saint inconnu, ses manifestations spectaculaires d'humilité lui valaient, au contraire, gloire et popularité.

Les hauts faits des ancêtres du mémorialiste et les siens (ou ceux du personnage qui a commandé son histoire à un lettré) assurent la renommée des survivants et de leurs héritiers. Ils font partie du patrimoine et les Mémoires en sont comme l'inventaire.

C'est pourquoi les histoires familiales, les pré-Mémoires, paraissent destinées aux descendants directs, non pas encore dans le but éducatif de les édifier, mais pour leur fournir des *dossiers* utiles à leur établissement : des catalogues d'ancêtres, indispensables pour négocier des alliances illustres, et d'exemples qui donnent de bonnes raisons d'être fier de sa naissance. Notons que ces exemples ne sont pas des modèles de moralité, de continuité vertueuse, mais des actions spectaculaires, comme Cervantès s'en amusera, qui se situent à des paroxysmes.

Cependant, les descendants n'étaient pas alors les premiers destinataires des récits biographiques et familiaux qui commençaient à être intitulés « Mémoires ». Au XVe et au XVIe siècle, ils s'adressaient plutôt aux fabricants de renommée, c'est-à-dire au cercle de personnages vénérés et lettrés dont le jugement consacrait une notoriété et permettait une survie, plus sûrement que la piété des enfants.

Il faut comparer les premiers Mémoires aux épitaphes tumulaires, qui, de la fin du XVe au début du XVIIIe siècle, sont devenus de véritables notices biographiques, longues et rhétoriques, où étaient énumérés les glorieux ancêtres, les alliances illustres, les services rendus au Prince, les hauts faits d'armes. Elles s'adressaient aux « passants », qu'il valait la peine d'instruire, et non pas aux enfants, à la famille, déjà bien informés.

Ainsi, comme les tombeaux, les premiers et plus anciens Mémoires étaient d'abord des monuments destinés à assurer et à transmettre la gloire chevaleresque d'un individu et de sa maison.

Des écrivains

Aux XVIᵉ et XVIIᵉ siècles, des changements apparaissent qui vont faire glisser le genre Mémoires sur une autre pente — celle des XVIIIᵉ et XIXᵉ siècles — de la vie privée. Le premier de ces changements est le rôle désormais dévolu à l'écrivain et à l'écriture dans l'attribution de la renommée posthume. Alberto Tenenti le dit bien : « Au XVIᵉ siècle et surtout dans sa deuxième moitié, les écrivains reconnaissaient à leurs livres la même fonction de transmission qu'à leurs enfants et descendants : faire passer leurs noms et leurs personnalités aux siècles futurs, les conserver à la fois matériellement et spirituellement. »

Les auteurs des pré-Mémoires médiévaux étaient des moines lettrés, mais obscurs, comme Primat de Saint-Denis ou le prêtre de la maison de Guines, un domestique. Désormais les mécènes sauront que l'art d'écrire peut leur assurer une renommée aussi durable que l'art du sculpteur ou du peintre et ils passeront leurs commandes aux meilleurs distributeurs de gloire de la renommée. Sans doute ce rôle a-t-il été plutôt reconnu à l'écrivain dans les pays les plus favorables à l'humanisme, comme l'Italie.

En France il n'a pas été ignoré et il a fait alors de l'Histoire un genre littéraire qu'il n'était pas encore, imité de Tite-Live et de l'Antiquité.

Du Bellay l'admet : c'est le rôle de l'Histoire de transmettre « à la postérité par vraye écriture [...] toutes choses dignes ou de louange ou de repréhension ». Et Monluc : « J'aimerais mieux être mort que si on me trouvait *en escritures* et que j'eusse capitulé. » Ou encore : « *Sans les escritures* qui se font parmy le monde, la plupart des gens d'honneur [notons le mot, et celui d'honnêteté, et la valeur qu'ils signifient] ne se soucieront d'acquérir de la réputation, car elle coûte trop cher. Mais l'honneste désir que nous avons de perpetuer notre nom comme on fait par les écrits est cause que la peine semble bien douce à celui qui a un cœur genereux. »

Ce souci de l'art d'écrire est la raison pour laquelle le soin d'écrire leur vie et l'histoire de leur règne a été confié par le roi à un écrivain célèbre, successeur des moines de Saint-Denis : l'historiographe du roi, Charles Sorel, Mezerai, Jean Racine [4]. Ainsi le rôle de l'écrivain devint prépondérant.

Toutefois, en France, on a bientôt pensé qu'on était encore mieux servi par soi-même, en particulier quand on avait une bonne plume. Ainsi naquit le genre des Mémoires tel que nous l'entendons. Les raisons profondes n'avaient pas changé : des histoires de famille, des récits des actions commises au service du roi ou des grands, comme au Moyen Age. Mais le texte est écrit par l'acteur lui-même, changement essentiel et créateur du genre.

Un changement qui n'est pas de pure forme, car le mémorialiste se veut écrivain, et bon écrivain. Voilà qui implique chez ces amateurs, en général des gentilshommes, une culture nouvelle, une maîtrise de la langue écrite. Sans doute cette culture était-elle due à la fréquentation scolaire, à un séjour plus ou moins long au collège latin : grâce à ces Mémoires, nous connaissons les enfances studieuses de cette époque, nous pouvons reconstituer des cursus. Mais tous les mémorialistes ne sont pas passés par le collège. Un Henri de Campion a été élevé par un oncle humaniste, une sorte de Montaigne, comme il y en eut quelques-uns. Des femmes reçurent aussi à la maison une culture et un usage de la langue écrite qui firent d'elles des mémorialistes ou des épistolières.

Honneur et vie privée

Ce changement culturel s'est accompagné d'un changement du modèle chevaleresque, véhicule de la renommée.

L'héroïsme médiéval et baroque, spectaculaire et merveilleux, celui de l'Arioste et de Don Quichotte, s'est « privatisé » et vulgarisé. Il a été remplacé par une morale ordinaire et intérieure, qui ne dépend plus de l'opinion et du monde, et qui appartient à tous les moments de la vie, et non plus seulement à d'extraordinaires paroxysmes. Cette morale est celle de l'homme seul devant lui-même, c'est l'*honneur*.

Ce passage de la gloire, parfois usurpée et trompeuse, de la renommée à l'honneur solitaire et silencieux, qui n'a besoin d'autre approbateur que lui-même, a été bien analysé par Alberto Tenenti : « Si on y prend garde, on s'aperçoit que *le mythe de la gloire a été de plus en plus absorbé par l'idée d'honneur.* Même si les mécènes et les hommes de guerre attiraient plus souvent l'attention des écrivains, ils n'étaient plus les seuls à aspirer à la gloire et à l'exiger. »

L'honneur est cette gloire vulgarisée et « intériorisée ». La gloire « commence avec la simple reconnaissance par un geste, une parole, un acte quelconque, de son état et de son rang », et cette confirmation discrète concernait aussi bien le plus humble des gentilshommes, pourvu qu'il le fût vraiment et se conduisît en conséquence.

« La gloire, poursuit Alberto Tenenti, tend à se confondre avec la réputation de la personne. Elle se change en une valeur dont l'intéressé ne peut se passer, car elle ne représente rien d'autre que son propre honneur. Dès lors c'est toute une classe qui devient digne de gloire, par nature [...]. La gloire est devenue en France l'idéal exclusif et le modèle des gentilshommes. »

Les Mémoires sont le lieu de convergence de l'art d'écrire et du sens de l'honneur. Alberto Tenenti le dit encore : « La riche production des chroniques, Mémoires, commentaires qui se succédèrent sans interruption de la fin du XVe siècle (guerres d'Italie) jusqu'aux guerres de religion (et un peu au-delà), montre les points de pénétration de l'aspect littéraire du mythe de la gloire dans ce contexte naturel. »

Il importe d'écrire pour défendre son honneur, et de bien écrire. Cette littérature de Mémoires est une littérature de gentilshommes.

« L'honneur, continue Alberto Tenenti, présente deux aspects distincts, mais inséparables : l'honneur déjà acquis (par la naissance) ou qui appartient à un groupe social bien défini, et l'honneur que chacun a gagné dans sa vie. En fait, seuls ceux qui ont déjà reçu l'honneur à la naissance, dont l'honneur fait partie de la condition, c'est-à-dire les gentilshommes, peuvent prétendre à l'accroître par de nobles entreprises. »

D'où une conduite qui n'est plus théâtrale, parce qu'elle n'a plus besoin de spectateurs, qui se traduit par les moindres gestes de la civilité honnête et par de discrètes décisions. Un modèle de comportement intérieur.

Un testament

C'est pourquoi ce modèle doit être transmis aux descendants. Il les concerne plus que n'importe quel autre public, même lettré. Il ne s'adresse plus seulement à leur fierté, mais à leur honneur, il fait partie de leur éducation, celle d'un « honnête garçon ». Les Mémoires constituent désormais un message éducatif, sous forme d'une expérience et d'un exemple de vie, et non pas des *exempla* extraordinaires : « Si je ne puis donner à mes enfants de bonnes instructions, je veux du moins leur laisser les *fruits* de *mon expérience* », et Marc Fumaroli a noté la ressemblance de ce début des *Mémoires* d'Henri de Campion avec le préambule du *Testament ou conseils fidelles d'un bon père à ses enfants où sont contenus plusieurs raisonnements chrétiens, moraux et politiques*, de Fortin de La Hoguette [5]. Ce testament a connu seize éditions au XVIIe siècle ; au contraire, les *Mémoires* de Campion sont restés manuscrits dans les coffres de ses descendants jusqu'au XIXe siècle.

On remarquera le nouveau nom donné parfois aux Mémoires : testament. Nous passons des Mémoires histoires et tombeaux aux Mémoires testaments et confessions — changement remarquable —, toujours dans le sens de l'intériorisation. Le testament est souvent, au XVIIe siècle, un message moral aux descendants, à la famille. Et, dans ce modèle, le sens nouveau de l'honneur s'oppose parfois à la recherche de la gloire, à la récompense de la renommée : « En quittant ce parti de ma fortune, j'ai toujours pensé celui m'étant le plus honorable », dit Fortin de La Hoguette : le plus honorable étant le moins glorieux au sens du monde.

Un exercice spirituel

C'est peut-être alors, en ce XVIIᵉ siècle grave, qu'intervient un dernier changement du genre Mémoires : il va devenir un genre spirituel. Tandis que Mémoires et testaments se chargeaient de nouvelles préoccupations familiales, éducatives, moralisantes, l'ancienne solidarité entre l'immortalité du ciel — le salut — et celle de la terre — la renommée — se rompait. Le *contemptus mundi* s'étendait au-delà des milieux de moines ascétiques. La gloire du monde devenait désormais suspecte au dévot et même à l'homme méditatif et enclin à la simple piété. Comme l'a déjà suggéré Marc Fumaroli, les Mémoires reflètent cette transformation. La rédaction des Mémoires n'est plus seulement un testament pour l'éducation des descendants, elle devient un exercice spirituel, une méditation sur la vanité des choses, la fuite du temps et la mort. C'est après la mort de sa petite fille et de sa femme qu'Henri de Campion a commencé à écrire ses *Mémoires*, malheureusement amputés par leur éditeur du XIXᵉ siècle de leurs « capucinades ». Élisabeth Bourcier a reconnu la même motivation spirituelle aux *diaries* anglais qu'elle a si bien analysés [6].

Garder sans doute la mémoire du passé, mais transmettre l'expérience de l'honneur, qui n'est plus comme au Moyen Age la poursuite d'une renommée tapageuse, se préparer à la mort : telles sont sans doute les raisons des mémorialistes du XVIIᵉ siècle. Beaucoup continueront à raconter de l'Histoire à laquelle ils ont participé ou des histoires qui les ont amusés : des hommes d'État, des hommes (ou des femmes) politiques. Mais combien désormais, aux XVIIIᵉ et XIXᵉ siècles, en France, en Angleterre, aux États-Unis, peut-être ailleurs, écriront de leur main à la fin de leur vie ce qu'ils appellent leurs Mémoires, cahiers jaunis, réglés, couverts d'une encre violette, qu'ils destinaient à des enfants et qui traînèrent au fond des secrétaires ou dans des caisses du grenier, qui furent souvent détruits par un héritier indifférent : témoignages sans prix pour l'historien d'aujourd'hui.

NOTES

[1] Georges Duby, *Hommes et structures du Moyen Age*, Paris - Amsterdam - Berlin, Mouton-De Gruyter, 1973, rééd. Paris, Flammarion, 1984.

[2] Henri de Campion, *Mémoires*, éd. présentée et annotée par Marc Fumaroli, Paris, Mercure de France, 1967.

[3] Alberto Tenenti, *Il Senso della morte e l'amore della vita nel Rinascimento (Francia e Italia)*, Turin, Giulio Einaudi, 1957, rééd. 1977.

(4) Orest Ranum consacre un livre à ce sujet : *Artisans of Glory, Writers and Historical Thought in Seventeenth-Century France* [Chapel Hill, The University of North Carolina Press, 1980].

[5] Philippe La Hoguette, dit Pierre Fortin de La Hoguette, *Testament ou conseils fidelles d'un bon père à ses enfants où sont contenus plusieurs raisonnements chrétiens, moraux et politiques*, 2e éd., Paris, 1648.

[6] Élisabeth Bourcier, *Les Journaux privés en Angleterre de 1600 à 1660*, Paris, Publications de la Sorbonne, 1976.

19

Le service domestique :
permanence et variations*

Il faudra un jour écrire une histoire du « service », sur le modèle de longue durée qui a servi à Jean Delumeau pour son grand livre *La Peur en Occident* [1]. L'idée me venait à l'esprit en lisant l'essai brillant et suggestif qu'Anne Martin-Fugier a consacré à la domesticité bourgeoise au début de ce siècle [2].

La mentalité de service est sans doute l'une des variables qui ont le plus changé dans le passage à la modernité. Des relations intenses, de personne à personne, consolidées ou non par des alliances de famille, entretenaient les réseaux de fidélité, de dépendance, qui formaient le fond des sociétés d'Ancien Régime. Ces réseaux de clientèles se sont peu à peu disloqués dans les sociétés marchandes, puis industrielles, et surtout la notion de service personnel, d'homme à homme, n'a cessé de se dégrader, de se charger de sens péjoratif, tandis qu'au contraire les notions de contrat, de correspondance exacte entre les fonctions et leurs rémunérations, de juste prix du mérite, de recrutement égalitaire par concours ou par test, de marché du travail, de barèmes des salaires, d'indexation, etc., étaient valorisées.

Certes, on se tromperait si on s'en tenait à un schéma linéaire qui substituerait simplement une société anonyme du contrat à une société personnelle du service, quelque vérité que contienne pourtant une vue aussi globale. Ce serait en effet oublier la vitalité du patronage aujourd'hui dans la vie politique, dans les promotions universitaires (médicales et hospitalières !), si forte qu'on en vient

* Ce texte a été publié dans *XVIIe Siècle*, n° 129, octobre-décembre 1980, p. 415-420.

à se demander s'il s'agit là de survivances très bien portantes, ou plutôt de permanences structurales et a-chroniques [3]. Interdite et chassée par la porte, la relation réciproque de clientèle revient discrètement par la fenêtre, officieusement tolérée. Elle résisterait donc aux rabotages bureaucratiques et technocratiques, et reparaîtrait toujours sous des formes nouvelles. Peut-être, mais alors chacune de ces renaissances successives trahit un affaiblissement supplémentaire de l'éventuel modèle originel ou de la matrice permanente, qui finit par devenir méconnaissable.

Prenons l'exemple de l'influence des relations dans les candidatures. Celle-ci a été longtemps souveraine : il importait avant tout, pour entrer par la bonne porte dans une affaire, d'avoir des recommandations, c'est-à-dire des appuis, c'est-à-dire des alliances, des relations. Celles-ci n'ont pas toutes disparu. Toutefois, les plus puissantes parmi celles qui subsistent ne sont plus individuelles, mais collectives, et mieux encore corporatives ou syndicales : les associations d'anciens élèves de grandes écoles. En revanche, les recommandations amicales, mondaines, les coups de téléphone sont de moins en moins efficaces, parce que le recrutement est désormais souvent confié à des bureaux d'experts, étrangers à l'entreprise et, par leurs fonctions, plus indifférents aux pressions.

Le patron qui persisterait à entretenir des relations familières avec son personnel, à *rendre service* en tête-à-tête, deviendrait vite suspect de « paternalisme ». A un journaliste qui lui reprochait de ne pas rechercher le contact de ses ouvriers un grand directeur de la Régie Renault répondait que ce n'était pas ses affaires, qu'il s'entretenait, s'il le fallait, avec les syndicats, qu'il n'aimait pas la démagogie. L'usage le plus commun du mot « service » se trouve dans l'expression *rendre service*. Elle n'est plus tolérée aujourd'hui que dans un petit espace privé, entre pairs ou parents proches. Elle est rejetée dès qu'une distance existe entre les partenaires et elle est dans ce cas considérée comme une humiliation ou un piège.

En fait, quand on réfléchit à ce phénomène, qui demanderait une longue étude, on fait deux observations en apparence contradictoires :

1) La notion traditionnelle de service survit dans le monde contemporain, y maintenant longtemps un état d'esprit de clientèle quasi féodal. Nous donnerons, d'après la lecture d'Anne Martin-Fugier, l'exemple du service domestique. Il en est au moins un autre que je citerai pour mémoire, car il soulève moins de difficultés d'interprétation, celui de l'Armée. Encore aujourd'hui, un garçon fait toujours son *service* (militaire). Il y a quelques décennies (mais l'expression a dû passer de mode), un officier disait qu'il *servait* dans tel corps. Il prenait sa retraite après tant d'*années de service*, un cadre ou un ouvrier dira, lui, « après tant d'années de travail » (un professeur, « d'enseignement »). Dans ce contexte, la notion de service n'humilie pas, et par conséquent le mot demeure en usage, alors qu'il a été d'ailleurs rejeté.

2) Si la fonction du service a bien reculé depuis la fin du XVIIᵉ siècle environ de manière spectaculaire, à y regarder de plus près, son déclin, ou du moins sa contraction, a commencé dès le début des Temps modernes, donc bien avant les révolutions politiques, économiques, culturelles des XVIIIᵉ et XIXᵉ siècles, que nous rendons d'habitude responsables de tous les grands changements psychologiques.

A la fin du Moyen Age, au XVᵉ siècle, les premiers traités manuscrits de courtoisie, qui annoncent les manuels imprimés de civilité des XVIᵉ et XVIIᵉ siècles, nous montrent qu'au moins dans les maisons nobles le service domestique, le service de la maison, était assuré par des valets ou demoiselles, mots qui n'avaient pas de sens mercenaire, beau-fils, garçon d'honneur, enfant, ou encore demoiselle d'honneur, demoiselle suivante, etc., tous des jeunes à peu près de même condition que leurs maîtres. Ils servaient à table, coupaient les viandes, versaient le vin, dressaient les lits, accommodaient les chambres, soignaient les chevaux et les armes, préparaient les étapes, etc.

De même le jeune clerc promis aux bons bénéfices remplissait des rôles analogues à la cour de l'évêque ou de l'abbé, à la maison du chanoine. De même, pendant des siècles, le jeune écolier faisait les courses et le marché du régent dont il était le pensionnaire.

L'un de ces manuscrits du XVe siècle s'appelle *Régime pour tous serviteurs*. Il insiste sur la nature sentimentale, voire passionnée, faite de respect, de crainte d'une part, de sollicitude et de piété de l'autre, mais d'amour dans les deux cas, de la relation entre maître et serviteur :

> Se tu veulx bon serviteur estre,
> Craindre dois et aimer ton maître [...]
> Il te fault pour le bien servir
> Se son *amour* veulz desservir
> Laissier toute ta volonté
> Pour ton maître servie à grey.

Le jeune serviteur apprendra aussi à connaître l'*amour*, condition nécessaire à l'exercice du commandement, plus tard :

> Faiz, se tu peulz, que tu desserves
> La grâce et l'amour de ton maistre
> Afin que tu puisses maistre estre
> Quand il sera temps et mestier.

Certes, ces jeunes de bonne naissance étaient assistés dans leurs tâches ménagères par des serviteurs de plus basse condition, sortis de vilainage, sans que d'ailleures le langage les distinguât clairement. Les uns restaient toute leur vie dans des fonctions subalternes où les deux fils ne faisaient que passer.

De toute manière, le temps du service peut être noble, il constitue toujours une étape nécessaire de l'apprentissage de la vie et il n'est donc pas humiliant comme le travail manuel du paysan.

Nous savons que les grandes maisons comportaient toute une gamme de serviteurs domestiques, depuis le petit valet de table jusqu'au clerc archiviste, rédacteur des exploits de la ligne, consignataire de ses alliances.

L'atelier des frères Le Nain engage en 1632 comme *apprenti* un garçon de dix-sept ans, fils d'un certain Pierre Gervais, lequel était *domestique* de M. de Més, abbé de Saint-Germain-des-Prés. Ne doutant pas que ce jeune apprenti ne se contentait pas de préparer les peintures ou les toiles, mais qu'il servait à table, faisait les courses et le ménage.

Dans l'Angleterre de Samuel Pepys, des jeunes filles pauvres servaient de bonnes à la maison de parents plus fortunés. Ce dernier petit fait nous prépare à un changement important dans la mentalité de service. La situation domestique n'était pas encore assez dégradée pour en exclure des filles de la famille. Elle l'était néanmoins devenue assez pour que la place ne fût pas recherchée, mais réservée aux petites Cendrillons, aux nièces les plus dépourvues de biens.

Nous voici en présence du premier grand changement de la notion de service : le service domestique est de plus en plus confié à des mercenaires de basse condition qui en font un métier. Sans doute, comme Sancho ou les serviteurs de Molière, font-ils toujours partie de la maison. Mais leurs services mercenaires se distinguent désormais du service « compagnonnique » du Moyen Age. Les valets plus ou moins gagés, les petites bonnes ont remplacé les beaux-fils de bonne famille. Les manuels de civilité, fidèles à l'ancien usage qui passait de mode, conservèrent quelque temps leur chapitre sur le service à table. Mais bientôt celui-ci fut remplacé par la matière de se tenir à table. Les enfants bien nés ne servaient plus, ils étaient servis.

La demoiselle suivante ou d'honneur devint désormais la fille suivante, que Mme Pernelle interpellait :

Vous êtes, mamie, une fille suivante
Un peu trop forte en gueule, et fort impertinente

Et pourtant, malgré cette première dévaluation de la notion de service, celle-ci va durer tout le long du XIXe siècle. Anne Martin-Fugier a bien montré combien la relation des maîtres et des serviteurs échappait aux catégories habituelles du travail de l'époque.

Elles étaient, par exemple, caractérisées par une promiscuité physique — et parfois érotique. La servante faisait partie du corps des maîtres. Manière de dire qu'elle appartenait à la maison et à ses maîtres, qui avaient aussi des responsabilités médicales, morales et religieuses à son égard — comme membre de la famille, à elle confiée.

La nature intime et physique de cette relation ne provenait pas des conditions d'habitat qui s'imposèrent à la vie quotidienne au début du XXe siècle. Celles-ci tendaient au contraire à éloigner la bonne de ses maîtres et de la famille. Tout ce qui surprend et scandalise les historiens et les sociologues quand ils étudient les serviteurs du XIXe siècle : le paternalisme des maîtres, le rapport érotique entre le maître et la servante, la dureté du dressage, le mélange des temps de travail, de repos et de vie privée, tout cela nous apparaît comme une survivance des anciennes coutumes de patronage qui régissaient les rapports de dépendance. Celles-ci ne donnaient pas aux maîtres un vrai droit sur le corps de celles qui dépendaient d'eux, mais elles leur assuraient l'indulgence, sinon l'approbation de la société quand ils étaient tentés d'en user.

L'attitude de Samuel Pepys annonce celle des bourgeois paillards d'Anne Martin-Fugier. Voici ce que nous en dit Lawrence Stone : « Il est bien évident que Pepys n'hésitait pas à user de son pouvoir, à la fois comme maître sur ses serviteurs et comme *commissaire of the navy* [lors des engagements et des promotions de ses agents] pour obtenir que les femmes consentissent à ses avances sexuelles. Il ne voyait rien de mal dans cet abus d'autorité, et les autres non plus [....]. Lui-même n'avait été ni surpris ni choqué quand il apprit que son propre patron, Lord Sandwich, avait tenté de séduire sa femme. *Dans un monde de patronage* [je souligne], *de pouvoir et de respect, un corps de femme était, dans certaines limites, à la disposition de son supérieur, ou de celui de son mari* [4]. »

La promiscuité des maîtres et des serviteurs favorisait d'ailleurs de telles privautés, dans une maison où l'espace resta longtemps ouvert à tous ses habitants, même longtemps après que fut commencée la mutation mercenaire du service.

L'histoire du mot *bonne* est un bon exemple de ce mélange de survivance et de dégradation. Les lexicographes nous apprennent qu'il apparaît dès le XVIIe siècle dans la littérature épistolière comme un signe familier d'affection : *ma bonne* (amie). Il sera remplacé dans cet usage par *ma chère* ou *ma chérie*, ce dernier mot acquérant en outre un sens amoureux.

Dès le XVIIe siècle, le mot *bonne* passe déjà dans la langue réductrice et déformante des enfants et des femmes qui leur parlent et qui d'ailleurs sont souvent jeunes, comme les nourrices : « ma chère bonne ».

Enfin, le mot va désigner la petite fille qu'on prend à son service, au sens XIXᵉ-XXᵉ siècle du mot : en 1708, Saint-Simon parle de sa « petite bonne ». C'est le *terminus ad quem*. Au XIXᵉ siècle, on a tout à fait oublié le sens ancien de « ma bonne » (amie). Le mot s'est complètement dégradé. La bonne désignait une servante de second ordre, et on accentua encore cette médiocrité en créant, sur le modèle de l'ancien « bon à rien », le mot « bonne à tout faire », qui opposait celle qu'il désignait à la cuisinière, à la femme de chambre et même à la seule bonne privilégiée, la « bonne d'enfant », devenue dans quelques rares maisons snobs la « nurse ».

Et encore une fois, malgré cette déchéance, le serviteur, ou plutôt, désormais, la servante persistait à faire partie de la maison. Ses maîtres n'avaient pas seulement acheté sa force de travail. Ils disposaient d'elle tout entière, et les syndicats et les règlements sociaux eurent de la peine à limiter et à réduire ce droit sur la personne.

La notion traditionnelle de service résistait à sa mutation en fonction mercenaire, parce que celle-ci n'avait pas affecté l'espace de la maison : le serviteur vivait toujours près du maître. Elle survécut partout où la distance physique entre l'un et l'autre demeura faible, par exemple, jusqu'aux années trente de ce siècle dans le cas des « bonnes d'enfants », ou dans les milieux artisanaux ou ruraux.

En revanche, quand cette distance s'allongea trop, elle se dégrada et s'effaça : les effets d'un pouvoir exorbitant ne furent plus partiellement compensés par les accommodements de la coexistence, devinrent intolérables et furent dénoncés comme des exactions. Le travail du « personnel de maison » cessa d'être un service à l'ancienne pour devenir un travail comme un autre, soumis aux mêmes règles, aux mêmes usages, aux mêmes exactitudes. La longue distance, qui permit cette évolution radicale, fut volontairement obtenue par une conception nouvelle de l'espace privé. L'appartement du début du XXe siècle sépare radicalement l'espace des maîtres (pièces de réception et de réunion, chambres sur la rue ou sur une cour large) de l'espace des serviteurs (cuisine et office sur puits d'air humides et obscurs, escalier particulier, dit « de service », chambres de bonne à un autre étage, où les maîtres n'allaient pas, sauf les hommes ou leurs fils en chasse). Parfois ces deux espaces étaient séparés par un long et étroit couloir.

En fait, cette combinaison de l'espace n'a pas duré. La zone qu'on appelait encore « de service » disparut après la dernière guerre, faute d'occupants. Là où elles subsistaient, les chambres de bonne devinrent des garnis pour étudiants ou travailleurs immigrés. La zone de la famille s'est étendue à toute la maison, et la cuisine reprit parfois la place centrale qu'elle occupait encore au XVIIe siècle. Mais cet espace modelé par les nouveaux urbanistes était soigneusement clos, réservé au couple et aux enfants. Dans la privatisation progressive de l'habitat, les serviteurs avaient maintenu une présence allogène, ils étaient de la maison sans appartenir tout à fait vraiment à la famille. Après leur départ, rien ne troubla plus l'intégrité du refuge.

NOTES

[1] Jean Delumeau, *La Peur en Occident (XIVe-XVIIIe siècle). Une cité assiégée, op. cit.*

(2) Anne Martin-Fugier, *La Place des bonnes. La domesticité féminine à Paris en 1900*, Paris, Grasset, 1979, rééd. 1985.

(3) La question a été posée dans son introduction par Orest Ranum, *Artisans of Glory, Writers and Historical Thought in Seventeenth-Century France, op. cit.* ; étude sur cette catégorie de « domestiques » que furent les historiographes du roi.

(4) Lawrence Stone, *The Family, Sex, and Marriage in England, 1500-1800*, New York, Harper and Row, 1977 (cité d'après l'édition abrégée, Londres, Penguin Books, 1979, p. 348).

Bibliographie de Philippe Ariès

Cette bibliographie, qui ne prétend pas à l'exhaustivité et qui laisse de côté les articles de Philippe Ariès dans les journaux, reprend et complète la Bibliografia sommaria di Philippe Ariès, *établie par Bruno Somalvico et publiée dans* Cenobio, n° 2 (nouvelle série), XXXV, avril-juin 1986, p. 159-163.

1936 :

Les Commissaires-Examinateurs au Châtelet de Paris au XVIe siècle, diplôme d'études supérieures, Sorbonne, dactylographié.

1943 :

Les Traditions sociales dans les pays de France, Paris, Éd. de la Nouvelle France, «Cahiers de la restauration nationale», p. 7-159.

1944 :

«Journal de L'Estoile. Pour le règne de Henri IV», dans François Léger, *La Fin de la Ligue (1589-1593)*, suivi de *Trois Études sur le XVIe siècle*, Paris, Éd. de la Nouvelle France, «Cahiers de la restauration nationale», p. 159-175.

1945 :

«A propos de Balzac», dans Paul Chanson, *Trois Socialistes*, suivi de *Quatre Études*, Paris, Éd. de la Nouvelle France, «Cahiers de la restauration nationale», p. 149-165.

1948 :

Histoire des populations françaises et de leurs attitudes devant la vie depuis le XVIIIe siècle, Paris, Self.

1949 :

« Attitudes devant la vie et devant la mort du XVIIe au XIXe siècle »,
dans *Population*, IV, janvier-mars, p. 463-470.

1953 :

« Sur les origines de la contraception en France », dans *Population*,
VIII, juillet-septembre, p. 465-472.

1954 :

Le Temps de l'Histoire, Monaco, Éd. du Rocher.
« Deux contributions à l'histoire des pratiques contraceptives ». II :
« Chaucer et Mme de Sévigné », dans *Population*, IX, octobre-
décembre, p. 692-698.
« Le XIXe siècle et la révolution des mœurs familiales » et « Familles
du demi-siècle », dans *Renouveau des idées sur la famille*, sous la
direction de Robert Prigent, Paris, Presses universitaires de France,
« Travaux et documents de l'Institut national d'études démographiques », cahier n° 18, p. 111-118 et 162-170.

1955 :

« La politique », dans *Cinquante Ans de pensée catholique française*,
Paris, Fayard, p. 116-127.
« De la connaissance de l'Histoire », dans *La Table Ronde*, n° 86 :
La Nouvelle Conception de l'Histoire, février, p. 96-122.

1956 :

« La famille d'Ancien Régime », dans *Revue des travaux de l'Académie des sciences morales et politiques*, a. 109, sér. 4, premier semes-
tre, p. 46-55.
« La famille et ses âges », *Cahiers de pastorale familiale*, janvier-mars,
p. 11-18.

1957 :

« Contradictions de l'Europe », dans *La Table Ronde*, n° 125, mai,
p. 146-152.

1960 :

L'Enfant et la vie familiale sous l'Ancien Régime, Plon.
« Interprétation pour une histoire des mentalités », dans *La Prévention
des naissances dans la famille. Ses origines dans les temps modernes*,
Paris, Presses universitaires de France, « Travaux et documents de
l'Institut national d'études démographiques », cahier n° 35, p. 311-327.

1961 :

« Panorama de l'Histoire », dans *Tendances*, Paris, ministère des Affaires étrangères, juin-août, p. 361-384.

« La déception chez les ouvriers et les cadres » (à propos du livre d'André Andrieux et Jean Lignon *L'Ouvrier aujourd'hui, sur les changements dans la condition et la conscience ouvrières*, Paris, Marcel Rivière, 1960), dans *Revue française de sociologie*, II, 4, p. 312-313.

1965 :

Préface à Henri Derreal, *Un missionnaire de la Contre-Réforme. Saint-Pierre Fourier et l'institution de la congrégation de Notre-Dame*, Paris, Plon, pp. I-V.

1966 :

« Contribution à l'étude du culte des morts à l'époque contemporaine », dans *Revue des travaux de l'Académie des sciences morales et politiques*, a. 119, sér. 4, premier trimestre, p. 25-40. Texte repris dans les *Essais sur l'histoire de la mort en Occident du Moyen Age à nos jours*, 1975.

1967 :

« La mort inversée », dans *Archives européennes de sociologie*, VIII, 2, p. 169-195. Texte repris dans les *Essais sur l'histoire de la mort en Occident du Moyen Age à nos jours*, 1975.

1968 :

« L'évolution des rôles parentaux », dans *Familles d'aujourd'hui*, colloque consacré à la sociologie de la famille, Bruxelles, 17, 18 et 19 mai 1965, Bruxelles, Université libre de Bruxelles, Institut de sociologie, p. 35-55.

Préface à Eugenio Garin, *L'Éducation de l'homme moderne. La pédagogie de la Renaissance (1400-1600)*, Paris, Fayard, p. 7-12.

1969 :

« Le rôle nouveau de la mère et de l'enfant dans la famille moderne », dans *Carnets de l'enfance*, n° 10, juin, p. 36-43.

1970 :

« At the point of origin », dans *The Child's Part*, édité par Peter Brooks, *Yale French Studies*, 43, p. 15-23.

« Les âges de la vie », dans *Contrepoint*, 1, mai, p. 23-30.

« La mort inversée. Le changement des attitudes devant la mort dans les sociétés occidentales », dans *La Maison Dieu*, XXVI, 101, janvier-mars, p. 57-89. Texte repris dans les *Essais sur l'histoire de la mort en Occident du Moyen Age à nos jours*, 1975.

1971 :

Histoire des populations françaises et de leurs attitudes devant la vie depuis le XVIIIᵉ siècle, rééd. abrégée, Paris, Éd. du Seuil, « Points Histoire », avec un « Avertissement pour l'édition de 1971 », p. 5-9.

1972 :

« Problèmes de l'éducation », dans *La France et les Français*, sous la direction de Michel François, Paris, Gallimard, « Encyclopédie de la Pléiade », p. 871-961.

« A propos de l'histoire du couple », dans *Le Mariage : engagement pour la vie ?*, Centre catholique des intellectuels français, colloque, Paris, octobre 1970, Paris - Bruges, Desclée de Brouwer, p. 19-27.

« Le thème de la mort dans *Le Chemin de Paradis* de Maurras », dans *Études maurrassiennes*, I, 1972, p. 27-32. Texte repris dans les *Essais sur l'histoire de la mort en Occident du Moyen Age à nos jours*, 1975.

« La vie et la mort chez les Français d'aujourd'hui », dans *Ethno-Psychologie*, XXVII, 1, mars, p. 39-44. Texte repris dans les *Essais sur l'histoire de la mort en Occident du Moyen Age à nos jours*, 1975.

« At the point of origin », *The Child's Part*, édité par Peter Brooks, Boston, The Beacon Press, p. 15-23 (republication de l'article publié en 1970).

Préface à Maria Czapska, *Une famille d'Europe centrale : 1772-1914*, Paris, Plon, p. 7-19.

1973 :

L'Enfant et la Vie familiale sous l'Ancien Régime, rééd., Paris, Éd. du Seuil, avec une « Préface à la nouvelle édition », p. I-XX.

« La famille hier et aujourd'hui », dans *Couples et familles dans la société d'aujourd'hui*, Lyon, Chronique sociale de France, p. 117-126 (repris dans *Contrepoint*, 11, juillet, p. 89-97).

« Enfant et société. Période moderne. Rapport introductif », dans *Annales de démographie historique*, XI, p. 211-214.

« Une interprétation tendancieuse de l'histoire des mentalités », dans *Anthinéa*, III, n° 2, février, p. 227-234.

« La mort et le mourant dans notre civilisation », dans *Revue française de sociologie*, XIV, n° 1, janvier-mars, p. 125-128. Texte repris dans les *Essais sur l'histoire de la mort en Occident du Moyen Age à nos jours*, 1975.

« Huizinga et les thèmes macabres », dans *Bijdragen en mededelingen Betreffende de geschiendenis der Nederlanden*, LXXXVIII, 2, p. 246-257. Texte repris dans les *Essais sur l'histoire de la mort en Occident du Moyen Age à nos jours*, 1975.

1974 :

Western Attitudes toward Death : From the Middle Ages to the Present, Baltimore-Londres, The John Hopkins University Press.

« Richesse et pauvreté devant la mort au Moyen Age », dans *Études sur l'histoire de la pauvreté*, sous la direction de Michel Mollat, Paris, Publications de la Sorbonne, t. II, p. 519-533. Texte repris dans les *Essais sur l'histoire de la mort en Occident du Moyen Age à nos jours*, 1975.

« Confessions d'un anarchiste de droite », dans *Contrepoint*, 16, p. 87-99.

« Les âges de la vie », dans Philippe Ariès, Jean Baechler et Walter Laqueur, *Sciences-po : débouchés*, Paris, Brès, p. 3-13.

« Death inside out », *Hastings Center Studies*, vol. 2, n° 2, mai, p. 3-18.

1975 :

Essais sur l'histoire de la mort en Occident du Moyen Age à nos jours, Paris, Éd. du Seuil.

L'Enfant et la vie familiale sous l'Ancien Régime, rééd. abrégée, Paris, Éd. du Seuil, « Points Histoire ».

« Les miracles des morts », dans *Annales de démographie historique*, XIII, p. 107-113. Texte repris dans les *Essais sur l'histoire de la mort en Occident du Moyen Age à nos jours*, 1975.

« La mort apprivoisée », dans *Contrepoint*, 19, p. 107-113.

« Religion populaire et réformes religieuses », dans *Religion populaire et réforme liturgique. Rites et symboles*, Paris, Éd. du Cerf, p. 84-97.

« Inconscient collectif et idées claires », dans *Anthinéa*, V, n° 8, août-septembre, p. 3-4. Texte repris dans les *Essais sur l'histoire de la mort en Occident du Moyen Age à nos jours*, 1975.

« Les grandes étapes et le sens de l'évolution de notre attitude devant la mort », dans *Archives des sciences sociales des religions*, 39, janvier-juin, p. 7-15.

« Les rituels de mariage », dans *La Maison Dieu*, 121, p. 143-150.

« L'enfant : la fin d'un règne », dans *Autrement*, n° 3, p. 169-171.

« La Famille. A report from France », dans *Encounter*, août, p. 7-12.

« Entretien avec Philippe Ariès, historien des mentalités », propos recueillis par Jacques Mousseau, dans *Psychologie*, n° 60, janvier, p. 27-35.

« Nos aïeux sans famille » et « Quand l'enfant devient roi », entretien réalisé par Pierre Desgraupes, dans *Le Point*, n° 148, 21 juillet, p. 77-82, et n° 149, 28 juillet, p. 58-63.

1976 :

« A propos de *La Volonté de savoir* », dans *L'Arc*, n° 72 : *Michel Foucault*, p. 27-32.

« Culture orale et culture écrite », dans *Le Christianisme populaire*, sous la direction de Bernard Plongeron et Robert Pannet, Paris, Éd. du Centurion, p. 227-240.

« Mourir autrefois », dans *La Mort au cœur de la vie*, sous la direction de A. Brien et M. Lienhard, École théologique du soir de Strasbourg, Colmar, Alsatia, et Strasbourg, Oberlin, p. 23-35.

« L'amour dans le mariage et en dehors », dans *La Maison Dieu*, 127, p. 139-145.

1977 :

L'Homme devant la mort, Paris, Éd. du Seuil.

Essais sur l'histoire de la mort en Occident du Moyen Age à nos jours, rééd., Paris, Éd. du Seuil, « Points Histoire ».

« The family and the city », dans *Daedalus*, vol. 106, n° 2, printemps, p. 227-237.

Préface à Érasme, *La Civilité puérile*, Paris, Ramsay, p. VII-XIX.

Préface à Marie-Odile Métral, *Le Mariage : les hésitations de l'Occident*, Paris, Aubier-Montaigne, p. 7-11.

1978 :

« La famille et la ville », dans *Esprit*, janvier, p. 3-12.

« La contraception autrefois », dans *L'Histoire*, n° 1, mai, p. 36-44.

« L'histoire des mentalités », dans *La Nouvelle Histoire*, sous la direction de Jacques Le Goff, Paris, Retz-CEPL, p. 402-423.

« Educazione », dans *Enciclopedia*, t. V, Turin, Giulio Einaudi, p. 251-259.

Préface à Françoise Hildesheimer, *Notre-Dame de la Garde. Histoire du sanctuaire, 1214-1978*, Marseille, p. 3-5.

« La singulière histoire de Philippe Ariès », entretien avec André Burguière, dans *Le Nouvel Observateur*, n° 693, 20 février.

Compte rendu du livre de Lawrence Stone *The Family, Sex and Marriage in England, 1500-1800*, New York, Harper and Row, 1977, dans *American Historical Review*, vol. 85, n° 5, décembre, p. 1221-1224.

1979 :

« Les grands-parents dans notre société », dans Michel Soulé, *Les Grands-Parents dans la dynamique de l'enfant*, Paris, ESF, p. 13-26.

« L'enfance écartée », dans *Autrement*, n° 22, p. 23-26.

« L'environnement urbain : l'enfant hors de la famille dans la cité », dans *L'enfant et la Vie urbaine*, congrès international, 31 octobre, 1, 2, 3 et 4 novembre, Montréal, Conseil du Québec de l'enfance exceptionnelle, p. 45-55.

« L'enfant et la rue, de la ville à l'antiville », dans *Urbi*, II, p. III-XIV (republication du titre précédent).

« Le régionalisme. Perspective historique », dans *Critère*, n° 24, p. 41-50.

« Le travail des enfants et la famille populaire », dans *Critère*, n° 25, p. 251-255.

« Pourquoi écrit-on des Mémoires ? », dans *Les Valeurs chez les mémoralistes français du XVIIᵉ siècle avant la Fronde*, colloque de Strasbourg et Metz, 18-20 mai 1978, sous le patronage de la Société d'étude du XVIIᵉ siècle, Paris, Klincksieck, p. 13-20.

« Ville ancienne ou urbanité de l'enfance », dans *L'Architecture aujourd'hui*, n° 204, septembre, p. 4-5.

« Generazioni », dans *Enciclopedia*, t. VI, Turin, Giulio Einaudi, p. 557-562.

« The family and the city in the old world and the new », dans *Changing Images of the Family*, édité par Virginia Tufte et Barbara Myerhoff, New Haven, Yale University Press, 1979, p. 29-41.

« L'enfance écartée », entretien, *Autrement*, n° 22, novembre, p. 23-29.

« Een interview met Philippe Ariès », par Danielle Bourgeois et Bart van Heerikhuizen, *Amsterdams Sociologisch Tijdschrift*, n° 2, octobre, p. 182-209.

1980 :

Un historien du dimanche, avec la collaboration de Michel Winock, Paris, Éd. du Seuil.

« La nostalgie du roi », dans *H-Histoire*, n° 5, p. 37-48.

« La sensibilité au changement devant la problématique de l'historiographie contemporaine », dans *Y a-t-il une Nouvelle Histoire ?*, actes du colloque de juillet, Loches, Institut collégial européen, p. 17-20.

« Le service domestique : permanence et variations », dans *XVIIᵉ Siècle*, n° 129, octobre-décembre, p. 415-420.

« Two successive motivations for the declining birth rate in the West », dans *Determinants of Fertility Trends : Theories Re-examined*, International Union for the Scientific Study of Population, Bruxelles, Ordina Editions, p. 125-130. Repris dans *Population and Development Review*, vol. 6, n° 4, p. 645-650.

« La société devant la mort », dans *Cahiers de la Fondation nationale de gérontologie*, n° 12 : *Vieillesse et Mort*, mars, p. 645-650.

« Permanence et différence dans la pensée historique », dans *Analogie et connaissance*, sous la direction d'André Lichnerowicz, François Perroux et Gilbert Gadoffre, Paris, Maloine, « Études interdisciplinaires », t. 1 : *Aspects historiques*, p. 155-158.

« La liturgie ancienne des funérailles », dans *La Maison-Dieu*, 144, p. 49-57.

Postface à Richard Sennett, *La Famille contre la ville. Les classes moyennes de Chicago à l'ère industrielle (1872-1890)*, Paris, Recherches, p. 227-232.

Préface à François Léger, *La Jeunesse d'Hippolyte Taine*, Paris, Albatros, p. 7-11.

Introduction à Cyprien de Carthage, *Sur la mort*, suivi d'Ambroise de Milan, *La mort est un bien*, traduction de Marie-Hélène Stélé et de Pierre Cras, Paris, Desclée de Brouwer, p. 9-16.

« Une conversation avec Philippe Ariès », propos recueillis par Alison Browning, dans *Cadmos*, troisième année, n° 12, hiver, p. 4-16.

« L'enfant à travers les siècles. Entretien avec Philippe Ariès », propos recueillis par Michel Winock, dans *L'Histoire*, n° 19, janvier, p. 85-87.

1981 :

« Saint-Pierre ou la douceur de vivre ? », dans Philippe Ariès, Charles Daney et Émile Berlé, *Catastrophe à la Martinique*, Paris, Herscher, p. 11-24.

« L'éducation familiale », dans *Histoire mondiale de l'éducation des origines à nos jours*, sous la direction de Gaston Mialaret et Jean Vial, Paris, Presses universitaires de France, t. II : *De 1515 à 1815*, p. 233-245.

« Le bricolage », dans *Temps libre*, I, 2, été, p. 37-42.

« Introduction à la première partie : lois et coutumes relatives au remariage », dans *Mariage et remariage dans les populations du passé*, Londres, Academic Press, 1981, p. 35-40.

1982 :

« Du sérieux au frivole », dans *Les Jeux à la Renaissance*, actes du

23ᵉ colloque international d'études humanistes, Tours, juillet 1980, études réunies par Philippe Ariès et Jean-Claude Margolin, Paris, J. Vrin, p. 7-15.

« Saint Paul et la chair », « Réflexions sur l'histoire de l'homosexualité », « L'amour dans le mariage », « Le mariage indissoluble », dans *Communications*, 35, janvier-juin, p. 34-35, 56-67, 116-122 et 123-137. Textes repris dans *Sexualités occidentales*, 1984.

« Indissoluble mariage », dans *Proceeding of the 9th Annual Meeting of the Western Society for French History*, Greeley, 22-24 octobre 1981, Lawrence, University of Kansas, p. 1-14.

« La naissance du mariage occidental », dans *La Maison-Dieu*, 149, p. 107-112.

« Le père autrefois », dans *Les Pères aujourd'hui*, colloque international, Paris, 17-19 février 1981, Paris, Institut national d'Études démographiques, p. 5-8.

« Du livre (à paraître) de Michel Vovelle : *La Mort en Occident* », dans *La Mort aujourd'hui*, Marseille, Rivages, « Cahiers de Saint-Maximin », p. 158-166.

Préface à Mireille Laget, *Naissance. L'accouchement avant l'âge de la clinique*, Paris, Éd. du Seuil, p. 7-10.

Postface à Robert Pannet, *Marie au buisson ardent*, Paris, SOS, p. 165-168.

« Vie et mort des civilisations. Philippe Ariès », entretien dans Christian Cabanis, *La Mort, un terme ou un commencement ?*, Paris, Fayard, p. 103-118.

« Razionalità e inconscio collettivo nell'evoluzione del morire in Occidente. Dialogo con Philippe Ariès », dans Francesco Campione et Maria Teresa Palmieri, *Dialoghi sulla morte*, Bologne, Cappelli, p. 61-94.

1983 :

Images de l'homme devant la mort, Paris, Éd. du Seuil.

« Une histoire de la vieillesse ? », dans *Communications*, 37, p. 47-54.

« Le Purgatoire et la cosmologie de l'au-delà », dans *Annales ESC*, p. 151-157.

« L'histoire de l'au-delà dans la Chrétienté latine », dans *En face de la mort*, Privat, p. 11-45.

ESSAIS DE MÉMOIRE

Œuvres publiées après la mort de Philippe Ariès

1984 :
Sexualités occidentales, sous la direction de Philippe Ariès et André Béjin, Paris, Éd. du Seuil, p. 52-55, 81-96, 138-147 et 148-168.

1985 :
L'Homme devant la mort, rééd. en 2 vol., t. 1 : *Le Temps des gisants*, t. 2 : *la Mort ensauvagée*, Paris, Éd. du Seuil, «Points Histoire».
«Les attitudes devant les "handicapés"», dans *Histoire sociale, sensibilités collectives et mentalités. Mélanges Robert Mandrou*, Paris, Presses universitaires de France, p. 457-465.

1986 :
Le Temps de l'Histoire, rééd., Paris, Éd. du Seuil.
«Pour une histoire de la vie privée», dans *Histoire de la vie privée*, sous la direction de Philippe Ariès et Georges Duby, t. 3 : *De la Renaissance aux Lumières*, p. 7-19.
«Intervista a Philippe Ariès (aprile 1981)», par Serge Cosseron et Bruno Somalvico, dans *Cenobio*, n° 2 (nouvelle série), XXXV, avril-juin, p. 145-158.

Table

COMPOSITION : CHARENTE-PHOTOGRAVURE A L'ISLE-D'ESPAGNAC
IMPRESSION : NORMANDIE ROTO IMPRESSION S.A. À LONRAI (61250)
DÉPÔT LÉGAL : JUIN 1993. N° 11493 (13-1008)

DANS LA MÊME COLLECTION

DATE DUE

AUG 23 2013			